De plek van de verloren dingen

Vertaald door Daniëlle Alders

Cecelia Ahern

*De plek van de
verloren dingen*

EERLIJKE BOEKEN MET LEF

Oorspronkelijke titel: *A Place Called Here*
Oorspronkelijke uitgave © 2006 HarperCollins Publishers
Nederlandse vertaling © 2007 Daniëlle Alders en Truth & Dare / Foreign
Media Books bv, Amsterdam

Truth & Dare *is een imprint van Foreign Media Books bv,*
onderdeel van Foreign Media Group

Omslagontwerp: Janine Jansen / Lee Motley
Auteursfoto: Kieran Harnett
Typografie en zetwerk: CeevanWee, Amsterdam

ISBN 978 90 499 9912 4
NUR 302

www.truthanddare.nl

Voor jou, pap –
met heel veel liefs.

Per ardua surgo

*Een vermist persoon is iemand wiens verblijfplaats
onbekend is, ongeacht de omstandigheden
van de verdwijning.
De persoon wordt geacht 'vermist' te zijn
totdat hij/zij is opgespoord en zijn/haar welzijn,
of anderszins, is vastgesteld.*

An Garda Síochána

HOOFDSTUK 1

Jenny-May Butler, het meisje dat tegenover me in de straat woonde, verdween toen ik een kind was. De *gardaí* stelden een onderzoek in, en zochten uitgebreid naar haar. Maandenlang was het verhaal elke avond op het nieuws, elke dag stond het op de voorpagina van de kranten, overal was het het gesprek van de dag. Het hele land hielp mee, het was de grootste zoektocht naar een vermist persoon die ik, met mijn tien jaar, ooit had meegemaakt, en hij leek invloed te hebben op iedereen.

Jenny-May Butler had blond haar, blauwe ogen en was een schoonheid die stralend glimlachte vanaf het tv-scherm in de woonkamer van elk huis in het land, waardoor iedereen tranen in zijn ogen kreeg en ouders hun kinderen ietsje steviger knuffelden voordat ze hen naar bed stuurden. Ze was in ieders dromen en ieders gebeden.

Ook zij was tien jaar oud, en ze zat bij mij in de klas. Ik keek elke dag naar haar mooie foto op het nieuws en luisterde naar de verslaggevers die over haar spraken alsof ze een engel was. Gezien de manier waarop ze haar beschreven, zou je nooit hebben geweten dat ze tijdens de pauze stenen naar Fiona Brady gooide wanneer de leraar niet keek, of dat ze me een 'koe met kroeshaar' noemde toen Stephen Spencer erbij stond, zodat hij haar boven mij zou verkiezen. Nee, in die paar maanden was ze het perfecte meisje geworden en ik vond het niet eerlijk om dat te verpesten. Na een tijdje vergat zelfs ik alle nare dingen die ze had gedaan, omdat ze niet gewoon Jenny-May meer was – ze was Jenny-May Butler, het lieve, vermiste meisje uit dat aardige gezin dat elke avond huilend op het nieuws verscheen. Ze werd nooit gevonden – haar lichaam niet, geen spoor van haar, het was net alsof ze in het niets was opgelost. Er waren geen verdachte personen gezien die op de loer hadden gelegen, ze was op geen enkele beveiligingscamera te zien. Er waren geen getuigen, geen verdachten, de gardaí hadden ieder mogelijk persoon ondervraagd. De mensen in de straat werden achterdochtig, ze groetten elkaar 's ochtends op weg naar de auto nog wel vriendelijk, maar de hele tijd vroegen ze zich dingen af, zochten overal iets achter, en hadden verrassend vertekende gedachten over hun buren, waar ze niets aan konden doen. Tijdens het wassen van de auto, het schilderen van houten hekjes, het wieden van de bloembedden en het maaien van het gazon op zaterdagochtend keken ze heimelijk om zich heen en kregen schandelijke gedachten. Mensen waren geschokt door zichzelf, boos dat deze gebeurtenis hun geest had verwrongen.

Ondanks het feit dat er achter gesloten deuren met het vingertje werd gewezen, hadden de gardaí geen aanwijzingen, ze hadden niets anders om vanuit te gaan dan een mooie foto.

Ik vroeg me altijd af waar Jenny-May naartoe was gegaan, waarheen ze was verdwenen, hoe iemand in vredesnaam gewoon in het niets kon verdwijnen zonder dat iemand ook maar iets wist.

's Avonds keek ik uit mijn slaapkamerraam naar haar huis. Het licht op de veranda was altijd aan, als een baken om Jenny-May naar huis te leiden. Mevrouw Butler kon niet meer slapen, en ik zag haar altijd gespannen op de rand van de bank zitten, alsof ze klaar voor de start zat te wachten tot het pistool afging. Ze zat in haar woonkamer uit het raam te kijken, te wachten tot er iemand langskwam met nieuws. Soms zwaaide ik naar haar en af en toe zwaaide ze verdrietig terug. Meestal zag ze niets door haar tranen heen.

Net als mevrouw Butler was ik ook niet blij dat ik geen antwoorden had. Ik vond Jenny-May Butler een stuk aardiger toen ze was verdwenen dan toen ze nog hier was, en dat interesseerde me ook. Ik miste haar, het idee van haar, en vroeg me af of ze ergens dichtbij was, stenen naar iemand anders gooide en hard lachte, maar dat we haar gewoon niet konden vinden of horen. Nadat ze was verdwenen, begon ik alles wat ik kwijtraakte grondig te zoeken. Als mijn favoriete paar sokken weg was, keerde ik het huis ondersteboven terwijl mijn bezorgde ouders toekeken en niet wisten wat ze moesten doen, en me uiteindelijk maar gingen helpen.

Het verontrustte me dat mijn vermiste spullen vaak nergens te vinden waren en wanneer het een keer gebeurde dat ik ze wel vond, verontrustte het me dat ik, in het geval van de sokken, er maar eentje vond. Dan stelde ik me voor hoe Jenny-May Butler ergens lachend stenen aan het gooien was en mijn favoriete sokken droeg.

Ik wilde nooit iets nieuws, vanaf mijn tiende was ik ervan overtuigd dat iets wat weg was niet vervangen kon worden. Ik wilde dat de dingen werden gevonden.

Volgens mij dacht ik even vaak na over die eenlingsokken als mevrouw Butler zich zorgen maakte over haar dochter. Ook ik bleef 's nachts wakker om alle niet te beantwoorden vragen te overdenken. Elke keer als mijn oogleden zwaar werden en bijna dichtvielen, kwam er een andere gedachte op uit mijn onderbewuste, waardoor mijn oogleden weer opengingen. De broodnodige slaap kwam niet en elke morgen was ik vermoeider, maar niet wijzer.

Misschien is dat de reden waarom me dit is overkomen. Misschien was ik, omdat ik zo veel jaren bezig was geweest mijn leven op zijn kop te zetten en alles te zoeken, vergeten mezelf te vinden. Ergens onderweg was ik vergeten uit te vissen wie en waar ik was.

Vierentwintig jaar nadat Jenny-May Butler verdween, raakte ik ook vermist.

Dit is mijn verhaal.

HOOFDSTUK 2

Mijn leven bestaat uit heel veel ironische gebeurtenissen. Dat ik verdween maakte gewoon deel uit van die lange lijst.

Ten eerste: ik ben 1,85 meter. Sinds mijn jeugd toren ik boven bijna iedereen uit. Ik raakte nooit kwijt in een winkelcentrum, zoals andere kinderen, ik kon me nooit goed verstoppen tijdens spelletjes, mij werd nooit gevraagd om te dansen tijdens disco's, ik was de enige tiener die niet stond te springen om haar eerste paar schoenen met hoge hakken te kopen. De favoriete naam die Jenny-May Butler voor me had – nou ja, in elk geval een die in haar top tien stond – was 'langpootmug', wat ze vaak tegen me zei als haar vrienden en bewonderaars erbij stonden. Geloof me, ik heb alles wel gehoord. Ik was het soort mens dat je al van verre zag aankomen: ik was de onbeholpen danser op de dansvloer, het meisje in de bioscoop achter wie niemand wilde zitten, degene in de winkel die zocht naar de extra lange broeken, het meisje dat op elke foto op de achterste rij stond. Ik kan niet over het hoofd worden gezien. Iedereen die langs me heen loopt, ziet me en onthoudt me. Maar ondanks dat alles raakte ik toch vermist. Laat de eenlingsokken maar zitten, laat Jenny-May Butler maar zitten, het is te gek voor woorden dat iemand zo opvallend als ik niet meer te zien was. Het mysterie dat alle mysteries ver achter zich liet was het mijne.

Het tweede ironische feit is dat het mijn werk is om vermiste personen te zoeken. Ik heb jarenlang als garda gewerkt. Ik wilde graag alleen zaken met vermiste personen doen, maar werkte niet op die specifieke afdeling, dus ik was afhankelijk van het 'geluk' om deze zaken tegen te komen. Weet je, de verdwijning van Jenny-May Butler heeft echt iets in me losgemaakt. Ik wilde antwoorden, oplossingen, en ik wilde ze helemaal zelf vinden. Ik denk dat het zoeken een obsessie werd. Ik zocht in de buitenwereld zo veel naar aanwijzingen dat ik er volgens mij niet één keer over nadacht wat er zich in mijn eigen hoofd afspeelde.

Bij de politie vonden we soms vermiste personen in een staat die ik de rest van mijn leven en tot ver in het volgende niet meer zal vergeten, en dan waren er ook nog de mensen die eenvoudigweg niet gevonden wilden worden. Vaak legden we alleen een spoor bloot, maar al te vaak dat nog niet eens. Dat waren de zaken waardoor ik werd gedreven om mijn taakomschrijving ver te overschrijden en te blijven zoeken. Ik onderzocht zaken nadat ze allang waren gesloten, bleef contact houden met families lang nadat ik dat contact had moeten verbreken. Ik besefte dat ik geen nieuwe zaak op me kon nemen als ik de vorige niet had opgelost, met als resultaat dat er te veel papierwerk lag en er te weinig actie werd ondernomen. En toen ik wist dat mijn hart alleen lag bij het zoeken naar vermiste personen, verliet ik de gardaí en ging ik in mijn eigen tijd zoeken.

Je zou niet geloven hoeveel mensen er zijn die net zo hard wilden zoeken als ik. De gezinnen vroegen zich altijd af wat mijn reden daarvoor was. Zij hadden een reden, een link, ze hielden van de vermiste, terwijl mijn honorarium amper genoeg was om van te leven, dus als het niet om het geld ging, wat was dan mijn motivatie? Gemoedsrust, denk ik. Een manier om me te helpen 's avonds mijn ogen te sluiten en te gaan slapen.

Hoe kan iemand als ik, met mijn uiterlijk en mijn instelling, vermist raken?

Ik besef net dat ik nog niet eens heb verteld hoe ik heet. Ik heet Sandy Shortt. Het is niet erg, je mag lachen. Ik weet dat je wilt lachen. Dat zou ik ook willen als het niet zo vreselijk was. Mijn ouders hebben me Sandy genoemd omdat ik bij mijn geboorte zandkleurig haar had. Jammer dat ze niet hadden voorzien dat mijn haar zo zwart als steenkool zou worden. Ook wisten ze niet dat die schattige, mollige beentjes al snel zouden ophouden met schoppen en heel snel zouden gaan groeien, en heel lang. Dus ik heet Sandy Shortt. Dat is degene die ik moet zijn, hoe ik altijd word geïdentificeerd en vastgelegd, maar ik heb geen licht haar en ben niet klein. Door die tegenstelling moeten mensen, als ik me voorstel, vaak lachen. Sorry dat er geen glimlachje af kan. Zie je, er is helemaal niets grappigs aan om vermist te worden: elke dag doe ik hetzelfde als ik deed toen ik werkte. Ik zoek. Alleen zoek ik deze keer een manier om gevonden te worden.

Ik heb één ding geleerd dat het waard is om te vermelden. Er is een enorm verschil met mijn leven van hiervoor, en dat is een zeer belangrijk bewijsstuk: voor één keer in mijn leven wil ik naar huis.

Wat een slechte timing om zoiets te beseffen. Dat is wel het meest ironisch van alles.

HOOFDSTUK 3

Ik ben geboren en opgegroeid in *county* Leitrim in Ierland, de kleinste county in het land, waar ongeveer 25.000 mensen wonen. Leitrim was ooit de hoofdstad van de county, en er staan een kasteelruïne en een paar andere oude gebouwen, maar het is zijn vroegere gewichtigheid kwijtgeraakt en geslonken tot een dorp. Het landschap van de county loopt uiteen van beboste bruine heuvels tot majestueuze bergen met slaperige valleien en talloze pittoreske meertjes. Leitrim is geheel door land omgeven, het grenst in het westen aan Sligo en Roscommon, in het zuiden aan Roscommon en Longford, in het oosten aan Cavan en Fermanagh en in het noorden aan Donegal. Wanneer ik er ben, brengt het een plotseling gevoel van claustrofobie in me teweeg en een overweldigende behoefte aan vaste grond.

Er is een gezegde over Leitrim: het beste wat er uit Leitrim komt is de weg naar Dublin. Ik was op mijn achttiende klaar met school, meldde me aan bij de politie en belandde uiteindelijk op die weg naar Dublin. Sindsdien ben ik zelden terug geweest. Eens in de twee maanden bezocht ik mijn ouders in hun rijtjeshuis met drie slaapkamers in een klein doodlopend straatje met twaalf huizen, waar ik ben opgegroeid. Gewoonlijk was ik van plan er het hele weekend te blijven, maar meestal bleef ik slechts een dag, en gebruikte een noodgeval op het werk als excuus om mijn onuitgepakte tas die bij de deur stond te pakken en weg te rijden, heel snel weg te rijden over het beste wat uit Leitrim komt.

Ik had geen slechte relatie met mijn ouders. Ze steunden me altijd, ze zouden zich voor een kogel hebben geworpen, in een vuur of van een berg af hebben gestort als ik daardoor gelukkig zou worden. Het is alleen zo dat ik me door hen ongemakkelijk voelde. In hun ogen zag ik wie zij zagen en dat vond ik niet leuk. Ik zag mijn weerspiegeling beter in hun gelaatsuitdrukking dan in welke spiegel ook. Sommige mensen hebben de macht om dat te doen: ze kijken naar je en dan vertelt hun gezicht je precies hoe je je gedraagt. Ik denk dat dat komt omdat ze van me houden, maar ik was niet in staat veel tijd door te brengen met mensen die van me hielden, vanwege die ogen, vanwege die weerspiegeling.

Sinds mijn tiende hadden ze op hun tenen om me heen gelopen, me behoedzaam aangekeken. Ze hadden gedaan alsof ze gesprekken voerden en er klonken neplachjes door het huis. Ze probeerden me af te leiden, gemak en normaalheid te creëren, maar ik wist dat ze dat deden en waarom ze dat deden, en het maakte me er alleen maar bewuster van dat er iets niet in orde was.

Ze steunden me zo, ze hielden zo veel van me en elke keer werd het huis bijna op zijn kop gezet voor weer een slopende zoektocht waaraan ze nooit zonder een opgewekte ruzie toegaven. Melk en koekjes aan de keukentafel, de radio aan op de achtergrond en de wasmachine draaiend, alles om de ongemakkelijk stilte te verbreken die onvermijdelijk zou volgen.

Mijn moeder zou me die glimlach toewerpen, die glimlach die haar ogen niet bereikte, waarbij ze haar kiezen op elkaar klemde en met haar tanden knarste als ze dacht dat ik niet keek. Met geforceerde kalmte in haar stem en dat gemaakt blije gezicht kantelde ze haar hoofd, probeerde me niet te laten weten dat ze me aandachtig bestudeerde en zei: 'Waarom wil je het huis weer doorzoeken, liefje?' Ze noemde me altijd 'liefje', alsof ze net als ik wist dat ik evenmin Sandy Shortt was als dat Jenny-May Butler een engel was.

Het maakte niet uit hoeveel actie en lawaai er in de keuken waren gecreëerd om de ongemakkelijke stilte te vermijden, het leek niet te werken. Alles verdronk in de stilte.

Mijn antwoord: 'Omdat ik het niet kan vinden, mam.'

'Welk paar zoek je?' De rustige glimlach, het doen alsof dit een terloops gesprek was en niet een wanhopige poging tot een ondervraging om erachter te komen hoe mijn geest werkte.

'De blauwe met die witte streepjes,' antwoordde ik op een keer. Ik wilde altijd felgekleurde sokken hebben, opvallend en herkenbaar zodat ze makkelijk teruggevonden konden worden.

'Misschien heb je ze niet allebei in de wasmand gedaan, liefje. Misschien ligt de sok die je zoekt ergens in je kamer.' Een glimlach, ze probeerde niet te friemelen, en ze slikte moeizaam.

Ik schudde mijn hoofd. 'Ik heb ze allebei in de wasmand gegooid, ik zag dat je ze allebei in de wasmachine hebt gestopt en er is er maar één uitgekomen. Hij ligt niet in de wasmachine en hij ligt niet in de wasmand.'

Het plan om de wasmachine aan te zetten als afleiding had een averechtse uitwerking, en ineens was de machine het centrum van de aandacht. Mijn moeder probeerde te verbergen dat ze worstelde om haar onbewogen glimlach niet te laten vervagen terwijl ze naar de omgekeerde wasmand op de keukenvloer keek, waar alle opgevouwen kleren verspreid lagen en in slordige hoopjes waren opgestapeld. Heel eventjes liet ze haar façade zakken. Als ik had geknipperd had ik het gemist, maar dat was niet zo. Ik zag de blik op haar gezicht toen ze naar beneden keek. Het was angst. Niet om de vermiste sok, maar om mij. Snel plakte ze haar glimlach weer op haar gezicht en haalde haar schouders op alsof het allemaal niet veel voorstelde.

'Misschien is hij weggewaaid. De patiodeur stond open.'

Ik schudde mijn hoofd.

'Of hij kan uit de mand zijn gevallen toen ik hem van daar naar daar bracht.'

Ik schudde weer met mijn hoofd.

Ze slikte en haar glimlach werd strakker. 'Misschien zit hij verward in de lakens. Die lakens zijn zo groot, zo'n klein sokje zie je niet.'

'Daar heb ik al gekeken.'

Ze pakte een koekje van tafel en beet er hard in, ze deed er alles aan om de glimlach even van haar pijnlijke gezicht te halen. Ze kauwde een tijdje, en deed alsof ze niet nadacht, alsof ze naar de radio luisterde en meeneuriede met een liedje dat ze niet eens kende. Alles om me te laten denken dat ze zich nergens zorgen over maakte.

'Liefje,' zei ze glimlachend, 'soms raken dingen gewoon weg.'

'Waar gaan ze heen wanneer ze weg zijn?'

'Ze gaan nergens heen,' zei ze glimlachend. 'Ze liggen altijd op de plek waar we ze hebben laten vallen of laten liggen. Als we ze niet kunnen vinden, kijken we gewoon niet op de juiste plek.'

'Maar ik heb overál gekeken, mama. Dat doe ik altijd.'

Dat had ik ook gedaan, dat deed ik altijd. Ik keerde alles binnenstebuiten, er was geen plek in het huisje waar ik niet kwam.

'Een sok kan niet gewoon opstaan en wegwandelen als er geen voet in zit,' zei mijn moeder met een neplachje.

Zie je, net als hoe mijn moeder het daar opgaf, dat is het punt waarop de meeste mensen ophouden zich dingen af te vragen, waarop de meeste mensen er niet meer om geven. Je kunt iets niet vinden, je weet dat het ergens is, en hoewel je overal heb gezocht is er geen spoor van te vinden. Dus dan wijt je het aan je eigen gekte, geef je jezelf de schuld dat je het hebt verloren en uiteindelijk vergeet je het. Dat kon ik niet.

Ik weet nog dat mijn vader die avond van zijn werk thuiskwam in een huis dat letterlijk op zijn kop was gezet.

'Ben je iets kwijt, liefje?'

'Mijn blauwe sok met witte streepjes,' kwam mijn gedempte antwoord vanonder de bank vandaan.

'Eentje weer?'

Ik knikte.

'Links of rechts?'

'Links.'

'Oké, ik ga wel boven kijken.' Hij hing zijn jas aan de kapstok bij de deur, zette zijn paraplu in de paraplubak, gaf zijn rood aangelopen vrouw een tedere kus op haar wang, wreef haar bemoedigend over haar rug en ging toen naar boven. Twee uur bleef hij in de slaapkamer van mijn ouders, maar ik hoorde hem niet bewegen. Ik gluurde door het sleutelgat en zag een man die op zijn rug in bed lag met een washandje over zijn gezicht.

Tijdens mijn bezoeken in latere jaren stelde hij dezelfde zorgeloze vragen die nooit opdringerig bedoeld waren, maar wel zo overkwamen op iemand die al tot de tanden toe gewapend was.

'Nog interessante zaken op je werk?'

'Hoe gaat het in Dublin?'

'Hoe is je flat?'

'Heb je een vriendje?'

Er waren nooit vriendjes, ik wilde niet dat nog een paar ogen zo onthullend als die van mijn ouders me dag in dag uit zouden achtervolgen. Ik had minnaars en vechtmaatjes gehad, vriendjes, vrienden en mannen voor één nacht. Ik had genoeg geprobeerd om te weten dat iets voor de lange termijn niet zou werken. Ik kon niet intiem met iemand omgaan, het kon me niet genoeg schelen, ik kon niet genoeg geven of willen. Ik wilde dat wat die mannen boden niet hebben, ze begrepen niet wat ik wilde, dus het was een en al gespannen glimlach als ik mijn ouders vertelde dat het werk prima ging, dat het druk was in Dublin, de flat prachtig was en nee, ik geen vriendje had.

Elke keer dat ik het huis verliet, zelfs de keren dat ik eerder wegging, zei pap trots dat ik het beste was wat uit Leitrim was voortgekomen.

De fout lag niet bij Leitrim, noch bij mijn ouders. Ze steunden me zo enorm, en dat besef ik nu pas. Met elke dag die voorbijgaat, merk ik dat dat besef veel frustrerender is dan nooit iets vinden.

HOOFDSTUK 4

Toen Jenny-May Butler verdween, was haar laatste belediging dat ze een stukje van mij met zich meenam. Ik denk dat het wel duidelijk is dat er na haar verdwijning bij mij een stukje ontbrak. Hoe ouder ik werd, hoe langer ik werd, hoe groter dat gat binnen in me werd, totdat het door mijn leven als volwassene spleet, als een vis op het ijs met grote ogen en open bek. Maar hoe raakte ik lichamelijk vermist? Hoe kwam ik waar ik nu ben? De eerste en belangrijkste vraag: waar ben ik nu?

Ik ben hier en dat is alles wat ik weet.

Ik kijk om me heen en zoek naar iets bekends. Ik dwaal onophoudelijk rond en zoek naar de weg die me hiervandaan brengt, maar die is er niet. Waar is hier? Ik wilde dat ik het wist. Het ligt hier vol met persoonlijke bezittingen: autosleutels, huissleutels, mobiele telefoons, handtassen, jassen, koffers met bagagestickers erop, eenlingschoenen, zakelijke documenten, foto's, blikopeners, scharen, oorbellen verspreid in de bergen vermiste voorwerpen die af en toe in het licht glinsteren. En er zijn sokken, heel veel eenlingsokken. Overal waar ik loop struikel ik over dingen waar mensen waarschijnlijk heel druk naar op zoek zijn.

Er zijn ook dieren. Heel veel katten en honden met een verbijsterde blik in hun ogen en hangende snorharen, die niet meer lijken op hun foto op telefoonpalen in kleine stadjes. Geen enkele beloning kan ze meer terugbrengen.

Hoe kan ik deze plek beschrijven? Het is een tussenplek. Het is net een enorme hal die nergens naartoe gaat, een groots diner van kliekjes, een sportteam bestaande uit de mensen die nooit werden gekozen, een moeder zonder haar kind, het is een lichaam zonder hart. Het is er bijna, maar toch bij lange na niet. Het is tjokvol persoonlijke bezittingen, en toch is het leeg, omdat de mensen van wie die spullen zijn er niet zijn om van ze te houden.

Hoe ben ik hier terechtgekomen? Ik was zo'n verdwijnende jogger. Wat triest, zeg. Altijd als ik zo'n spannende B-film keek, kreunde ik als er weer zo'n scène in voorkwam waarin er in de vroege ochtend een jogger was vermoord. Ik vond het dom dat vrouwen in donkere, nachtelijke uren in stille steegjes gingen hardlopen, vooral wanneer er bekend was dat er een seriemoordenaar op jacht was. Maar dat is wat mij is overkomen. Ik was een voorspelbare, zielige, tragisch naïeve jogger die 's ochtends vroeg in een grijs trainingspak en met een tetterende koptelefoon op langs een rivier ging hardlopen. Ik ben echter niet ontvoerd, ik ben gewoon het verkeerde pad op gegaan.

Ik rende langs de riviermond, mijn voeten stampten kwaad op de grond zoals ze altijd deden, waardoor er trillingen door mijn lichaam gingen. Ik herinner me dat ik voelde dat er zweetdruppels over mijn voorhoofd liepen, over mijn borst en rug naar beneden. De koele bries droeg ertoe bij dat een lichte huivering mijn lichaam omhelsde. Elke keer als ik me die ochtend herinner, moet ik de aandrang onderdrukken om mezelf waarschuwend toe te schreeuwen niet dezelfde fout te maken. Soms, op gelukkiger dagen, blijf ik in die herinnering op hetzelfde pad, maar wijsheid achteraf is iets prachtigs. Hoe vaak wensen we niet dat we op hetzelfde pad waren gebleven?

Het was kwart voor zes op een heldere zomerochtend, stil, afgezien van de herkenningsmelodie van *Rocky* die me aanmoedigde. Hoewel ik mezelf niet kon horen, wist ik dat mijn ademhaling moeizaam ging. Ik wilde altijd net iets verder gaan. Als ik de behoefte voelde om te stoppen, dwong ik mezelf sneller te lopen. Ik weet niet of het een dagelijkse afstraffing was of het onderzoekende deel van mij, dat graag naar nieuwe plekken ging en mijn lichaam wilde dwingen om dingen te bereiken dat het nooit eerder had bereikt.

Door het duister van de groen-zwarte greppel naast me zag ik een eindje voor me een waterviolier, onder water. Ik herinner me dat toen ik een klein meisje was, slungelachtig, met zwart haar, en in verlegenheid gebracht door mijn tegenstrijdige naam, mijn vader me vertelde dat de waterviolier ook een verkeerde naam had gekregen, omdat hij helemaal geen familie was van het viooltje, en ook die kleur niet had. Hij was lila-roze met een geel hart, maar was hij niet heel mooi en moest ik daar niet om lachen? Natuurlijk niet, had ik met mijn hoofd geschud. Ik keek ernaar terwijl ik steeds dichterbij kwam, en ik zei in mijn hoofd tegen hem: 'Ik weet hoe je je voelt.' Terwijl ik aan het rennen was, voelde ik mijn horloge van mijn pols glijden en tegen de bomen vallen die aan de linkerkant stonden. Ik had de sluiting van het horloge de eerste keer dat ik het om mijn pols had gedaan kapotgemaakt, en sindsdien ging het af en toe uit zichzelf los en viel het op de grond. Ik stopte en ging terug, en ik zag het op de vochtige oever liggen. Ik ging met mijn rug tegen de ruwe donkerbruine bast van een els staan en haalde diep adem, waarna ik een smal weggetje zag dat naar links afboog. Het was niet uitnodigend, het was niet aangelegd als wandelpad, maar mijn onderzoekende kant nam het over, mijn nieuwsgierige geest zei tegen me dat ik moest gaan kijken waar het naartoe ging.

Het leidde me hier naartoe.

Ik rende zo ver en zo snel dat tegen de tijd dat de muziek op mijn iPod was afgelopen, ik om me heen keek en het landschap niet herkende. Ik werd omringd door een dikke mist en bevond me hoog op wat een met dennenbomen begroeide berg leek. De bomen stonden rechtop, naalden in de houding, onmiddellijk in het defensief als een bedreigde egel. Langzaam deed ik de koptelefoon van mijn hoofd, mijn gehijg echode tussen de majestueuze bergen, en ik wist direct dat ik niet meer in het stadje Glin was. Ik was niet eens in Ierland.

Ik was gewoon hier. Dat was een dag geleden en ik ben hier nog steeds.

Het is mijn werk om mensen te zoeken en ik weet hoe die dingen gaan. Ik ben een vrouw die haar eigen koffers pakt en nog nooit niemand heeft verteld waar ze heen gaat. Ik verdwijn regelmatig, neem regelmatig geen contact op, niemand controleert me en daar houd ik van. Ik vind het fijn om naar believen te komen en te gaan. Ik reis veel naar de bestemmingen waar de vermiste personen voor het laatst zijn gezien, ik onderzoek het gebied, stel vragen. Het enige probleem was dat ik pas die ochtend in het stadje was aangekomen, rechtstreeks naar de riviermond van de Shannon was gereden en was gaan joggen. Ik had met niemand gesproken, was nog niet ingecheckt in een B & B, en niet langs een drukke straat gelopen. Ik weet wat ze zullen zeggen, ik weet dat ik niet eens een zaak zal zijn – ik ben gewoon weer iemand die uit haar leven is weggelopen zonder gevonden te willen worden, dat gebeurt voortdurend – en vorige week rond deze tijd hadden ze daar waarschijnlijk ook gelijk in gehad.

Uiteindelijk zal ik tot de categorie verdwijningen behoren waarbij er geen duidelijk gevaar is voor de vermiste of anderen; dat zijn bijvoorbeeld mensen van achttien jaar en ouder die hebben besloten een nieuw leven te beginnen. Ik ben vierendertig, en in de ogen van anderen wil ik er al heel lang tussenuit.

Dit betekent één ding: dat er op dit moment niemand naar me zoekt.

Hoe lang zal dat zo blijven? Wat zal er gebeuren wanneer ze de gedeukte rode Ford Fiesta uit 1991 vinden die bij de riviermond staat, met een gepakte tas in de achterbak, een dossier van een vermist persoon op het dashboard, een kop koffie die dan koud is en waar niet uit is gedronken, en een mobiele telefoon, waarschijnlijk met gemiste oproepen, op de stoel?

Wat dan?

HOOFDSTUK 5

Wacht even.

De koffie. Die is me net te binnen geschoten.

Op mijn reis vanuit Dublin ben ik bij een gesloten tankstation gestopt om koffie uit de automaat te halen die buiten stond, en hij heeft me gezien, de man die zijn banden aan het oppompen was heeft me gezien.

Het was ergens in niemandsland, midden op het platteland om kwart over vijf 's ochtends, toen de vogels zongen en de koeien zo hard loeiden dat ik mezelf amper hoorde denken. De geur van mest was doordringend, maar gezoet met een zweem kamperfoelie die in de lichte ochtendbries zweefde.

De vreemdeling en ik waren allebei ver van alles verwijderd, maar we bevonden ons ook ergens middenin. Het simpele feit dat we zo volledig waren afgesloten van het leven, zorgde ervoor dat onze ogen elkaar kruisten en dat we ons verbonden voelden.

Hij was lang, maar niet zo lang als ik; dat zijn mensen maar zelden. 1,80 meter, met een rond gezicht, rode wangen, rossig blond haar, en helderblauwe ogen waarvan ik dacht dat ik die eerder had gezien, en die er op dit vroege uur vermoeid uitzagen. Hij had een versleten blauwe spijkerbroek aan, zijn blauw-wit geblokte katoenen overhemd was gekreukt door het rijden, zijn haar zat in de war, hij had zich niet geschoren en zijn buik was door de jaren heen uitgezet. Ik schatte dat hij midden tot eind dertig was, hoewel hij er

ouder uitzag, met stressrimpels op zijn voorhoofd en lachlijntjes...
nee, ik kon zien aan de triestheid die van hem afstraalde dat ze niet
van het lachen waren. Er zaten een paar grijze haren op zijn slapen,
ze waren nieuw op zijn jonge hoofd, elke haar het resultaat van een
zware les die hij had geleerd. Ondanks het extra gewicht zag hij er
sterk uit, gespierd. Het was iemand die veel lichamelijk werk deed,
en die aanname werd ondersteund door het feit dat hij zware werk-
schoenen droeg. Hij had grote handen, verweerd maar sterk. Ik zag
dat de aderen op zijn onderarm zich uitzetten als hij bewoog, de
mouwen van zijn overhemd waren slordig tot onder zijn ellebogen
opgerold terwijl hij de luchtslang van de standaard pakte. Maar hij
was niet op weg naar zijn werk, niet zoals hij was gekleed, in dat
overhemd. Voor hem waren dit zijn goede kleren.

Ik bestudeerde hem terwijl ik terugliep naar mijn auto.

'U hebt iets laten vallen,' riep hij.

Ik bleef staan en keek achter me. Daar op de grond lag mijn horloge, het zilver glinsterend onder de zon. Rothorloge, mompelde ik,
en ik keek of het beschadigd was.

'Dank u wel,' zei ik glimlachend, en ik deed het weer om mijn
pols.

'Graag gedaan. Wat een prachtige dag, vindt u niet?'

Een bekende stem bij die bekende ogen. Ik bestudeerde hem
even voordat ik antwoord gaf. Een kerel die ik in een bar had ontmoet, een dronken bevlieging, een oude minnaar, een vroegere collega, klant, buur of schoolvriend? In gedachten liep ik het geijkte
lijstje af. Er was aan geen van beide kanten een verder teken van herkenning. Als hij geen bevlieging was geweest, dan zou ik hem dat
wel graag maken.

'Schitterend.'

Verrast trok hij zijn wenkbrauwen op, en hij liet ze weer zakken,
terwijl zijn gezicht duidelijk plezier uitstraalde toen hij het compliment begreep. Maar hoe graag ik ook had willen blijven en misschien een afspraakje voor in de toekomst had willen regelen, ik had
een ontmoeting met Jack Ruttle, de aardige man die ik had beloofd
te helpen, de man voor wie ik naar Limerick ging.

O, alsjeblieft, knappe man van het tankstation, herinner me alsjeblieft, denk aan me, zoek me, vind me.

Ja, ik weet het, weer iets ironisch. Ik, die wil dat een man me belt? Wat zouden mijn ouders trots zijn.

HOOFDSTUK 6

Jack Ruttle bleef langzaam achter een vrachtwagen hangen op de N69, de kustweg die van het noorden van Kerry naar het stadje Foynes, in county Limerick, leidde waar hij woonde, een half-uurtje rijden vanaf de stad Limerick. Het was vijf uur 's ochtends toen hij over de enige weg naar Shannon Foynes Port, de zeehaven van Limerick, reed. Hij keek naar de kilometerteller en spoorde de vrachtwagen telepathisch aan om sneller te gaan, terwijl hij het stuur zo stevig vastgreep dat zijn knokkels wit werden. Hij negeerde het advies van de tandarts waar hij de dag ervoor naartoe was ge-weest in Tralee, en begon met zijn tanden te knarsen. Door het voortdurende geknars sleten zijn tanden en werd zijn tandvlees zwak, waardoor zijn mond klopte en pijn deed. Zijn wangen waren rood en gezwollen, en pasten bij zijn vermoeide ogen. Hij was opge-staan van de bank waarop hij sliep, van de vriend in Tralee, om 's nachts naar huis te rijden. Hij kon de slaap de laatste tijd heel moei-lijk vatten.

'Ben je gestrest?' had de tandarts hem gevraagd terwijl hij de bin-nenkant van Jacks mond onderzocht.

Jack, die met zijn mond open lag, had een vloek ingeslikt en ge-vochten tegen de aandrang om zijn kaken om de witte, chirurgische vinger in zijn mond te sluiten. Gestrest was het woord niet eens.

Zijn broer Donal was op zijn vierentwintigste verjaardag ver-dwenen, na een avondje stappen met vrienden in Limerick. Nadat hij in een fastfoodrestaurant een hamburger en patat had gegeten, had hij zijn vrienden achtergelaten en was in zijn eentje weggewankeld. Het was zo druk geweest in het restaurant dat het niemand was opgevallen. Zijn vier vrienden waren te dronken en te afgeleid door hun pogingen een vrouw mee te krijgen voor de nacht om op hem te letten.

Op een beveiligingscamera was te zien hoe hij vrijdagnacht om 3.08 uur dertig euro uit een pinautomaat op O'Connell Street haalde, en een andere camera had hem gefilmd toen hij in de richting van Arthur's Quay strompelde. Daarna liep het spoor dood. Het was bijna alsof hij van de aardbodem was verdwenen en naar de hemel was opgestegen. Jack bereidde zich voor op het feit dat dit op een bepaalde manier ook zo was. Hij wist dat hij de dood van zijn broer uiteindelijk wel zou kunnen aanvaarden, als er maar een snippertje bewijs zou zijn om het te ondersteunen.

Het was het niet-weten dat hem kwelde; zijn voortdurende zoektocht werd gevoed door de zorgen en angst die hem elke nacht wakker hielden en het vergeefse zoeken van de gardaí. Hij had zijn bezoek aan de tandarts in Tralee gecombineerd met een bezoek aan een van Donals vrienden, die de avond waarop hij verdween bij hem was. Net als de rest van de mensen die er die avond waren geweest, was hij iemand die Jack zowel wilde slaan als omhelzen. Hij wilde tegen hem schreeuwen, maar hem ook troosten omdat hij een vriend had verloren. Hij wilde hem nooit meer zien, maar toch wilde hij ook niet bij hem weggaan voor het geval hij zich iets herinnerde – iets wat hij eerder vergeten was, wat de sleutel was waarnaar ze allemaal zochten.

Hij bleef 's nachts wakker en bekeek dossiers, herlas verslagen, controleerde tijden en verklaringen terwijl naast hem Gloria's borst op haar onhoorbare ademhaling op en neer ging, waarbij haar zoete adem de hoeken van zijn papieren soms omhoog blies terwijl haar slapende wereld de zijne binnenkroop.

Gloria, de vriendin die hij al acht jaar had, sliep altijd. Ze had het hele jaar van Jacks vreselijke nachtmerrie vast geslapen, en ze droomde nog steeds. Ze had nog hoop voor morgen.

Ze was in een diepe slaap gevallen nadat ze uren op het politiebureau waren geweest, de eerste dag waarop ze zich zorgen maakten omdat ze na vier dagen stilte niets van Donal hadden gehoord. Ze sliep nadat de gardaí de hele dag aan het dreggen waren geweest naar zijn lichaam. Ze sliep na de dag waarop ze uren bezig waren geweest foto's van Donal op winkelruiten, mededelingenborden in de supermarkt en lantaarnpalen te plakken. Ze sliep de nacht na de dag waarop ze hadden gedacht dat ze zijn lichaam in een steegje in de stad hadden gevonden, en de nacht erna weer, toen ze hadden ontdekt dat hij het niet was. Ze sliep de nacht nadat de gardaí hadden gezegd dat ze na maanden zoeken niets meer konden doen. Ze sliep de nacht na zijn moeders begrafenis, nadat ze de kist van een door rouw overmande moeder in de aarde had zien zakken, om uiteindelijk haar man te vergezellen na twintig jaar in dit leven zonder hem.

Het frustreerde Jack, maar hij wist dat het niet kwam doordat het Gloria niets kon schelen dat ze haar oogleden kon sluiten. Hij wist dit omdat ze zijn hand vasthield tijdens de eerste ondervraging op het politiebureau. Ze stond naast hem toen de wind en regen hun gezicht striemden, bij de rivier, terwijl ze toekeken hoe duikers aan de oppervlakte van het grijze troebele water opdoken, met gezichten somberder dan toen ze in de wereld daar beneden waren verdwenen. Ze hielp hem posters van Donal op ramen en lantaarnpalen te plakken. Ze hield hem stevig vast op de dag dat de gardaí ophielden met zoeken en ze stond op de eerste rij in de kerk op hem te wachten toen hij hielp de kist van zijn moeder naar het altaar te dragen.

Het kon haar zeker iets schelen, maar na een jaar sliep ze 's nachts, tijdens de langste uren van zijn leven, nog steeds. De uren waarin het Jack heel erg kon schelen, maar de uren dat het Gloria, diep in slaap, helemaal niets kon schelen. Elke nacht voelde hij hoe de afstand tussen haar wereld en de zijne groter werd.

Hij vertelde haar niet dat hij in de Gouden Gids een vrouw was tegengekomen, Sandy Shortt, die een bureau had dat vermiste personen opspoorde. Hij vertelde haar niet dat hij haar had gebeld. Hij vertelde haar niet over de nachtelijke telefoongesprekken van vorige week en het nieuwe gevoel van hoop waarmee de vastberadenheid en overtuiging van die vrouw zijn hoofd en hart hadden gevuld.

En hij vertelde haar niet dat ze vandaag in het dorp verderop een afspraak hadden omdat... nou ja, omdat ze sliep.

Jack slaagde er eindelijk in de lange voertuigen in te halen, en terwijl hij zijn huis naderde merkte hij dat hij alleen was op de nu rustige, landelijke weg in zijn twaalf jaar oude, roestige Nissan. Binnen in de auto was het stil. Het laatste jaar had hij gemerkt dat hij niet tegen ongevraagd lawaai kon: het geluid van een tv of radio op de achtergrond leidde hem af van zijn zoektocht naar antwoorden. Binnen in zijn geest was het een chaos: gegil, geschreeuw, er werden eerdere gesprekken opnieuw afgespeeld, voorstellingen gemaakt van toekomstige gesprekken, dit alles zoemde in zijn hoofd rond als een bromvlieg die in een jampotje zat opgesloten.

Buiten de auto brulde de motor, ratelde het metaal, bonkten de wielen over elk gat en elke bult in de weg. Zijn geest was lawaaiig in de stille auto, zijn auto maakte lawaai op het rustige platteland. Het was kwart over vijf op een zonnige zondagochtend in juli en hij moest stoppen voor lucht, voor zijn longen en voor de niet meer zo harde voorband.

Hij stopte bij een verlaten tankstation, dat tot later op de ochtend gesloten was, en parkeerde naast het apparaat om banden op te pompen. Hij liet vogelgezang zijn hoofd vullen en tijdelijk zijn gedachten wegduwen, terwijl hij zijn mouwen oprolde en zijn ledematen strekte, verkrampt door de lange reis. De bromvlieg hield zich even rustig.

Naast hem stopte een auto. Het gebied was zo dunbevolkt dat hij een auto al van kilometers afstand zag aankomen... en de kentekenplaat uit Dublin verraadde het ook. Uit het kleine autootje kwamen twee lange benen in een grijze trainingsbroek, gevolgd door een lang lichaam. Jack weerhield zichzelf ervan om te staren, maar vanuit zijn ooghoek zag hij hoe de vrouw met zwarte krullen met lange passen naar de koffieautomaat bij de deur van de met luiken afgesloten garage liep. Hij was verbaasd dat iemand die zo lang was als zij überhaupt in dat kleine autootje paste. Hij merkte dat er iets van haar pols afviel en hoorde het geluid van metaal op de grond.

'U hebt iets laten vallen,' riep hij.

Ze keek verrast om en liep terug naar waar het metaal op de grond lag te glinsteren.

'Dank u wel,' zei ze glimlachend, en deed iets wat op een armband of horloge leek om haar pols.

'Graag gedaan. Wat een prachtige dag, vindt u niet?' Jack voelde dat de pijn in zijn gezwollen kaken erger werd toen hij glimlachte.

Haar groene ogen sprankelden als smaragden tegen haar sneeuwwitte huid en glinsterden toen ze het zonlicht vingen dat door de hoge bomen viel. Haar gitzwarte krullen dansten speels rond haar gezicht, waarbij ze delen van haar gelaatstrekken onthulden en andere verborgen. Ze bekeek hem van top tot teen en nam hem in zich op alsof ze elke centimeter van hem analyseerde. Eindelijk trok ze een wenkbrauw op. 'Schitterend,' antwoordde ze, en ze beantwoordde de glimlach. Zij, haar gitzwarte krullende haar, de beker koffie van piepschuim, benen en alles, verdwenen in het minuscule autootje als een vlinder in een venusvliegenvanger.

Jack zag hoe de Ford Fiesta in de verte verdween, wensend dat ze was gebleven, en opnieuw merkte hij op dat het tussen hem en Gloria aan het veranderen was, of misschien waren het alleen zijn gevoelens voor haar die anders werden. Maar hij had geen tijd om daar nu over na te denken. In plaats daarvan ging hij terug naar zijn auto en bladerde door zijn dossiers om zich voor te bereiden op zijn ontmoeting met Sandy Shortt later die ochtend.

Jack was niet gelovig, hij was al in geen twintig jaar meer naar de kerk geweest. De afgelopen twaalf maanden had hij drie keer gebeden. Een keer bad hij dat Donal niet zou worden gevonden toen ze in de rivier aan het dreggen waren, de tweede keer dat het lichaam in het steegje niet van hem was, en de derde keer dat zijn moeder haar tweede beroerte in zes jaar zou overleven. Twee van de drie gebeden waren verhoord.

Vandaag bad hij voor de vierde keer. Hij bad dat Sandy Shortt hem weg zou voeren van de plek waar hij zich nu bevond en dat zij degene zou zijn die hem de antwoorden zou geven die hij nodig had.

HOOFDSTUK 7

Het licht op de veranda was nog steeds aan toen Jack thuis-kwam. Hij liet het de hele nacht aan voor Donal, als een baken om zijn broer naar huis te leiden. Nu het buiten licht was, deed hij het uit en liep zachtjes op zijn tenen door de cottage, voorzichtig om Gloria niet wakker te maken, die van haar zondagse uitslaapsessie genoot. Hij doorzocht de mand met vieze was, pakte het minst gekreukte kledingstuk dat hij kon vinden en verruilde snel het ene geruite overhemd voor het andere. Hij had zich niet gewassen omdat hij niet wilde dat de badkamerventilator die op het licht en de douche was aangesloten haar wakker zou maken. Hij had zelfs de wc niet doorgespoeld. Hij wist dat hij dit allemaal niet deed omdat hij extra aardig voor haar wilde zijn, en toch schaamde hij zich niet voor het feit dat het precies het omgekeerde was. Hij hield zijn ontmoeting met Sandy Shortt opzettelijk geheim voor Gloria en de rest van zijn familie.

Dat deed hij zowel voor hen als voor zichzelf. In hun hart begonnen ze al verder te gaan met hun leven. Ze probeerden uit alle macht weer hun gewone leven te leiden na die enorme aardverschuiving en schok van het verlies van niet één, maar twee familieleden in een jaar. Jack begreep hun opstelling, dat ze allemaal een punt hadden bereikt waarop ze geen dagen meer vrij konden nemen van hun werk, waarop meelevende glimlachjes werden vervangen door een alledaagse groet, en gesprekken met buren weer normaal werden.

Stel je eens voor, mensen praatten echt over andere dingen en stelden geen vragen, gaven geen advies. Er vielen geen kaartjes met troostende woorden meer op de mat. Mensen vonden hun eigen leven weer belangrijk, werkgevers hadden diensten zo veel mogelijk verschoven en nu moesten alle betrokkenen het gewone leven weer oppakken. Maar voor Jack voelde het verkeerd en ongemakkelijk dat het leven doorging zonder Donal.

Om eerlijk te zijn was het niet Donals afwezigheid die Jack tegenhield om net als zijn familie dapper door te gaan met de rest van zijn leven. Natuurlijk miste hij hem, maar net als over de dood van zijn moeder zou hij een keer uitgerouwd zijn. Het was echter het mysterie dat rond zijn verdwijning hing; alle onbeantwoorde vragen lieten vraagtekens achter die zijn blikveld blokkeerden, als het flitslicht van een fototoestel.

Hij deed de deur van de rommelige bungalow met één slaapkamer waar Gloria en hij al vijf jaar woonden achter zich dicht. Net als zijn vader werkte Jack al zijn hele arbeidzame leven als verlader bij Shannon Foynes Port.

Hij had het stadje Glin uitgekozen, dertien kilometer ten westen van Foynes, voor de ontmoeting met Sandy Shortt, aangezien daar geen familie van hem woonde. Hij zat om negen uur 's ochtends in een klein cafeetje, een halfuur voordat ze hadden afgesproken. Sandy had aan de telefoon gezegd dat ze altijd vroeg was, en hij was zenuwachtig en wilde heel graag met dit nieuwe idee aan de slag. Hoe meer tijd ze samen hadden, hoe beter. Hij bestelde een kopje koffie en keek naar de meest recente foto van Donal, die voor hem op tafel lag. Hij had het afgelopen jaar in bijna elke krant in Ierland gestaan en was op mededelingenborden en winkelruiten geplakt. Op de foto stond op de achtergrond de witte kunstkerstboom die zijn moeder elk jaar in de woonkamer opzette. De kerstballen vingen het flitslicht van de camera en de slingers twinkelden. Donals guitige glimlach straalde Jack tegemoet alsof hij hem beschimpte en hem uitdaagde om hem te vinden. Als kind was Donal dol geweest op verstoppertje spelen. Hij bleef uren verstopt zitten als hij daardoor won. Dan werd iedereen ongeduldig en ging heel hard roepen dat

Donal had gewonnen, zodat hij uit zijn schuilplekje kon komen, met een trots stralende glimlach. Dit was de langste zoektocht die Jack ooit had gehouden en hij wilde dat zijn broer nu uit zijn verstopplek zou komen, zich zou laten zien met die trotse glimlach en het spelletje zou beëindigen.

Donals blauwe ogen, het enige uiterlijke kenmerk dat de twee broers gemeen hadden, fonkelden Jack tegemoet en hij verwachtte bijna dat hij zou knipogen. Het maakte niet uit hoe lang en ingespannen hij naar de foto had zitten staren, hij kon hem niet tot leven brengen. Hij kon zijn hand niet in de foto steken en zijn broer eruit trekken, hij kon de aftershave niet ruiken waarmee hij zichzelf overdadig besprenkelde, hij kon niet door zijn bruine haar woelen en zijn kapsel door de war maken zoals hij vaak pestend deed, en hij kon zijn stem niet horen als hij hun moeder in huis hielp. Een jaar later kon hij zich zijn aanraking en geur nog wel herinneren, hoewel de herinnering alleen voor hem niet genoeg was, in tegenstelling tot voor de rest van de familie.

De foto was tijdens de voorlaatste Kerstmis genomen, slechts zes maanden voordat hij verdween. Jack kwam één keer per week bij zijn moeder, waar Donal de enige van zes broers en zussen was die nog thuis woonde. Afgezien van de gewone gesprekjes tussen Jack en Donal, die niet langer dan twee minuten duurden, was die Kerstmis de laatste keer geweest dat Jack echt met Donal had gesproken. Donal had hem het cadeau gegeven dat hij altijd gaf, sokken, en Jack had hem de doos met zakdoekjes gegeven die zijn oudste zus hem het jaar daarvoor had gegeven. Ze hadden allebei moeten lachen om de onattente cadeaus.

Die dag was Donal opgewekt geweest, blij met zijn nieuwe baan als ICT'er. Hij was in september begonnen nadat hij was afgestudeerd aan Limerick University, tijdens een ceremonie waarbij zijn moeder bijna van haar stoel kukelde door het gewicht van de trots op haar jongste. Donal had vol zelfvertrouwen gepraat over hoe leuk hij zijn werk vond en Jack zag hoe volwassen hij was geworden en dat hij zich meer op zijn gemak voelde nu hij het studentenleven achter zich had gelaten.

Ze waren nooit heel close geweest. In het gezin met zes kinderen was Donal de verrassingsbaby, waarbij niemand verbaasder was dan hun moeder, Frances, die zevenenveertig was toen ze erachter kwam dat ze weer zwanger was. Jack was twaalf jaar ouder dan Donal, dus hij was uit huis gegaan toen Donal zes was. Hij leerde de geheime kanten van zijn broer niet kennen, die je alleen ziet als je met iemand in een huis woont, en dus waren ze achttien jaar lang broers geweest, maar geen vrienden.

Jack vroeg zich, niet voor het eerst, af of hij, als hij Donal beter had gekend, een deel van het mysterie had kunnen oplossen. Misschien was hij, als hij beter zijn best had gedaan om zijn broertje te leren kennen of meer gesprekken had gevoerd over iets wezenlijks, er dan bij geweest op de avond van zijn verjaardag. Misschien had hij kunnen voorkomen dat hij het fastfoodrestaurant uitliep, of misschien had hij samen met hem kunnen weggaan en een taxi kunnen nemen.

Of misschien had Jack zich dan op dezelfde plek bevonden waar Donal nu was. Waar dat dan ook was.

HOOFDSTUK 8

Jack sloeg zijn derde kop koffie achterover en keek op zijn horloge.

Kwart over tien.

Sandy was te laat. Onder tafel wipte hij nerveus met zijn benen op en neer, zijn linkerhand trommelde op het hout en met zijn rechterhand gebaarde hij dat hij nog een kopje koffie wilde. Hij bleef positief. Ze kwam wel. Hij wist zeker dat ze kwam.

Elf uur, hij belde haar mobiele telefoon voor de vijfde keer. Hij ging steeds maar over en uiteindelijk: 'Hallo, dit is Sandy Shortt. Sorry dat ik nu niet bereikbaar ben. Als u een boodschap achterlaat, bel ik u zo snel mogelijk terug.' Piep.

Jack hing op.

Halftwaalf, ze was twee uur te laat, en Jack luisterde weer naar het bericht dat Sandy de vorige avond had ingesproken.

'Hoi, Jack, met Sandy Shortt. Ik bel even om onze afspraak van morgenochtend om halftien in Kitty's Café in Glin te bevestigen. Ik rij er vanavond heen.' Haar stem klonk zachter. 'Zoals je weet slaap ik niet,' ze lachte zachtjes, 'dus ik ben er morgenochtend vroeg. Na al onze gesprekken zie ik ernaar uit om je eindelijk persoonlijk te spreken. En, Jack,' ze wachtte even, 'ik beloof dat ik mijn best doe om je te helpen. We geven Donal niet op.'

Om twaalf uur speelde Jack het nog een keer af.

Om één uur, na talloze koppen koffie, hielden Jacks vingers op met trommelen en maakten zijn handen in plaats daarvan een vuist zodat hij zijn kin erop kon laten rusten. Hij had de blik van de eigenaar in zijn rug gevoeld toen hij daar uren zenuwachtig zat te wachten, kijkend op de klok en niet van plan zijn tafel op te geven voor een groepje mensen dat meer geld zou uitgeven dan hij. Om hem heen liepen tafels vol en weer leeg, elke keer dat de bel boven de deur ging schoot zijn hoofd omhoog. Hij wist niet hoe Sandy Shortt eruitzag, ze had alleen maar gezegd dat hij haar niet kon missen. Hij wist niet wat hij moest verwachten, maar elke keer als de bel rinkelde ging zijn hoofd omhoog en sprong zijn hart op, vol hoop, waarna ze weer zakten als de blik van de nieuwkomer langs hem heen fladderde en zich op een ander richtte.

Om halfdrie rinkelde de bel weer.

Na vijfenhalf uur wachten ging de deur achter Jack open en dicht.

HOOFDSTUK 9

Ik bleef bijna twee dagen in hetzelfde beboste gebied, heen en weer joggend, proberend mijn bewegingen te reconstrueren en op een of andere manier mijn aankomst hier terug te draaien. Ik rende de berg op en weer af, probeerde verschillende snelheden, worstelend om me te herinneren hoe snel ik had gerend, naar welk liedje ik had geluisterd, waar ik aan had lopen denken en in welk gebied ik was toen ik voor het eerst de verandering van locatie opmerkte. Alsof een ervan te maken had met wat er was gebeurd. Ik liep omhoog en naar beneden, naar beneden en omhoog, zoekend naar de ingang en, nog belangrijker, de uitgang. Ik wilde bezig blijven. Ik wilde me niet thuis gaan voelen, zoals de persoonlijke bezittingen die overal verspreid lagen, ik wilde niet eindigen als de oorbellen zonder achterkantje die in het hoge gras lagen te schitteren.

Het is een bizarre conclusie om te trekken, dat je vermist bent (daar ben ik me heel goed van bewust), maar het was geen overhaaste conclusie, neem dat maar van mij aan. Ik was die eerste uren enorm in de war en gefrustreerd, maar ik wist dat er iets vreemders aan de hand was dan het nemen van een verkeerde afslag, want geografisch gezien kon een berg niet in een paar seconden uit de grond oprijzen, konden bomen die in Ierland niet groeiden niet ineens aan de grond ontspruiten, en kon de riviermond van de Shannon niet opdrogen en verdwijnen. Ik wist dat ik ergens anders was.

Natuurlijk overwoog ik het feit dat ik droomde, was gevallen, mijn hoofd had gestoten en nu in coma lag, of dood was. Ik vroeg me af of de afwijkende natuur erop wees dat dit het einde van de wereld was, en ik betwijfelde mijn kennis over de geografie van West-Limerick. Ik overwoog inderdaad heel sterk de vraag of ik gek was geworden. Dat was nummer een op de lijst met mogelijkheden.

Maar toen ik die dagen alleen was en er rationeel over nadacht, omringd door de prachtigste omgeving die ik ooit had gezien, besefte ik dat ik zeker in leven was, de wereld was niet ten einde gekomen, er was geen massale paniek uitgebroken en ik was geen bewoner van een vuilnisbelt geworden. Ik besefte dat mijn zoektocht naar een uitweg mijn zicht op waar ik precies was versluierde. Ik zou me niet achter de leugen verschuilen dat ik een uitweg zou vinden door een heuvel op en af te rennen. Geen opzettelijke afleidingen om de stem der rede te laten verstommen. Ik ben een logisch persoon en de meest logische verklaring van alle ongelooflijke mogelijkheden was dat ik levend en wel was, maar vermist. De dingen zijn zoals ze zijn, hoe bizar ook.

Toen het donker begon te worden op mijn tweede dag, besloot ik deze zonderlinge plek te verkennen door dieper het naaldbomenbos in te lopen. Er knakten twijgjes onder mijn sportschoenen, de grond was zacht en veerkrachtig, bedekt met lagen gevallen, nu vergane, bladeren, schors, dennenappels en fluweelachtig mos. Er zweefden slierten mist als watten boven mijn hoofd, tot de toppen van de bomen. De imposante, dunne stammen rezen op als enorme potloden die de hemel van kleur voorzagen. Overdag gaven ze de lucht een helderblauwe tint, gearceerd met wazige wolkjes en oranje schakeringen, en nu het avond was zorgden de door de warme zon tot houtskool gebrande punten voor een diepe duisternis. Aan de hemel twinkelden miljoenen sterren, die allemaal naar me knipoogden en een geheim over de wereld deelden dat ik nooit zou leren kennen.

Ik had bang moeten zijn, nu ik in mijn eentje in het donker over een berghelling liep. Maar ik voelde me veilig, omringd door vogelgezang, omgeven door de zoete geur van mos en hars, en omhuld door een enigszins magische mist. Ik had me al in veel ongewone situaties bevonden, zowel gevaarlijke als ronduit bizarre. In mijn werk volgde ik alle sporen, bewandelde ik alle paden en liet ik me nooit door angst weerhouden een richting in te slaan die ertoe zou kunnen leiden dat ik iemand zou vinden. Ik was niet bang om elke steen op mijn pad om te draaien, en die steen en mijn vragen in een sfeer met de breekbaarheid van een glazen huis te smijten. Mensen verdwijnen vaak onder duistere omstandigheden, waar de meeste mensen niets van willen weten. Vergeleken met eerdere ervaringen waarin ik de onderwereld indook, was dit nieuwe project een eitje. Ja, het vinden van een weg terug naar mijn leven was een project geworden.

Ik stond stil toen ik het geluid van mompelende stemmen voor me hoorde. Ik had in geen dagen contact met een ander mens gehad en wist helemaal niet of deze mensen vriendelijk waren. Het flakkerende licht van een kampvuur wierp schaduwen het bos in, en toen ik stilletjes dichterbij was gekomen, zag ik een open plek. De bomen weken en er was een grote kring waarin vijf mensen lachten, grapjes maakten en met muziek meezongen. Ik stond verborgen in de schaduwen van de enorme naaldbomen, als een aarzelende mot die door een kaarsvlam wordt aangetrokken. Ik hoorde Ierse accenten en ik betwijfelde of mijn idiote conclusie dat ik buiten het land en mijn leven was wel klopte. In die paar seconden twijfelde ik over alles.

Er knapte luid een takje onder mijn voet en dat echode door het bos. De muziek stopte onmiddellijk en de stemmen hielden op met praten.

'Daar is iemand,' fluisterde een vrouw hard.

Alle hoofden draaiden zich naar me toe.

'Hallo, daar,' riep een man opgewonden. 'Kom erbij! We wilden net "This little light of mine" gaan zingen.' Er klonk gekreun.

De man sprong op van zijn zitplaats, een omgevallen boomstam, en kwam dichter naar me toe, zijn armen verwelkomend gespreid. Hij was kaal, afgezien van een paar strengen haar die hij als spaghettislieren over zijn hoofd had gekamd. Hij had een vriendelijk, maanvormig gezicht en dus stapte ik in het licht en voelde direct de warmte van het vuur tegen mijn huid.

'Het is een vrouw,' fluisterde de vrouw weer hard.

Ik wist niet goed wat ik moest zeggen, en de man die naar me toe was gekomen keek nu onzeker om naar de groep.

'Misschien praat ze geen Engels,' siste de vrouw luid.

'Aha.' De man draaide zich weer naar me om. 'Doooo yooooooy speeeeeaaaak Eng-a-lish?'

Er werd gegromd. '*The Oxford English Dictionary* zou dat nog niet begrijpen, Bernard.'

Ik glimlachte en knikte. De groep werd weer stil en keek me aan, en ik wist wat ze dachten. Wat is ze lang.

'Ah, geweldig.' Hij klapte in zijn handen en hield ze daarna in elkaar gevouwen tegen zijn borst. Op zijn gezicht brak een nog hartelijker glimlach door. 'Waar kom je vandaan?'

Ik wist niet of ik aarde, Ierland of Leitrim moest zeggen. Ik volgde mijn intuïtie en 'Ierland' was het enige wat uit mijn mond kwam, het eerste woord in dagen.

'Dolletjes!' De glimlach van de vrolijke kerel was zo groot dat ik wel terug moest glimlachen. 'Wat een toeval! Kom er alsjeblieft bij.' Hij leidde me opgewonden naar de groep, met een huppel en een sprongetje.

'Ik heet Bernard,' zei hij met de stralende glimlach van de Cheshire Cat, 'en ik heet je van harte welkom bij de Ierse delegatie. We zijn hier met angstwekkend weinig,' hij fronste zijn voorhoofd, 'hoewel het erop lijkt dat we er eentje bij hebben. Sorry, waar zijn mijn manieren?' Hij bloosde.

'Onder die sok daar.'

Ik draaide me om en keek naar de bron van de gevatte opmerking: een knappe vrouw van in de vijftig, met strak naar achteren getrokken grijs haar en een lila pashmina over haar schouders. Ze staarde afwezig in het vuur, de dansende vlammen werden in haar ogen weerspiegeld, en ze maakte haar opmerkingen alsof ze op de automatische piloot sprak.

'Met wie heb ik het genoegen?' vroeg Bernard, stralend van opwinding, zijn nek uitrekkend om naar me te kunnen kijken.

'Ik heet Sandy,' antwoordde ik, 'Sandy Shortt.'

'Dolletjes.' Hij bloosde weer en schudde mijn uitgestoken hand. 'Aangenaam kennis te maken. Laat me de rest van de bende, zoals ze zeggen, voorstellen.'

'Zoals wie zeggen?' gromde de vrouw toornig.

'Dat is Helena. Ze houdt van kletsen, en heeft altijd iets te zeggen, nietwaar, Helena?' Bernard keek haar aan en wachtte op een antwoord.

De rimpels om haar mond werden dieper toen ze haar lippen afkeurend op elkaar drukte.

'Ah.' Hij veegde zijn voorhoofd af en stelde me voor aan een vrouw genaamd Joan, Derek, de langharige hippie die op de gitaar speelde, en Marcus, die stilletjes het verst weg zat. Ik bekeek hen vluchtig: ze waren allemaal ongeveer even oud en leken erg op hun gemak te zijn bij elkaar. Zelfs Helena's sarcastische opmerkingen veroorzaakten geen wrijving.

'Ga maar zitten en neem wat te drink...'

'Waar zijn we?' onderbrak ik hem, niet in staat om zijn bazelende beleefdheden nog langer te verdragen.

De gesprekken rond het vuur vielen plotseling stil en zelfs Helena hief haar hoofd op om naar me te kijken. Ze nam me op, een snelle blik op en neer, en ik voelde me alsof mijn ziel was geabsorbeerd. Derek hield op met tokkelen, Marcus glimlachte lichtjes en wendde zijn blik af, Joan en Bernard keken me met bange hertenogen aan. Het enige geluid dat te horen was, was het geknetter van het kampvuur als er vonken af sprongen en in een spiraal omhoog zweefden. Uilen schreeuwden en in de verte hoorde ik het geluid van takken die knapten als er wandelaars overheen liepen.

Er hing een doodse stilte rond het kampvuur.

'Gaat iemand dat meisje nog antwoord geven?' Helena keek om zich heen met een geamuseerde blik op haar gezicht. Niemand zei iets.

'Nou, als niemand zijn mond opendoet,' ze sloeg haar sjaal dichter om haar schouders en pakte hem bijeen bij haar borst, 'dan zeg ik het wel.'

Er klonken protesten vanuit de kring en daardoor wilde ik Helena's mening des te grager horen. Haar ogen schitterden, ze genoot van het afkeurende koor.

'Vertel het me maar, Helena,' onderbrak ik hen.

'Dat wil je helemaal niet, geloof me,' zei Bernard, en zijn onderkin trilde toen hij sprak.

Helena hief tartend haar zilvergrijze hoofd en haar donkere ogen glinsterden terwijl ze me recht aankeek. Er trilde een spiertje bij haar mond. 'We zijn dood.'

Deze drie woorden werden koel, kalm, afgemeten gezegd.

'Let nou maar niet op haar,' zei Bernard met, naar wat ik dacht, zijn beste boze stem.

'Helena,' zei Joan vermanend, 'hier hebben we het al eens over gehad. Je moet Sandy niet zo bang maken.'

'Ze ziet er niet bang uit,' zei Helena, nog steeds met een geamuseerde uitdrukking op haar gezicht. Haar ogen bewogen niet.

'Nou,' sprak Marcus eindelijk zijn eerste woorden sinds ik me bij de groep had aangesloten, 'ze heeft daar wel een punt. We zouden best dood kunnen zijn.'

Bernard en Joan gromden, en Derek begon zachtjes op zijn gitaar te tokkelen en zachtjes te zingen: 'We zijn dood, we zouden best dood kunnen zijn.'

Bernard klakte afkeurend met zijn tong, schonk toen uit een porseleinen theepot een kopje thee in en gaf me een kop en schotel. Daar moest ik wel om glimlachen, zo midden in het bos.

'Als we dood zijn, waar zijn mijn ouders dan, Helena?' vitte Joan, terwijl ze een pakje koekjes leegschudde op een porseleinen bordje en dat voor me neerzette. 'Waar zijn alle andere dode mensen?'

'In de hel,' zei Helena zangerig.

Marcus glimlachte en wendde zijn blik af zodat Joan zijn gezicht niet kon zien.

'En waarom denk je dan dat wij in de hemel zijn? Hoezo zou jíj in de hemel komen?' snoof Joan, terwijl ze haar biscuitje in de thee doopte en het er weer uit haalde voordat het doorweekte uiteinde erin viel.

Derek tokkelde en zong brommerig: 'Is dit de hemel of is dit de hel? Ik weet het niet, weet jij het soms wel?'

'Zijn dat gouden hek en dat engelenkoor bij de ingang dan niemand opgevallen?' gniffelde Helena.

'Je bent helemaal niet door een gouden hek binnengekomen.' Bernard schudde heftig zijn hoofd, zijn nek wiebelde heen en weer. Hij keek me aan en zijn nek bleef schudden. 'Ze is niet door een gouden hek binnengekomen.'

Derek tokkelde: 'Geen gouden hek stond er paraat, noch voelde ik de vlammen van haat.'

'Hou eens op,' zei Joan bits.

'Hou eens op,' zong hij.

'Ik hou het niet meer uit.'

'Ik hou het niet meer uit, laat me er alsjeblieft uit...'

'Ik smijt je er zo wel uit,' waarschuwde Helena, maar met minder overtuiging.

Hij bleef tokkelen en ze vielen stil, terwijl ze de laatste paar teksten overdachten.

'June, het dochtertje van Pauline O'Connor, was pas tien toen ze doodging, Helena,' ging Bernard verder. 'Een engeltje zoals zij zou zeker in de hemel zijn, en ze is niet hier, dus je theorie klopt niet.' Hij hield zijn hoofd hoog op en Joan knikte instemmend. 'We zijn niet dood.'

'Sorry, het is alleen voor boven de achttien,' zei Helena met een verveelde stem. 'Petrus staat bij de poort, met zijn armen over elkaar en een oortje in om de instructies van God uit te voeren.'

'Zoiets zeg je toch niet, Helena.'

'Ik kan er niet in, ik kan er niet uit, Petrus jongen, leg dat eens uit,' zong Derek met een gruizige stem. Plotseling hield hij op met tokkelen en begon eindelijk te praten. 'Het is zeker niet de hemel. Elvis is er niet.'

'Dat lijkt me overtuigend bewijs.' Helena sloeg haar blik ten hemel.

'We hebben hier onze eigen Elvis, nietwaar?' giechelde Bernard, en hij veranderde van onderwerp. 'Sandy, wist je dat Derek vroeger in een band zat?'

'Hoe zou ze dat moeten weten, Bernard?' vroeg Helena geïrriteerd. Bernard negeerde haar weer. 'Derek Cummings,' kondigde hij aan, 'de bink van St. Kevin's in de jaren zestig.'

Ze barstten in lachen uit.

Ik kreeg het koud.

'Hoe heetten jullie ook al weer, Derek? Ik ben het vergeten,' zei Joan lachend.

'De Wonder Boys, Joan, de Wonder Boys,' zei Derek liefdevol, eraan terugdenkend.

'Weet je die dansavonden op vrijdagavond nog?' vroeg Bernard opgewonden. 'Dan stond Derek op het podium te rock-'n-rollen, en eerwaarde Martin kreeg dan bijna een hartaanval als hij je zo met je bekken zag draaien.' Weer moesten ze allemaal lachen.

'Hoe heette die danszaal ook al weer?' dacht Joan hardop.

'O, jee...' Bernard sloot zijn ogen en probeerde het zich te herinneren.

Derek hield op met tokkelen en dacht ingespannen na.

Helena bleef naar mij kijken, en bestudeerde mijn reactie. 'Heb je het koud, Sandy?' Haar stem klonk veraf.

Finbar's Hall – de naam kwam in mijn hoofd op. Ze gingen graag op vrijdagavond naar Finbar's Hall.

'Finbar's Hall,' herinnerde Marcus zich eindelijk weer.

'O ja, dat was het.' Ze keken allemaal opgelucht en Derek tokkelde weer verder.

Ik kreeg kippenvel en huiverde.

Ik keek om me heen naar de gezichten van de mensen in de groep, bestudeerde hun ogen, hun bekende gelaatstrekken en liet alles wat ik als kind had gehoord en gezien terugkomen. Ik zag het nu net zo duidelijk als toen, toen ik dat verhaal was tegengekomen in de schoolarchieven terwijl ik onderzoek deed voor een project. Ik was er direct in geïnteresseerd geraakt, had het verhaal gevolgd en kende het heel goed. Ik zag de jonge gezichten voor me, die me vanaf de voorpagina toelachten en ik zag diezelfde gezichten nu om me heen.

Derek Cummings, Joan Hatchard, Bernard Lynch, Marcus Flynn en Helena Dickens. Vijf leerlingen van St. Kevin's kostschool. Ze

waren in de jaren zestig tijdens een kampeeruitje met school verdwenen en nooit gevonden. Maar hier waren ze nu, ouder, wijzer en
ontdaan van hun onschuld.

Ik had hen gevonden.

HOOFDSTUK 10

Toen ik veertien was, haalden mijn ouders me over om op maandag na school naar een therapeut te gaan. Ze hoefden zich daar niet heel erg voor in te spannen. Zodra ze me vertelden dat ik alle vragen kon stellen die ik wilde en dat die persoon gekwalificeerd genoeg was om te antwoorden, hoefden ze me bijna niet meer naar school te rijden, dat deed ik zelf wel.

Ik wist dat ze vonden dat ze jegens mij tekortgeschoten waren. Dat zag ik aan de uitdrukking op hun gezicht toen ze met me aan de keukentafel gingen zitten, met melk en koekjes en de wasmachine draaiend op de achtergrond om me, zoals gewoonlijk, af te leiden. Mijn moeder hield stevig een verfrommelde tissue in haar handen, hoewel ze die eerder al had gebruikt om haar tranen weg te vegen. Dat was het met mijn ouders: ze lieten me nooit hun zwakte zien, maar ze vergaten wel om het bewijs daarvan weg te halen. Ik zag mijn moeders tranen niet, maar ik zag de tissue wel. Ik hoorde niet dat mijn vader kwaad was omdat hij me niet kon helpen, maar ik zag het aan zijn ogen.

'Is er iets?' Ik keek van het ene vastberaden gezicht naar het andere. Het enige moment waarop mensen zo vol vertrouwen kunnen kijken, alsof ze alles aankunnen, is wanneer er iets ergs gebeurt. 'Is er iets gebeurd?'

Mijn vader glimlachte. 'Nee hoor, liefje, maak je maar gen zorgen, er is niets ergs gebeurd.'

Mijn moeders wenkbrauw ging omhoog toen hij dat zei en ik wist dat ze het er niet mee eens was. Ik wist dat mijn vader het ook niet met zijn eigen woorden eens was, maar hij sprak ze toch uit. Het was helemaal niet erg om me naar een therapeut te sturen, helemaal niets, maar ik wist dat ze me zelf hadden willen helpen. Ze hadden gewild dat hun antwoorden op mijn vragen afdoende waren geweest. Ik had hun eindeloze gesprekken gehoord over wat de juiste methode was om met mijn gedrag om te gaan. Ze hadden me op elke mogelijke manier geholpen en nu voelde ik hoe teleurgesteld ze in zichzelf waren en ik had een hekel aan mezelf dat ik dat had veroorzaakt.

'Je weet toch dat je zo ontzettend veel vragen hebt, liefje?' legde mijn vader uit.

Ik knikte.

'Nou, je moeder en ik...' hij keek haar aan voor ondersteuning en haar ogen werden onmiddellijk zachter toen ze naar hem keek, '... nou, je moeder en ik hebben iemand gevonden met wie je over al die vragen kunt praten.'

'Kan diegene mijn vragen beantwoorden?' Ik voelde dat mijn ogen groter werden en mijn hart sneller ging kloppen, alsof alle mysteries van het leven op het punt stonden beantwoord te worden.

'Ik hoop het, liefje,' antwoordde mijn moeder. 'Ik hoop dat je, door met hem te praten, geen vragen meer zult hebben die je dwarszitten. Hij weet veel meer over de dingen waar je je zorgen over maakt dan wij.'

Toen was het tijd voor een snel vragenrondje. Vingers aan de knop.

'Wie is het?'

'Meneer Burton.' Papa.

'Wat is zijn voornaam?'

'Gregory.' Mama.

'Waar werkt hij?'

'Op school.' Mama.

'Wanneer ga ik naar hem toe?'

'Maandag na school. Een uur lang.' Mama. Ze was hier beter in dan mijn vader. Ze was gewend aan deze gesprekken, als mijn vader op zijn werk was.

'Het is een therapeut, nietwaar?' Ze logen nooit tegen me.

'Ja, liefje.' Pap.

Volgens mij is dat het moment waarop ik er een hekel aan kreeg mezelf in hun ogen te zien, en helaas was dat er het begin van dat ik het vreselijk vond om bij hen in de buurt te zijn.

Het kantoor van meneer Burton was een ruimte met de afmetingen van een kast, net groot genoeg voor twee leunstoelen. Ik ging in de vieze, olijfgroene, met fluweel beklede stoel met donkere houten leuning zitten, en niet in de gevlekte, bruine, met fluweel beklede stoel. Ze zagen er allebei uit alsof ze uit de jaren veertig van de vorige eeuw kwamen en sinds die tijd niet waren schoongemaakt of uit de kamer weggeweest. In de achterste muur zat een raampje, zo hoog dat ik alleen de lucht kon zien. De eerste keer dat ik meneer Burton ontmoette was die helder blauw. Zo af en toe kwam er een wolk voorbij, die het hele raampje met wit vulde voordat hij verder zweefde.

Aan de muren hingen posters van gelukkige schoolkinderen, die aan de lege kamer vertelden dat ze nee hadden gezegd tegen drugs, hadden opgetreden tegen pesterijen, hadden geleerd om te gaan met examenstress, eetstoornissen hadden overwonnen, rouw hadden verwerkt, slim genoeg waren niet zwanger te worden omdat ze niet met iemand naar bed gingen, maar voor het onaannemelijke geval dat ze dat toch deden, hing er een andere poster van hetzelfde meisje en dezelfde jongen waarop stond dat ze condooms gebruikten. Heiligen, stuk voor stuk. Er hing zo'n positieve sfeer in de kamer dat ik verwachtte dat ik als een raket uit mijn stoel zou worden geschoten. Meneer Burton de geweldige had hen allemaal geholpen.

Ik dacht dat meneer Burton een wijze oude man zou zijn, met een hoofd vol woest grijs haar, een monocle voor zijn oog, een vest met een horloge aan een ketting, en hersens die gevuld waren met kennis na jaren uitgebreid onderzoek naar de menselijke geest. Ik verwachtte de Yoda van de westerse wereld, gehuld in wijsdom, die in raadselen sprak en me ervan probeerde te overtuigen dat de kracht in mij sterk was.

Toen de echte meneer Burton de kamer binnenkwam, had ik gemengde gevoelens. De onderzoekende kant van mij was teleurgesteld, het veertienjarige meisje in me verrukt. Het was eerder een Gregory dan een meneer Burton. Hij was jong en knap, sexy en lekker. Hij zag eruit alsof hij net die dag zijn laatste les had gevolgd, gekleed in spijkerbroek en t-shirt en met zijn modieuze kapsel. Ik rekende het zoals gewoonlijk even na: twee keer zo oud als ik zou nog kunnen. Over een paar jaar was het wettelijk ook toegestaan en dan zou ik van school zijn. Mijn hele leven was al uitgestippeld voordat hij de deur nog maar achter zich had dichtgedaan.

'Hallo, Sandy.' Zijn stem was helder en vrolijk. Hij schudde me de hand en ik beloofde mezelf dat ik eraan zou likken als ik thuis was en hem nooit meer zou wassen. Hij zat op de bruine fluwelen leunstoel tegenover me. Ik wed dat al die meisjes op die posters hun problemen gewoon hadden verzonnen om bij hem op zijn kantoor te kunnen komen.

'Ik hoop dat je lekker zit in ons topdesignmeubilair?' Hij rimpelde zijn neus van afgrijzen terwijl hij in de stoel ging zitten, waar in de zijkant een scheur zat waar de vulling door naar buiten kwam.

Ik lachte. Wat was hij cool. 'Ja hoor, dank u wel. Ik vroeg me af wat mijn stoelkeuze over mij zegt.'

'Nou,' zei hij glimlachend, 'een van de volgende twee dingen.'

Ik luisterde ingespannen.

'Een, dat je niet van bruin houdt, of twee, dat je van groen houdt.'

'Geen van beide,' zei ik met een glimlach, 'ik wilde gewoon uit het raam kunnen kijken.'

'Aha,' zei hij grinnikend. 'Je bent wat we in het laboratorium een "raamkijker" noemen.'

'O, ben ik er zo een?'

Hij keek me even geamuseerd aan, legde daarna een pen en schrijfblok op zijn schoot en een taperecorder op de leuning van de stoel. 'Vind je het erg als ik dit opneem?'

'Waarom?'

'Zodat ik me alles kan herinneren wat je zegt. Soms hoor ik dingen pas als ik het gesprek nog eens hoor.'

'Oké, waar zijn die pen en dat schrijfblok dan voor?'

'Om te droedelen. Voor het geval ik me ga vervelen als ik naar je luister.' Hij drukte op de opnametoets en zei welke dag en tijd het was.

'Het lijkt net alsof ik op het politiebureau ben om ondervraagd te worden.'

'Is dat al eens gebeurd?'

Ik knikte. 'Toen Jenny-May Butler was verdwenen, werd ons gevraagd om alle informatie die we hadden op school te vertellen.' Wat ging het gesprek toch snel over haar. Ze zou verrukt zijn geweest.

'Ah,' zei hij knikkend. 'Jenny-May was toch je vriendin?'

Daar dacht ik over na. Ik keek naar de posters aan de muur tegen pesten en vroeg me af hoe ik daarop zou antwoorden. Ik wilde niet ongevoelig overkomen op deze adembenemende man door nee te zeggen, maar ze was mijn vriendin niet. Jenny-May had een hekel aan me. Maar ze was vermist en ik moest waarschijnlijk geen kwaad over haar spreken, omdat iedereen per slot van rekening vond dat ze een engel was. Meneer Burton dacht per abuis dat mijn zwijgen betekende dat ik van slag was, wat gênant was, en bij de volgende vraag die hij stelde klonk zijn stem zo vriendelijk dat ik bijna in lachen uitbarstte.

'Mis je haar?'

Daar dacht ik ook over na. Zou je een klap in je gezicht die je elke dag werd gegeven missen? Ik wilde het hem graag vragen. Maar weer wilde ik niet ongevoelig overkomen door nee te zeggen. Dan zou hij nooit verliefd op me worden en me meenemen uit Leitrim.

Hij leunde naar voren in zijn stoel. O, wat had hij toch blauwe ogen.

'Je vader en moeder hebben me verteld dat je Jenny-May wilde vinden. Klopt dat?'

Wauw. Hoe bedoel je, het verkeerde spoor? Ik sloeg mijn ogen ten hemel, het moest afgelopen zijn met dit gezeur. 'Meneer Burton, ik wil niet grof of ongevoelig lijken, omdat ik weet dat Jenny-May verdwenen is en iedereen verdrietig is, maar...' Mijn stem stierf weg.

'Ga door,' moedigde hij me aan, en ik wilde opspringen en hem kussen.

'Nou, Jenny-May en ik zijn nooit vriendinnen geweest. Ze had een hekel aan me. Ik mis haar wel in die zin dat ik merk dat ze weg is, maar niet in die zin dat ik wil dat ze terugkomt. En ik wil niet dat ze terugkomt of gevonden wordt. Als ik maar zou weten waar ze was, dat zou al genoeg zijn.'

Hij trok zijn wenkbrauwen op.

'Nou, ik weet dat u waarschijnlijk dacht dat ik, omdat Jenny-May mijn vriendin was en ze verdwenen is, elke keer als ik iets kwijtraak, zoals een sok, en het probeer te vinden, het mijn manier is om Jenny-May te vinden en terug te brengen.'

Zijn mond viel een beetje open.

'Tja, dat lijkt me een redelijke veronderstelling, meneer Burton, maar zo ben ik niet. Ik zit niet zo ingewikkeld in elkaar. Het is gewoon irritant dat wanneer dingen kwijtraken, ik niet weet waar ze heengaan. Neem bijvoorbeeld dat rolletje plakband. Gisteravond probeerde mijn moeder een cadeautje in te pakken voor de verjaardag van tante Deirdre, maar ze kon het plakband niet vinden. We leggen het altijd in de tweede la, onder de bestekla. Het ligt daar altijd, we leggen het nooit ergens anders neer en mijn vader en moeder weten hoe ik ben met dat soort dingen en dus leggen ze alles precies weer terug op hun plek. Ons huis is heel netjes, echt waar, dus het is echt niet zo dat er voortdurend dingen verdwijnen in de troep. Hoe dan ook, ik had het plakband zaterdag gebruikt bij mijn huiswerk voor tekenen, waar ik trouwens vandaag maar een zesje voor kreeg, hoewel Tracey Tinsleton een tien kreeg voor een tekening van iets wat leek op een vlieg die geplet was op een voorruit, en dat is dan "echte kunst", maar ik zweer dat ik het teruggelegd heb in de la. Mijn vader heeft het niet gebruikt, mijn moeder heeft het niet gebruikt en ik ben er bijna zeker van dat er niemand heeft ingebroken om plakband te stelen. Dus ik heb er de hele avond naar gezocht en het niet kunnen vinden. Waar is het?'

Meneer Burton zweeg en ging langzaam achterover in zijn stoel zitten.

'Begrijp ik het goed,' zei hij langzaam, 'dat je Jenny-May Butler niet mist?'

We moesten allebei lachen en voor de eerste keer voelde ik me daar niet slecht door.

'Waarom denk je dat je hier bent?' Meneer Burton werd weer serieus, na onze lachbui.

'Omdat ik antwoorden nodig heb.'

'Antwoorden zoals...?'

Daar dacht ik over na. 'Waar is het plakband dat we gisteravond niet konden vinden? Waar is Jenny-May Butler? Waarom raakt er altijd een van mijn sokken kwijt in de wasmachine?'

'Denk je dat ik je kan vertellen waar al die dingen zijn?'

'Niet de precieze locatie, meneer Burton, maar een globale indicatie zou voldoende zijn.'

Hij glimlachte naar me. 'Waarom laat je mij niet even de vragen stellen en misschien vinden we dan via jouw antwoorden de antwoorden die je zoekt.'

'Oké, als u denkt dat dat werkt.' Mafkees.

'Waarom voel je de behoefte om te weten waar dingen zijn?'

'Ik moet het weten.'

'Waarom heb je de behoefte dat je dat moet weten?'

'Waarom hebt u de behoefte om me vragen te stellen?'

Meneer Burton knipoogde en zweeg iets langer dan hij had gewild, zag ik. 'Dat is mijn baan, daar krijg ik voor betaald.'

'Ik krijg ervoor betaald.' Ik sloeg mijn ogen ten hemel. 'Meneer Burton, u kunt mijn zaterdagbaantje krijgen en wc-rollen opstapelen en daarvoor betaald krijgen, maar u hebt ervoor gekozen om, hoe lang, tien miljoen jaar?, te studeren voor al die perkamentrollen aan de muur.' Ik keek om me heen naar zijn ingelijste kwalificaties. 'Ik zou zeggen dat er wel meer redenen zijn dat u zo veel hebt gestudeerd, al die examens hebt afgelegd en al deze vragen stelt dan alleen om geld te verdienen.'

Hij glimlachte een beetje en keek naar me. Ik denk dat hij niet meer wist wat hij moest zeggen. En dus hing er twee minuten een stilte terwijl hij nadacht. Eindelijk legde hij pen en papier neer, en leunde naar voren, naar mij toe, waarbij hij met zijn ellebogen op zijn knieën rustte.

'Ik vind het fijn gesprekken te voeren met mensen, dat heb ik altijd al gevonden. Ik merk dat mensen door over zichzelf te praten dingen te weten komen die ze niet eerder wisten. Het is zelfhelend, zeg maar. Ik stel vragen omdat ik het leuk vind om mensen te helpen.'

'Dat vind ik ook.'

'Denk je dat je door vragen over Jenny-May te stellen haar of misschien haar ouders helpt?' Hij probeerde de verwarring in zijn ogen te verbergen.

'Nee, ik help mezelf.'

'Hoe helpt dat jou? Frustreert het je niet veel meer als je geen antwoorden krijgt?'

'Soms vind ik dingen, meneer Burton. Ik vind de dingen die op de verkeerde plek liggen.'

'Ligt niet alles wat kwijt is op de verkeerde plek?'

'Als je iets kwijtraakt verlies je het tijdelijk doordat je bent vergeten waar je het hebt neergelegd. Ik onthoud altijd waar ik dingen neerleg. Het zijn de dingen die ik niet op een verkeerde plek neergelegd heb die ik probeer te vinden; de dingen die pootjes krijgen en uit zichzelf weglopen irriteren me.'

'Denk je dat het niet mogelijk is dat iemand anders dan jij die dingen verplaatst?'

'Wie, bijvoorbeeld?'

'Dat vraag ik jou net.'

'Nou, in het geval van het plakband is het antwoord duidelijk nee. In het geval van de sokken is het antwoord, tenzij iemand mijn sokken uit de wasmachine pakt, nee. Meneer Burton, mijn ouders willen me helpen. Ik denk niet dat ze dingen zouden verplaatsen en dat dan elke keer zouden vergeten. Ze onthouden juist precies waar ze dingen neergelegd hebben.'

'Wat denk je dan? Waar zijn die dingen volgens jou?'

'Meneer Burton, als ik daar een gedachte over had, dan zou ik niet hier zijn.'

'Dus je hebt geen enkel idee? Zelfs in je wildste dromen, op de meest frustrerende momenten, wanneer je je tot in de vroege uurtjes suf zoekt en je het nog niet kunt vinden, heb je dan helemaal geen enkele gedachte over waar die vermiste dingen zouden kunnen zijn?'

Hij had duidelijk meer over me gehoord van mijn ouders dan ik dacht, maar ik was bang dat als ik deze vraag eerlijk beantwoordde hij nooit verliefd op me zou worden. Maar ik haalde diep adem en vertelde toch de waarheid. 'Op dat soort momenten ben ik ervan overtuigd dat ze op een plek zijn waar vermiste dingen naartoe gaan.'

Hij knipperde niet met zijn ogen. 'Denk je dat Jenny-May daar is? Voel je je er beter door als je denkt dat ze daar is?'

'O, god.' Ik sloeg mijn ogen ten hemel. 'Als iemand haar heeft vermoord, meneer Burton, dan heeft hij haar vermoord. Ik probeer geen denkbeeldige werelden te creëren zodat ik me beter voel.'

Hij probeerde uit alle macht geen spiertje in zijn gezicht te bewegen.

'Maar of ze nog leeft of niet, waarom zijn de gardaí dan niet in staat geweest haar te vinden?'

'Zou je je beter gaan voelen als je zou accepteren dat dingen soms een mysterie zijn?'

'Dat accepteert u ook niet, waarom zou ik dat wel doen?'

'Waarom denk je dat ik dat niet accepteer?'

'U bent therapeut. U gelooft dat elke actie een reactie oproept en dat soort dingen. Ik heb erover gelezen voordat ik hier naartoe kwam. Alles wat ik nu doe komt door iets wat er is gebeurd, iets wat iemand heeft gezegd of gedaan. U gelooft dat er een antwoord is op alles en dat er manieren zijn om alles op te lossen.'

'Dat hoeft niet waar te zijn. Ik kan niet alles repareren, Sandy.'

'Kunt u mij repareren?'

'Je bent niet kapot.'

'Is dat uw mening als arts?'

'Ik ben geen arts.'

'Bent u geen "geestesarts"?' Ik maakte omgekeerde komma's met mijn vingers en sloeg mijn ogen ten hemel.

Stilte.

'Hoe voelt u zich wanneer u iets zoekt en zoekt en steeds niet kunt vinden wat u zoekt?'

Ik zag dat dit het vreemdste gesprek was dat hij ooit had gevoerd.

'Hebt u een vriendin, meneer Burton?'

Hij rimpelde zijn voorhoofd. 'Sandy, ik weet niet of dit relevant is.' Toen ik geen antwoord gaf, zuchtte hij. 'Nee.'

'Wilt u er een?'

Hij dacht na. 'Bedoel je dat het zoeken naar een vermiste sok zoiets is als het zoeken naar liefde?' Hij probeerde de vraag zo te stellen dat ik er niet heel dom door klonk, maar dat mislukte jammerlijk.

Ik sloeg mijn ogen weer ten hemel. Dat deed ik veel bij hem. 'Nee, het is het gevoel dat er iets mist in je leven, maar dat je er niet in slaagt het te vinden, hoe hard je ook zoekt.'

Hij schraapte opgelaten zijn keel, pakte zijn pen en papier op en deed alsof hij iets opschreef.

Droedeltijd. 'Verveel ik u?'

Hij moest lachen, en dat brak de spanning.

Ik probeerde het nogmaals uit te leggen. 'Misschien zou het makkelijk zijn geweest als ik zei dat als je iets niet kunt vinden, dat net zoiets is als plotseling de woorden van je favoriete liedje, dat je uit je hoofd kent, niet meer weten. Het is alsof je plotseling de naam vergeet van iemand die je heel goed kent en elke dag ziet, of de naam van een groep die een bekend liedje heeft gezongen. Het is enorm frustrerend dat het maar door je hoofd blijft spelen, omdat je weet dat er een antwoord is, maar er niemand is die het je kan vertellen. Het knaagt maar aan me en ik kan niet rusten voordat ik de antwoorden heb.'

'Dat begrijp ik,' zei hij zachtjes.

'Nou, vermenigvuldig dat gevoel maar met honderd.'

Hij dacht na. 'Je bent volwassen voor je leeftijd, Sandy.'

'Grappig, want ik hoopte dat u een heleboel meer zou weten voor uw leeftijd.'

Hij lachte totdat onze tijd om was.

Die avond vroeg mijn vader tijdens het eten hoe het was gegaan.

'Hij kon mijn vragen niet beantwoorden,' antwoordde ik, terwijl ik mijn soep opslurpte.

Mijn vader keek alsof zijn hart zou breken. 'Dan wil je zeker niet meer terug?'

'Jawel!' zei ik snel, en mijn moeder probeerde haar glimlach te verbergen door een slok water te nemen.

Mijn vader keek vragend heen en weer van haar gezicht naar het mijne.

'Hij heeft vriendelijke ogen,' zei ik bij wijze van verklaring, terwijl ik verder slurpte.

Hij trok zijn wenkbrauwen op en keek naar mijn moeder, die een grijns van oor tot oor op haar gezicht had en bloosde. 'Dat klopt, Harold. Hij heeft heel vriendelijke ogen.'

'Wel ja!' Hij wierp zijn armen in de lucht. 'Als hij verdorie vriendelijke ogen heeft, wat kan ik dan nog zeggen?'

Later die avond lag ik in bed en dacht na over mijn gesprek met meneer Burton. Hij had misschien geen antwoorden voor me, maar hij had me in elk geval genezen van het zoeken naar één ding.

HOOFDSTUK 11

Zolang ik op de middelbare school zat, ging ik elke week naar meneer Burton. We zagen elkaar zelfs tijdens de zomermaanden, als de school openbleef voor zomeractiviteiten voor de mensen in het dorp. De laatste keer dat ik naar hem toe ging, was toen ik net achttien was geworden. Ik had het jaar daarvoor mijn voorbereidend examen gehaald en die ochtend had ik gehoord dat ik was toegelaten tot de Gardaí Siochána. Ik zou over een paar maanden naar Cork gaan om in Templemore de opleiding te volgen.

'Hallo, meneer Burton,' zei ik terwijl ik het kantoortje binnenkwam, dat geen spat was veranderd sinds de eerste keer dat we elkaar ontmoetten. Hij was nog steeds jong en knap en ik was dolverliefd op hem.

'Sandy, voor de zoveelste keer: noem me nou geen meneer Burton. Zo lijk ik een oude man.'

'Je bent ook een oude man,' plaagde ik.

'Wat jou een oude vrouw maakt,' zei hij luchtig, en er viel een stilte tussen ons. 'En,' vervolgde hij zakelijk, 'wat speelt er deze week?'

'Ik ben vandaag aangenomen bij de politie.'

Zijn ogen werden groot. Blijheid? Verdriet? 'Wauw, Sandy, gefeliciteerd. Het is je gelukt!' Hij kwam naar me toe en gaf me een knuffel. We hielden die een seconde langer aan dan had gemoeten.

'Hoe vinden je vader en moeder het?'

'Ze weten het nog niet.'

'Ze zullen niet blij zijn dat je weggaat.'

'Het is het beste.' Ik wendde mijn blik af.

'Je laat je problemen niet achter in Leitrim, dat weet je toch?' vroeg hij vriendelijk.

'Nee, maar ik laat wel de mensen achter die ervan weten.'

'Kom je nog wel op bezoek?'

Ik keek hem recht in zijn ogen. Hadden we het nog steeds over mijn ouders? 'Zo veel als ik kan.'

'Hoeveel zal dat zijn?'

Ik haalde mijn schouders op.

'Ze hebben je altijd gesteund, Sandy.'

'Ik kan niet degene zijn die ze willen dat ik ben, meneer Burton. Ik geef hun een ongemakkelijk gevoel.'

Hij sloeg zijn ogen ten hemel toen ik hem zo noemde, toen ik opzettelijk poogde een muur tussen ons op te trekken. 'Ze willen alleen maar dat je jezelf bent, dat weet je. Schaam je niet voor wie je bent. Ze houden van je om wie je bent.'

Door de manier waarop hij naar me keek, vroeg ik me weer af of we het überhaupt over mijn ouders hadden. Ik keek de kamer rond. Hij wist alles van me, echt alles, en ik voelde van alles over hem. Hij was nog steeds single en woonde alleen, ondanks het feit dat nu ieder meisje in Leitrim achter hem aan zat. Hij probeerde me elke week te vertellen dat ik de dingen moest accepteren zoals ze waren en dat ik verder moest met mijn leven, maar als er iemand was die zijn leven in de wachtstand had gezet en op iets, of iemand, wachtte, dan was hij het wel.

Hij schraapte zijn keel. 'Ik hoorde dat je van het weekend uit was met Andy McCarthy.'

'Ja, en?'

Hij wreef vermoeid over zijn gezicht en liet een stilte vallen. Daar waren we allebei goed in. Vier jaar therapie, waarin ik mijn ziel blootlegde, en toch raakten we met elk nieuw woord verder verwijderd van het bespreken van datgene wat mijn gedachten het grootste deel van de meeste dagen in beslag nam.

'Nou, zeg eens wat,' zei hij zacht.

Onze laatste sessie en ik kon niets bedenken. Hij had nog steeds geen antwoorden voor me.

'Ga je vrijdag nog naar dat gemaskerde bal?' Hij pikte de sfeer die er hing goed op.

'Ja,' zei ik glimlachend. 'Ik kan geen betere manier bedenken om afscheid van deze plek te nemen dan door als iets anders verkleed weg te gaan.'

'Hoe ga je?'

'Als sok.'

Hij lachte uitbundig. 'Gaat Andy met je mee?'

'Zijn mijn sokken ooit een paar?'

Hij trok zijn wenkbrauwen op, waarmee hij aangaf dat hij meer wilde horen.

'Hij snapte niet waarom ik zijn flat binnenstebuiten keerde toen ik de uitnodiging niet kon vinden.'

'Waar denk je dat die is gebleven?'

'Bij de rest. Bij mijn geest.' Ik wreef vermoeid in mijn ogen.

'Je bent niet gek, hoor, Sandy. Je wordt dus een garda?' Zijn glimlach was zwakjes.

'Maak je je zorgen om de toekomst van ons land?'

'Nee hoor,' zei hij glimlachend. 'Ik weet zeker dat we in veilige handen zijn. Je zult die criminelen ondervragen tot de dood erop volgt.'

'Ik heb de beste leermeester gehad.' Ik dwong mezelf te glimlachen.

Meneer Burton kwam die vrijdag ook naar het gekostumeerde bal. Hij was verkleed als sok en ik moest heel hard lachen. Die avond reed hij me naar huis en zaten we in stilte bij elkaar. Na zo veel jaren praten wisten we allebei niet wat we moesten zeggen. Voor mijn huis boog hij zich naar me over en kuste mijn lippen hongerig, lang en intiem. Het was tegelijkertijd een begroeting en afscheid van elkaar.

'Jammer dat we niet hetzelfde dessin hebben, Gregory. We hadden een goed paar gevormd,' zei ik verdrietig.

Ik wilde dat hij tegen me zou zeggen dat we het beste ongelijke paar waren dat er bestond, maar ik vermoed dat hij het met me eens was, want ik keek toe hoe hij wegreed.

Hoe meer partners ik had, hoe beter ik besefte dat Gregory en ik het beste paar waren dat ik ooit was tegengekomen. Maar in mijn jacht op antwoorden op alle moeilijke vragen in mijn leven zag ik de duidelijke antwoorden die zich onder mijn neus bevonden over het hoofd.

HOOFDSTUK 12

Helena keek me door de oranje gloed van het kampvuur nieuwsgierig aan, de schaduwen die de vlammen wierpen dansten omhoog en bedekten haar gezicht. De andere leden van de groep haalden Dereks rock-'n-rolldagen verder op, en waren blij dat ze over iets anders konden praten dan over mijn vraag waar we waren. Het opgewonden geklets was weer hervat, maar ik bleef erbuiten, hoewel ik niet alleen was. Eindelijk wendde ik mijn blik omhoog van de as op de grond en keek ik in Helena's ogen.

Ze wachtte tot er een stilte in de groep viel, en vroeg toen: 'Wat doe je voor werk, Sandy?'

'O, ja,' zei Joan opgewonden, terwijl ze haar handen warmde aan haar theekopje. 'Vertel eens.'

Ik had ieders aandacht en dus overwoog ik mijn opties. Waarom zou ik liegen?

'Ik heb een bureau,' begon ik, waarna ik zweeg.

'Wat voor bureau?' vroeg Bernard.

'Een modellenbureau, zeker?' vroeg Joan zacht. 'Met die lange benen van jou moet dat het wel zijn.' Haar theekopje rustte in haar handen, niet ver onder haar lippen, haar pink stond omhoog als een hond die klaar is voor de jacht.

'Joan, ze zei dat ze een bureau heeft, niet dat ze erbij staat ingeschreven.' Bernard schudde zijn hoofd en zijn kin ging heen en weer.

'Eigenlijk is het een bureau om vermiste personen op te sporen.'

Er hing een stilte terwijl ze mijn gezicht onderzoekend bekeken en toen ze elkaar allemaal aankeken, barstten ze in lachen uit. Allemaal, behalve Helena.

'O, Sandy, dat is een goeie.' Bernard veegde met zijn zakdoek in zijn ooghoeken. 'Wat voor soort bureau is het echt?'

'Een castingbureau voor acteurs.' Helena bemoeide zich ermee voordat ik een kans had om te antwoorden.

'Hoe weet jij dat nou?' vroeg Bernard haar, nogal verongelijkt omdat zij iets eerder wist dan hij. 'Jij stelde nota bene de vraag.'

'Dat zei ze toen jullie allemaal aan het lachen waren.' Ze wuifde het weg met haar hand.

'Een castingbureau voor acteurs.' Joan keek me met grote ogen aan. 'Wat leuk, zeg. We hebben een paar fantastische toneelstukken gespeeld in Finbar's Hall,' legde Joan uit. 'Weten jullie nog?' Ze keek rond naar haar vrienden. '*Julius Ceasar, Romeo en Julia*, om twee van Shakespeares beste werken te noemen. Bernard was...'

Bernard kuchte luid.

'Sorry.' Joan bloosde. 'Bernard ís een geweldige acteur. Hij speelde een heel overtuigende Bottom in *A Midsummer Night's Dream*. Je wilt hem ongetwijfeld in je bestand hebben.'

En ze vervielen weer in hun normale geklets en wisselden oude verhalen uit. Helena liep om het vuur heen en ging naast me zitten.

'Ik moet zeggen, je blinkt uit in je vak,' zei Helena giechelend.

'Waarom deed je dat nou?' Ik bedoelde dat ze tussenbeide was gekomen.

'Dat kun je hun beter niet vertellen, vooral niet aan Joan met haar stem die zo zacht is dat ze iedereen alles vertelt om er maar voor te zorgen dat ze wordt gehoord,' plaagde ze, maar ze keek haar vriendin liefdevol aan. 'Als iemand erachter komt dat je een bureau voor vermiste personen runt, dan word je overspoeld met vragen. Iedereen zal denken dat je hierheen bent gekomen om ons naar huis te brengen.' Ik wist niet of ze een grapje maakte of dat ze me een vraag stelde. Hoe dan ook, zij lachte niet en ik gaf geen antwoord.

'Aan wie zou ze dat dan kunnen vertellen?' Ik keek het donkere woud in. Ik was in geen twee dagen iemand anders tegengekomen.

Helena keek me weer nieuwsgierig aan. 'Sandy, er zijn heus wel anderen, hoor.'

Ik vond het moeilijk te geloven dat er afgezien van Ewoks iemand anders in de donkere en stille omgeving zou wonen.

'Je kent ons verhaal, neem ik aan?' Helena praatte zachtjes zodat de anderen het niet konden horen.

Ik knikte, haalde diep adem en citeerde: '"Vijf studenten zijn in Roundwood, county Wicklow, verdwenen tijdens een kampeeruitje met school. De zestien jaar oude Derek Cummings, Helena Dickens, Marcus Flynn, Joan Hatchard en Bernard Lynch van de gemengde kostschool St. Kevin's in Blackrock zouden Glendalough gaan bezoeken, maar bevonden zich die ochtend niet in hun tent."'

Helena staarde me met kinderlijke inspanning en betraande ogen aan, dus ik voelde me verplicht het krantenartikel woordelijk en met de juiste intonatie te citeren. Ik wilde het gevoel dat die eerste week in het land heerste laten horen, namens het land, ik wilde de liefde en steun die volkomen onbekenden de vijf vermiste studenten hadden betoond overbrengen. Ik vond dat ik het alle mensen die om hun terugkeer baden verplicht was. Ik vond dat Helena het verdiende te horen.

'"De gardaí zeiden vandaag dat ze sporen volgden, maar ze konden niet uitsluiten dat het om een misdrijf ging. Ze verzoeken iedereen die informatie kan verschaffen contact op te nemen met de Roundwood of Blackrock Gardaí. De leerlingen van St. Kevin's zijn bijeengekomen om te bidden voor hun medeleerlingen en de dorpsgenoten hebben bloemen bij de plek neergelegd."'

Ik zweeg.

'Wat is er met je ogen, Helena?' vroeg Bernard bezorgd.

'O,' snufte Helena, 'niks. Er sprong een stukje hout uit het vuur, dat is alles.' Ze depte haar ogen met een punt van haar pashmina.

'O, jee,' zei Joan, die zich naar voren boog en in haar oog keek. 'Ik zie niets, het is alleen rood en waterig. Het prikt waarschijnlijk alleen maar.'

'Het gaat wel, dank je.' Helena poeierde hen af, gegeneerd door hun bezorgdheid, en de anderen kletsten weer verder.

'Zo'n acteertalent verdient het om bij mijn bureau te worden ingeschreven,' zei ik glimlachend.

Helena lachte en viel weer stil. Ik vond dat ik iets moest zeggen.

'Ze zijn nooit opgehouden naar jullie te zoeken, hoor.'

Uit haar mond kwam een geluidje. Een geluid dat ze niet kon tegenhouden, een geluid dat recht uit haar hart kwam.

'Je vader benaderde iedere nieuwe hoofdcommissaris en minister van Justitie die werd aangesteld. Hij klopte overal aan en zocht onder elk grassprietje om je te vinden. Hij zorgde ervoor dat ze het hele gebied minutieus uitkamden. En je moeder, je verbazingwekkende moeder...'

Helena glimlachte toen ik haar moeder noemde.

'Ze heeft een organisatie opgezet voor gezinnen die onder de gevolgen lijden van vermiste geliefden, Lichtpunt, omdat veel gezinnen hun buitenlicht aanlaten als baken, in de hoop dat hun geliefden op zekere dag zullen terugkomen. Ze is een onvermoeibare vrijwilliger, en heeft afdelingen opgezet door het hele land. Je ouders hebben het nooit opgegeven. Je moeder heeft het nog steeds niet opgegeven.'

'Leeft ze nog?' Haar ogen werden groot en liepen weer vol met tranen.

'Je vader is een paar jaar geleden overleden, het spijt me.' Ik liet haar deze informatie verwerken voordat ik verderging. 'Je moeder is nog steeds actief betrokken bij Lichtpunt. Ik ben vorig jaar op hun jaarlijkse lunch geweest en ik heb haar ontmoet en verteld dat ik haar heel bijzonder vond.' Ik keek naar beneden, naar mijn handen, en schraapte mijn keel, want de rol van boodschapper bleek niet altijd zo gemakkelijk te zijn. 'Ze zei me dat ik moest doorgaan met mijn inspanningen, omdat ze wilde dat ik haar geliefde dochter zou vinden.'

Helena's stem was amper gefluister. 'Wil je me iets over haar vertellen?'

En dus vergat ik mijn eigen zorgen en ging makkelijk zitten bij het kampvuur om dat te doen.

'Ik wilde helemaal niet gaan kamperen.' Helena was helemaal opgewonden en emotioneel nadat ik haar over haar moeder had verteld.
'Ik smeekte of ik thuis mocht blijven.'

Dat wist ik allemaal al, maar ik luisterde ingespannen, ik wilde
heel graag het verhaal dat ik zo goed kende van een van de hoofd-
rolspelers horen. Het was net alsof ik mijn favoriete boek op het toneel tot leven zag komen.

'Ik had dat weekend naar huis gewild. Er was een jongen...' Ze
lachte en keek me aan. 'Draait het niet altijd om een jongen?'

Daar kon ik me niet in verplaatsen, maar ik glimlachte toch.

'Er was een nieuwe jongen naast ons komen wonen. Hij heette
Samuel James, het knapste wezen ter aarde.' Haar ogen straalden,
alsof er vonken uit het vuur in waren gesprongen en haar pupillen
in brand hadden gezet. 'Ik had hem die zomer ontmoet en was verliefd geworden, en we hadden een heerlijke tijd samen. Een *zondige*
tijd.' Ze trok haar wenkbrauwen op en ik glimlachte. 'Ik zat alweer
twee maanden op school en miste hem enorm. Ik zeurde en smeekte mijn ouders of ik naar huis mocht, maar dat hielp niets. Ze straf-
ten me,' zei ze met een trieste glimlach. 'Ik was gepakt tijdens het
spieken bij mijn examen voor geschiedenis in dezelfde week dat ik
was gepakt toen ik achter de gymzaal stond te roken. Onacceptabel,
zelfs naar mijn eigen normen.' Ze keek de groep rond. 'En dus
moest ik weg met deze groep, alsof ik plotseling een engeltje zou
worden als ik werd gescheiden van mijn beste vrienden. Uiteindelijk bleek het een straf te worden die ik volgens mij niet helemaal
heb verdiend.'

'Natuurlijk niet,' zei ik meelevend. 'Hoe zijn jullie hier terechtgekomen?'

Helena zuchtte. 'Marcus en ik hadden eerder die avond afgesproken om elkaar te treffen als iedereen sliep. Hij was de enige die sigaretten had, dus de andere twee jongens gingen met hem mee, en, tja,
Joan,' Helena keek vol genegenheid naar haar vriendin aan de andere kant van het kampvuur, 'was bang om alleen in de tent te blijven,
dus zij kwam ook mee. We liepen een eindje weg van het kamp zodat de leraren de brandende sigaretten niet zouden zien en de rook

niet zouden ruiken. We zijn helemaal niet zo ver gelopen, het was maar een paar minuutjes of zo, maar toen waren we ineens hier,' zei ze schouderophalend. 'Ik kan het niet anders uitleggen.'

'Dat moet angstaanjagend zijn geweest.'

'Niet erger dan voor jou.' Ze keek me aan. 'En wij hadden elkaar in elk geval nog. Ik kan me niet voorstellen dat ik dit in mijn eentje had moeten doormaken.'

Ze wilde dat ik ook iets zou vertellen, maar dat deed ik niet. Het lag niet in mijn aard om me open te stellen. Dat deed ik alleen bij Gregory.

'Je was nog niet eens geboren toen we verdwenen. Hoe komt het dat je er zo veel van weet?'

'Laten we het er maar op houden dat ik een onderzoekend kind was.'

'Zeker onderzoekend.' Ze keek me weer vorsend aan en ik wendde mijn blik af, want ik vond haar blik opdringerig. 'Weet je wat er is gebeurd met de gezinnen van iedereen hier?' Ze knikte naar de rest van de groep.

'Ja.' Ik keek naar hen, en zag de gezichten van hun ouders in dat van hen. 'Ik heb er mijn levenswerk van gemaakt om dat te weten. Ik ging jullie zaak elk jaar na, omdat ik wilde weten of er iemand was thuisgekomen.'

'Nou, dank je wel dat je me het gevoel hebt gegeven dat ik er nu een stap dichterbij ben.'

Er viel een stilte tussen ons. Helena was ongetwijfeld verzonken in haar herinneringen aan thuis.

Uiteindelijk zei ze weer iets. 'Mijn oma was een trotse vrouw, Sandy. Ze is op haar achttiende met mijn opa getrouwd, en ze hebben zes kinderen gekregen. Haar jongere zus, die ze maar niet getrouwd konden krijgen, kreeg een mysterieuze relatie met een man wiens naam ze nooit heeft genoemd en tot ieders grote schok kreeg ze een baby, een jongen,' zei ze lachend. 'Dat hij sprekend op mijn opa leek, ontging mijn oma niet, evenmin als de shillings die uit hun spaarpot waren verdwenen op het moment dat het kind nieuwe kleren aanhad. Natuurlijk waren die dingen volslagen toeval,' zei ze zangerig, en ze strekte haar benen voor zich uit. 'Er zijn heel veel mannen met bruin haar en blauwe ogen in het land, en het feit dat mijn opa dol was op een glaasje verklaarde de gaten in hun spaartegoed ook.' Ze keek me met sprankelende ogen aan.

Ik keek Helena verward aan. 'Sorry, Helena, ik weet niet waarom je me dit vertelt.'

Ze lachte. 'Het zou een van 's levens grote toevalligheden kunnen zijn dat je bij ons terecht bent gekomen.'

Ik knikte.

'Maar mijn oma geloofde niet in toeval. En ik ook niet. Er is een reden voor dat je hier bent, Sandy.'

HOOFDSTUK 13

Helena legde nog een blok hout op het dovende vuur en door het gewicht ervan kwam er een wolk vonkjes vrij, die langs de rand van de brandende toren naar beneden dwarrelde. De vlammen laaiden weer op en likten aan het stuk hout, waarbij ze warmte naar Helena en mij uitstraalden.

Ik had uren met haar zitten praten, en haar alles wat ik over het leven van haar familie wist verteld. Er was een ongewoon gevoel bij me opgekomen toen ik besefte wie ik gezelschap hield. Het kwam in golven over me heen, en elke golf ontspande me, maakte mijn ogen een beetje zwaarder, liet mijn geest iets langzamer werken en loste de spanning in mijn spieren iets op. Het was maar een klein beetje, hoor, maar het was een begin.

Mijn hele leven hadden mensen tegen me gezegd dat mijn vragen niet terzake deden, dat mijn grote belangstelling voor zaken met vermiste personen onnodig was, maar hier in dit bos betekende elke stomme, gênante, irrelevante en onnodige vraag die ik ooit over Helena Dickens had gesteld alles voor haar. Ik had altijd geweten dat er een reden was voor mijn eindeloze zoektochten, mijn eindeloze ondervragingen van mezelf en anderen. En het belangrijkste was dat er niet slechts één reden voor was; hier naast me bij het kampvuur zaten nog vier andere.

Wat een opluchting. Dat was het gevoel. Het eerste gevoel van opluchting in mijn hoofd sinds mijn tiende.

De hemel werd lichter, de toppen van de bomen die overdag door de zon waren geblakerd waren 's nachts afgekoeld en kleurden de hemel nu koelblauw. De vogels die tijdens de donkere uren stil waren geweest, waren nu bezig hun stembanden op te warmen, als de typerende geluiden van een stemmend orkest voor een uitvoering. Bernard, Derek, Marcus en Joan lagen in hun slaapzak te slapen, bedekt met dekens, en zagen eruit zoals ze er de avond van hun kampeertrip ook moeten hebben uitgezien. Ik vroeg me af of ze, als ze die nacht gewoon hadden doorgeslapen in plaats van zich het bos in te wagen, al die jaren geleden weer in de boezem van hun familie zouden zijn teruggekeerd. Of zou de geheime deur naar deze wereld hen sowieso hebben verwelkomd?

Was het een ongeluk dat we allemaal hier waren? Waren we op een storing in de creatie van de wereld gestuit, een zwart gat in het oppervlak, of was dit gewoon een deel van het leven waar al eeuwenlang niet over werd gepraat? Waren we op onverklaarbare wijze vermist, of was dit de plek waar we echt hoorden en was onze 'normale' leven de echte fout? Was dit een plek waar mensen die zich in het leven een buitenstaander voelden zich thuis voelden, zich opgelucht voelden? Ondanks mijn eigen opluchting bleven de vragen malen. De wereld om me heen was veranderd, maar sommige dingen bleven hetzelfde.

'Was je gelukkig?' Ik keek rond naar de anderen, die sliepen. 'Was iedereen gelukkig?'

Helena glimlachte een beetje. 'We hebben ons allemaal afgevraagd waarom, en we weten er geen antwoord op. Ja, we waren gelukkig. We waren allemaal heel gelukkig met ons leven.' Ze zweeg even. 'Sandy,' verbrak ze de stilte weer, terwijl ze me met die geamuseerde blik aankeek alsof ze een binnenpretje had, 'of je het gelooft of niet, we zijn hier ook heel gelukkig. We hebben hier langer geleefd dan waar ook. Het verleden is een verre, maar fijne herinnering voor ons.'

Ik keek rond het kampvuur. Ze hadden niets. Niets behalve een kleine weekendtas met theezakjes, nutteloos porselein en koekjes, dekens en slaapzakken, plaids en truien om warm te blijven, die ze ongetwijfeld hadden gevonden in de stapels spullen die om ons heen lagen verspreid. Deze vijf mensen hadden onder de sterren geslapen, in dekens gewikkeld, met het vuur en de zon als enige bronnen van licht en warmte. Veertig jaar lang. Hoe konden ze echt gelukkig zijn? Hoe kon het dat ze zich niet een weg terug naar het bestaan vochten, naar materiële bezittingen en niet smachtten naar het gezelschap van anderen?

Ik schudde mijn hoofd terwijl ik rondkeek.

Helena lachte tegen me. 'Waarom schud je je hoofd?'

'Sorry.' Ik schaamde me omdat ik was betrapt terwijl ik medelijden toonde met een leven waarmee ze tevreden leken te zijn. 'Het lijkt me alleen dat veertig jaar zo'n lange tijd is om,' ik keek de open plek rond, 'nou ja... hier te zijn.'

Helena's gezicht toonde verbazing.

'Het spijt me heel erg,' verontschuldigde ik me. 'Ik wilde jullie niet beledigen...'

'Sandy, Sandy,' onderbrak ze me, 'dit is heus niet onze hele wereld.'

'Dat snap ik, dat snap ik,' krabbelde ik terug. 'Jullie hebben elkaar en...'

'Nee, joh.' Helena begon te lachen en ze rimpelde haar voorhoofd in verwarring. 'Het spijt me, ik dacht dat je wel wist dat dit niet permanent is. We gaan een keer per jaar kamperen op de dag waarop we verdwenen. Ik dacht dat je de datum wel zou herkennen. Deze open plek is de eerste plaats waar we veertig jaar geleden terechtkwamen – nou ja, de eerste plek waarop we beseften dat we niet meer thuis waren. Door het jaar heen houden we wel contact, maar we leiden min of meer gescheiden levens.'

'Wat?' Ik was in de war.

'Er verdwijnen voortdurend mensen, dat weet je. Waar mensen ook samenkomen begint er leven, heerst er beschaving. Sandy, na een kwartiertje lopen eindigt het bos en begint er een heel nieuw leven.'

Ik stond versteld. Mijn mond ging open en weer dicht, maar er kwamen geen woorden uit.

'Interessant dat je hier net vandaag aankomt,' zei Helena, diep in gedachten verzonken.

Ik stond op. 'Kom op, laten we gaan. Ik wil die plek zien waar je het over hebt. We zullen de anderen niet storen.'

'Nee.' Helena's stem klonk luid, en haar glimlach vervaagde snel. Ze greep me bij mijn arm. Ik kromp ineen en probeerde me los te trekken, omdat ik het contact niet prettig vond, maar daarmee schudde ik haar niet af. Ik kon niet bewegen, de kracht van haar greep was te groot. Haar gezicht stond ijzig. 'We laten elkaar niet achter, we verdwijnen niet ineens. We blijven hier zitten totdat ze wakker worden.'

Ze verzachtte de greep op mijn arm en sloeg haar pashmina dichter om haar lichaam; ze werd weer de verdedigende vrouw die ze eerder op de avond was geweest. Ze keek haar vrienden aandachtig aan alsof ze op wacht stond, en ik besefte dat het niet door mij kwam dat ze de hele nacht wakker was gebleven. Het was gewoon haar beurt.

'We blijven totdat ze wakker worden,' herhaalde ze ferm.

Jack zat op de rand van het bed en keek hoe Gloria sliep, met een glimlachje op haar gezicht. Het was maandagochtend vroeg en hij was net weer thuisgekomen. Nadat Sandy Shortt niet was komen opdagen had hij de hele dag b&b's en hotels in de nabijgelegen stadjes gecontroleerd om te zien of ze zich ergens had ingecheckt. Er waren zo veel dingen die haar hadden kunnen verhinderen om het café te bereiken; hij overtuigde zichzelf ervan dat het feit dat ze die ochtend niet was gekomen niet betekende dat hun zoektocht was afgelopen. Misschien had ze zich wel verslapen en had ze hun afspraak gemist, of zat ze vast in Dublin en had ze die avond niet naar Limerick kunnen vertrekken. Er kon iemand in haar familie zijn overleden of ze kon ineens een spoor hebben gevonden in een andere zaak waardoor ze naar een andere plek moest. Ze kon op dit moment wel naar hem op weg zijn, rijdend door de nacht om Glin te bereiken. Hij had de eindeloze mogelijkheden overdacht, maar in niet één van die theorieën had ze hem opzettelijk laten zitten.

Er was een vergissing gemaakt, dat was alles. Hij zou later vandaag in zijn pauze naar Glin teruggaan, om te zien of ze er was aangekomen. Hij had de hele week naar die afspraak toegeleefd en hij zou het nu niet opgeven. Sandy had hem in één week tijdens een paar telefoongesprekken meer hoop gegeven dan iemand anders het hele afgelopen jaar. Hij wist door hun gesprekken dat ze hem niet zou laten zitten.

Hij zou het aan Gloria gaan vertellen, echt waar. Hij stak zijn hand uit om haar schouder aan te raken en zachtjes door elkaar te schudden, maar midden in de lucht hield hij stil. Misschien zou hij het haar pas moeten vertellen als hij weer contact had gelegd met Sandy. Gloria zuchtte slaperig, rekte zich uit en draaide zich om.

Uiteindelijk lag ze weer rustig op haar zij, met haar rug naar Jack en zijn uitgestoken hand gekeerd.

HOOFDSTUK 14

Slechts een week voor de afspraak waarbij Sandy uiteindelijk niet kwam opdagen, had Jack de deur van de slaapkamer naar de woonkamer stilletjes dichtgedaan om de slapende Gloria niet te storen. De Gouden Gids die open op de bank lag staarde hem aan terwijl hij aan de andere kant van de kamer aan het ijsberen was, met één oog op het boek gericht en het andere op de slaapkamerdeur. Hij bleef staan en gleed met zijn vinger over de pagina totdat hij bij de advertentie voor Lichtpunt kwam, de organisatie die steun verleende aan vrienden en familie van vermiste personen. Jack en zijn zus Judith hadden geprobeerd hun moeder over te halen om na Donals vermissing met Lichtpunt te gaan praten, maar haar Ierse inslag om haar privégedachten niet aan een onbekende te vertellen hield haar tegen. Onder de advertentie stond het nummer van Sandy Shortts bureau om vermiste personen op te sporen. Hij pakte zijn mobiele telefoon en deed de televisie aan om zijn gepraat te overstemmen voor het geval dat Gloria wakker werd. Hij draaide het nummer dat hij in zijn geheugen had opgeslagen toen hij de advertentie voor de eerste keer zag. De telefoon ging twee keer over voordat er een vrouw opnam.

'Hallo?'

Jack wist plotseling niet meer wat hij moest zeggen.

'Hallo?' De stem was zachter deze keer. 'Gregory, ben jij dat?'

'Nee.' Jack vond eindelijk zijn stem terug. 'Ik heet Jack, Jack Ruttle. Ik heb uw nummer uit de Gouden Gids.'

'O, sorry,' verontschuldigde de vrouw zich en ze zette haar eerdere zakelijke stem weer op. 'Ik verwachtte iemand anders. Ik ben Sandy Shortt,' zei ze.

'Hallo, Sandy.' Jack ijsbeerde door de kleine, volle woonkamer, en struikelde over de ongelijk uitgerolde, niet bij elkaar passende tapijten die op de oude houten vloer lagen. 'Sorry dat ik zo laat bel.' Kom eens tot de kern van de zaak, spoorde hij zichzelf aan, en hij ging sneller ijsberen terwijl hij naar de slaapkamerdeur keek.

'Dat is niet erg. Een telefoontje op dit uur van de nacht is de droom van elke slapeloze, sorry voor het woordgrapje. Waarmee kan ik u helpen?'

Hij hield op met ijsberen en leunde met zijn hoofd in zijn hand. Wat was hij aan het doen?

Sandy's stem klonk weer zachtaardig. 'Is er iemand die u kent vermist?'

'Ja,' was alles wat Jack kon antwoorden.

'Sinds wanneer?' Hij hoorde haar naar papier zoeken.

'Een jaar.' Hij ging op de leuning van de bank zitten.

'Hoe heet degene?'

'Donal Ruttle.' Hij slikte de brok in zijn keel weg.

Ze zweeg even, en zei toen: 'Aha, Donal,' met een klank van herkenning in haar stem. 'Bent u familie?'

'Zijn broer...' Jacks stem brak en hij wist dat hij niet verder kon praten. Hij moest nu ophouden, hij moest verder met zijn leven, net als de rest van zijn familie. Het was stom dat hij dacht dat een slapeloze vrouw uit het telefoonboek met te veel vrije tijd kon slagen waar de hele politiemacht dat niet kon. 'Het spijt me. Het spijt me heel erg. Dit telefoontje was een vergissing,' bracht hij er met grote moeite uit. 'Het spijt me dat ik uw tijd heb verspild.' Snel hing hij de telefoon op en viel weer op de bank, beschaamd en uitgeput, waarbij hij tegen de dossiers aankwam en foto's van een glimlachende Donal op de grond fladderden.

Een paar seconden later ging zijn mobiele telefoon. Hij dook er naartoe, omdat hij niet wilde dat de ringtone Gloria zou wakker maken.

'Donal?' zei hij, hevig ademend, terwijl hij opsprong.

'Jack, met Sandy Shortt.'

Stilte.

'Beantwoord je je telefoon altijd zo?' vroeg ze vriendelijk.

Hij wist niet wat hij moest zeggen.

'Want als dat zo is, en je verwacht nog steeds dat je broer je belt, dan was je telefoontje naar mij volgens mij geen vergissing, denk je ook niet?'

Zijn hart bonsde in zijn borst. 'Hoe weet je mijn nummer?'

'Nummerherkenning.'

'Maar die heb ik uitgezet.'

'Ik vind mensen, Jack. Dat is mijn vak. En er is een kans dat ik Donal voor je vind.'

Hij keek naar de foto's die om hem heen verspreid lagen, en de brutale grijns van zijn jongere broer keek naar hem op en daagde hem in stilte uit om hem te zoeken, net als toen hij nog een kind was.

'Doe je weer mee?' vroeg ze.

'Ja,' antwoordde hij, en hij ging naar de keuken voor een kop koffie, ter voorbereiding op de lange nacht die voor hem lag.

De volgende nacht lag Jack om twee uur, toen Gloria in bed lag te slapen, op de bank met Sandy te telefoneren, met honderden pagina's politierapporten om hem heen verspreid.

'Je hebt met Donals vrienden gesproken, zie ik,' zei Sandy, en hij hoorde haar door de pagina's bladeren die hij haar eerder die dag had gefaxt.

'Steeds maar weer,' zij hij vermoeid. 'Ik ga deze zaterdag, als ik in Tralee ben, trouwens weer een van zijn vrienden bezoeken. Ik heb een afspraak bij de tandarts,' voegde hij er terloops aan toe, en vroeg zich daarna af waarom.

'De tandarts, jakkes, ik laat nog liever mijn ogen uitsteken,' mompelde ze.

Jack lachte.

'Is er geen tandarts in Foynes?'

'Ik moet naar een specialist.'

Hij hoorde de glimlach in haar stem. 'Zijn er geen specialisten in Limerick?'

'Oké, oké,' zei hij lachend. 'Ik wilde Donals vriend nog wat vragen stellen.'

'Tralee, Tralee,' herhaalde ze, terwijl ze door het papier rommelde. 'Aha,' het papiergeritsel hield op. 'Andrew in Tralee, vriend van de universiteit, werkt als webontwerper.'

'Dat is hem.'

'Ik denk niet dat Andrew nog iets meer weet, Jack.'

'Hoe weet je dat?'

'Dat leid ik af uit zijn antwoorden tijdens zijn ondervraging.'

'Dat dossier heb ik je helemaal niet gegeven.' Jack ging rechtop zitten.

'Ik heb bij de politie gezeten. Gelukkig voor mij is dat ongeveer de enige plek waar ik vrienden heb weten te maken.'

'Die dossiers moet ik zien.' Jacks hart klopte heel snel. Er was iets nieuws, iets waarvoor hij 's nachts kon opblijven zodat hij het kon analyseren.

'We kunnen elkaar binnenkort ontmoeten,' wimpelde ze hem beleefd af. 'Het lijkt me dat het geen kwaad kan als je nog een keer met Andrew praat.' Hij hoorde geritsel terwijl ze door nog meer papieren bladerde, en ze was heel lang stil.

'Waar kijk je naar?'

'Donals foto.'

Jack pakte hem van de stapel en keek er ook naar. Hij werd te bekend voor hem, hij leek elke dag meer op een foto en minder op zijn broer.

'Het is een knappe vent,' complimenteerde Sandy. 'Aardige ogen. Lijken jullie op elkaar?'

Jack lachte. 'Ik ben zeer geneigd om daar na je opmerkingen ja op te zeggen.'

Ze bleven de papieren bestuderen.

'Slaap je niet goed?' vroeg Sandy.

'Nee, niet sinds Donal is verdwenen. En jij?'

'Ik heb nooit goed kunnen slapen.'

Hij moest lachen.

'Wat?' vroeg ze verdedigend.

'Niets. Het is een goed antwoord dat je licht slaapt,' zei hij speels, terwijl hij de papieren op zijn schoot liet vallen. In de dodelijke stilte van de cottage luisterde hij naar het geluid van Sandy's ademhaling en haar stem, en probeerde zich voor te stellen hoe ze eruitzag, waar ze was en wat ze dacht.

Na een lange stilte klonk haar stem vriendelijker. 'Ik moet aan veel vermiste personen denken. Er is zo veel om over na te denken, er zijn zo veel plaatsen om te zoeken dat de slaap niet wil komen. Door te dromen kun je niets of niemand vinden.'

Jack keek naar de dichte slaapkamerdeur en stemde ermee in.

'Maar ik heb geen idee waarom ik je dat heb verteld,' bromde ze, terwijl ze nog meer papieren verschoof.

'Vertel me eens eerlijk, Sandy, wat is je succespercentage?'

Het geritsel stopte. 'Dat hangt af van het niveau van de zaak. Ik zal eerlijk zijn: zaken als die van Donal zijn ingewikkeld. Er is al een grootschalig onderzoek geweest en onder die omstandigheden vind ik zelden nog iets. Maar bij algemene zaken vind ik de vermiste in ongeveer veertig procent van de zaken terug. Je moet weten dat niet alle mensen die ik vind weer naar hun familie terugkeren. Daar moet je op voorbereid zijn.'

'Daar ben ik op voorbereid. Als Donal ergens dood in een greppel ligt, wil ik hem terug zodat we hem een fatsoenlijke begrafenis kunnen geven.'

'Dat bedoel ik niet. Soms verdwijnen mensen met opzet.'

'Dat zou Donal niet doen,' zei Jack afwerend.

'Misschien niet. Maar ik heb situaties zoals deze meegemaakt, waarbij mensen net als Donal, uit families net als de jouwe, vrijwillig uit hun leven verdwijnen zonder een woord te zeggen tegen degenen die dicht bij hen staan.'

Jack verwerkte dit. Het was nog niet bij hem opgekomen dat Donal uit eigen vrije wil zou weggaan en hij vond dit scenario hoogst onwaarschijnlijk. 'Zou je me vertellen waar hij was als je hem zou vinden?'

'Als hij niet gevonden wilde worden? Nee, dat zou ik je niet vertellen.'

'Zou je het me vertellen dát je hem had gevonden?'

'Dat hangt ervan af of je zou accepteren dat je niet zou weten waar hij was.'

'Alles wat ik wil weten is dat waar hij ook is, hij veilig en gelukkig is.'

'Nou, dan zou ik het je vertellen.'

Na een lange stilte vroeg Jack: 'Heb je veel werk? In het zeldzame geval dat iemand verdwijnt, gaat de familie van die persoon dan niet naar de politie?'

'Dat klopt. Er zijn niet zo veel zware zaken voor me zoals die van Donal, maar er is altijd iets of iemand voor me die ik kan zoeken. Er zijn categorieën vermiste personen waarnaar de politie geen onderzoek doet.'

'Welke bijvoorbeeld?'

'Wil je dat echt weten?'

'Ik wil er alles van weten.' Jack keek op de klok: halfdrie. 'En trouwens, op dit uur van de nacht heb ik toch niets beters te doen.'

'Nou, soms vind ik mensen met wie anderen alleen het contact zijn kwijtgeraakt: familieleden die ze lang niet hebben gezien, vroegere schoolvrienden, geadopteerde kinderen die hun biologische ouders willen vinden, dat soort dingen. Ik werk veel samen met het Leger des Heils, die proberen ook mensen te vinden. Dan zijn er ook nog de zwaardere gevallen van de verdwenen personen, waarvan velen dat uit eigen wil hebben gedaan, en dan wil de familie gewoon weten waar ze zijn.'

'Maar hoe weet de politie nu of het uit eigen vrije wil is?'

'Sommige mensen laten een boodschap achter waarin ze vertellen dat ze niet willen terugkomen.' Hij hoorde op de achtergrond dat ze iets uitpakte. 'Soms nemen ze persoonlijke bezittingen mee of soms hebben mensen eerder al gezegd dat ze ontevreden zijn met hun situatie.'

'Wat ben je aan het eten?'

'Een chocolademuffin,' antwoordde ze met volle mond. Ze slikte. 'Sorry, kon je me verstaan?'

'Ja, je bent een chocolademuffin aan het eten.'

'Nee, dat niet,' zei ze lachend.

Jack glimlachte. 'Dus er komen families naar je toe in de gevallen waar de politie niets mee kan.'

'Precies. Veel van mijn werk, waarbij ik gebruikmaak van andere bureaus in Ierland die vermiste personen opsporen, bestaat uit het traceren van mensen in zaken die geen hoog risicoprofiel hebben. Als iemand uit eigen wil is weggegaan, wordt hij niet gezien als vermist, maar dat verlicht de zorgen van familie en vrienden natuurlijk niet.'

'Dus die worden gewoon vergeten?'

'Nee, er wordt wel een rapport opgemaakt op het bureau, maar of en in hoeverre er onderzoek wordt gedaan hangt af van de garda die de zaak in behandeling heeft.'

'Wat als iemand die heel ongelukkig is met zijn leven zijn koffers heeft gepakt om een tijdje alleen te zijn, maar daarna verdwijnt? Niemand zou hem gaan zoeken, omdat hij eerder had laten weten niet gelukkig te zijn met zijn leven. En zeggen we dat niet allemaal weleens?'

Sandy zweeg.

'Is dat een foute gedachtegang? Zou jij niet gevonden willen worden?'

'Jack, er lijkt mij maar één ding frustrerender dan iemand niet kunnen vinden, en dat is niet gevonden kunnen worden. Ik zou willen dat iemand me zou vinden, meer dan wat ook,' zei ze vastberaden.

Daar dachten ze allebei over na.

'Ik moet ophangen.' Jack gaapte. 'Ik moet over een paar uur op mijn werk zijn. Kun je nu slapen?'

'Nadat ik deze dossiers nog een keer heb doorgelezen.'

Hij schudde vol verwondering zijn hoofd. 'Het is maar dat je het weet, maar als je me had verteld dat je nog nooit iemand had gevonden, dan zou ik nog steeds dit gesprek met je voeren.'

Ze zweeg even. 'Dat geldt ook voor mij.'

HOOFDSTUK 15

Jack werd zoals gewoonlijk eerder wakker dan Gloria. Haar hoofd rustte op zijn borst, haar lange bruine haar lag over zijn huid uitgespreid en kietelde hem waar het langs zijn ribben viel. Hij schoof stilletjes en heel langzaam zijn lichaam onder het hare uit en glipte uit bed. Gloria kreunde slaperig en ging met een vredige blik op haar gezicht verliggen. Hij douchte, kleedde zich aan en verliet de bungalow voordat ze zich nogmaals had bewogen.

Elke ochtend verliet hij het huis voor haar zodat hij om acht uur op zijn werk kon zijn. Gloria werkte als gids in het Foynes Flying Boat Museum en ze begon pas om tien uur. Het museum was Foynes' toeristische attractie nummer één, en was gewijd aan de periode tussen 1939 en 1945, toen Foynes het centrum van de luchtvaart was, met luchtverkeer tussen de Verenigde Staten en Europa. Gloria, altijd meer dan bereid om met mensen te praten en hen te helpen, werkte van maart tot oktober als meertalige gids in het museum.

Afgezien van het museum stond Foynes om nog iets anders bekend: de uitvinding van Irish coffee. Als het koud en regenachtig was, hadden de mensen die op het vliegveld wachtten behoefte aan iets sterkers dan koffie om hen warm te houden. En zo was de Irish coffee geboren.

Over slechts een paar dagen zou Foynes worden overspoeld door bands die op het festivalpodium zouden spelen, zouden de boerenmarkt op het museumplein en de regatta worden gehouden en zou het stadje versierd worden door kindertekeningen ter ere van het Irish Coffee Zomerfestival. Zoals gewoonlijk zou het feestelijke vuurwerk worden gesponsord door de Shannon Foynes Port Company, precies de plek waar Jack die ochtend naar op weg ging.

Nadat Jack zijn collega's had begroet en met hen had overlegd, nam hij plaats in de gigantische metalen kraan en ging aan het werk om vracht te laden. Hij hield van zijn baan en was er tevreden over, want hij wist dat iemand net als hij, ergens in het buitenland, het cadeau dat hij had helpen inpakken zou uitladen. Hij vond het fijn dingen op hun plek te zetten. Hij wist dat alles en iedereen in het leven een plek had: alle stukken vracht die op de kade lagen opgestapeld en alle mannen en vrouwen die aan zijn zij werkten hadden een plekje waar ze in pasten en een stuk dat ze moesten spelen. Hij had elke dag hetzelfde doel: dingen verplaatsen en op hun plek zetten.

Hij hoorde Sandy's stem in zijn hoofd, die dezelfde zin steeds weer herhaalde. *Er lijkt mij maar één ding frustrerender dan iemand niet kunnen vinden, en dat is niet gevonden kunnen worden. Ik zou willen dat iemand me zou vinden, meer dan wat ook.*

Zorgvuldig plaatste hij de vracht op het schip, liet zich tot verbazing van zijn toekijkende collega's op de grond zakken, zette zijn helm af, gooide hem op de grond en rende weg. Sommigen keken verbaasd toe, anderen kwaad, maar degenen die het dichtst bij hem stonden keken medelevend toe hoe hij wegging, omdat ze aannamen dat zelfs na een jaar Jack niet langer op zijn plekje hoog boven de grond kon zitten, zo hoog dat hij naar zijn gevoel het hele land en alles wat zich daarin bevond kon zien, behalve zijn broer.

Jack, die naar zijn auto rende, kon er alleen maar aan denken dat hij Sandy moest vinden, zodat zij Donal kon terugbrengen naar waar hij hoorde.

Jacks voortdurende stroom vragen over Sandy Shortt bij hotels, herbergen en B&B's in Glin begonnen voor opgetrokken wenkbrauwen te zorgen. Er begon ongeduld in de stemmen van de eerder zo vriendelijke personeelsleden te kruipen, en het kwam steeds vaker voor dat zijn telefoontje werd doorgeschakeld naar de manager. Nu, zonder enige aanwijzing waar Sandy zou kunnen zijn, stond Jack bij de riviermond van de Shannon diepe teugen frisse lucht in te ademen. De Shannon was altijd prominent aanwezig geweest in Jacks leven. Sinds zijn jeugd wilde hij al bij de Shannon Foynes Port werken. Hij was dol op de opwinding van de jachtige haven waar de enorme machines stonden die langs de rivier doolden als metalen reigers met lange stalen poten en bekken.

Hij had zich altijd verbonden gevoeld met de rivier en wilde meewerken aan alles wat die vervoerde. Zijn vader en moeder waren een keer met het gezin op zomervakantie geweest naar Leitrim, en dat was een vakantie die levendiger in Jacks geest gebrand stond dan welke andere ook. Donal was nog niet geboren en Jack was nog geen tien. Op die vakantie leerde hij waar en hoe de grootse rivier begon, langzaam en rustig in county Cavan, voordat hij sneller ging stromen en de geheimen en levenskracht van elke county in zich opnam met elke bodemsoort die hij uitsleet. Elke zijrivier was net een slagader die vanaf het hart van het land pompte, en zijn geheimen in gedempt, opgewonden gekabbel fluisterde, totdat hij de Atlantische Oceaan in stroomde en de geheimen verloren gingen in de gefluisterde hoop en spijt van de rest van de wereld. Het was net zo'n fluisterspelletje, dat klein begon maar uiteindelijk groeide en werd overdreven, van de fris geschilderde houten boten die op de oppervlakte deinden in Carrick-on-Shannon tot de grote opwinding van Shannon Foynes Port, waar de rivier uiteindelijk stalen en metalen schepen langs kranen en opslagplaatsen vervoerde.

Jack dwaalde doelloos over een stille weg langs de riviermond van de Shannon, dankbaar voor de rust en stilte. Glin Castle doemde op achter de bomen terwijl hij verder over het pad liep. Er gloeide iets helderroods door het groen heen, op een plek die lang geleden was gebruikt als parkeerplaats, maar nu overgroeid was en slechts nog werd gebruikt als wandelpad en voor vogelaars. De laag grind was ongelijk, de witte lijnen waren vervaagd en er groeide overal onkruid. Er stond een oude, rode Ford Fiesta, gebutst en gedeukt, waar de glans allang van af was. Jack bleef staan, omdat hij de auto direct herkende als de venusvliegenvanger die de langbenige schoonheid de ochtend ervoor bij het tankstation had gevangen.

Zijn hartslag versnelde toen hij op zoek naar haar rondkeek, maar er was geen teken van leven. Er stond een piepschuimen beker met koffie op het dashboard, er lag een stapel kranten naast een handdoek op de passagiersstoel, en Jacks overactieve verbeelding deed hem geloven dat ze in de buurt aan het joggen was. Hij liep weg van de auto, uit angst dat ze zou terugkeren en hem door de ruiten zou zien gluren. Hij was veel te nieuwsgierig door het toeval dat ze elkaar in een ander verlaten gebied weer tegenkwamen om weg te lopen. En op zo'n dag zonder resultaat zou het een welkom plezier zijn om haar weer te zien.

Nadat Jack vijfenveertig minuten had gewacht, begon hij zich te vervelen en zich stom te voelen. De auto zag eruit alsof hij jaren geleden in dat vergeten gebied was achtergelaten, maar hij wist zeker dat hij hem gisterochtend nog had gezien. Hij ging er dichter naartoe en drukte zijn gezicht tegen een ruit.

Zijn hart hield bijna op met kloppen. Er kwam kippenvel op zijn huid terwijl er een rilling door zijn lichaam ging.

Daar op het dashboard, naast de kop koffie en een mobiele telefoon met gemiste oproepen, lag een dik bruin dossier waar op de voorkant in nette letters DONAL RUTTLE stond.

HOOFDSTUK 16

Ik tikte met mijn schoen tegen de schaal waar eerst de chocoladekoekjes op hadden gelegen, waardoor er een luid tinkelend geluid over de open plek echode. Rondom me lagen vier slapende lichamen lui op de bosgrond, en Bernards gesnurk leek elke minuut harder te worden. Ik zuchtte luid, en voelde me net een irritante, door hormonen overmande tiener die haar zin niet kreeg. Helena, met wie ik in geen uur had gesproken, trok haar wenkbrauwen op om te proberen over te brengen dat ze het vervelend vond, hoewel ik wist dat ze van elke seconde van mijn marteling genoot. Het laatste uur had ik 'per ongeluk' het servies omgestoten, een pakje koekjes boven op Joan laten vallen en een nogal harde hoestbui gehad. Ze sliepen nog steeds en Helena weigerde me mee het bos uit te nemen of zelfs maar de weg te wijzen naar het andere leven waar ze het over had gehad.

Ik had gelach gehoord, dus ik had geprobeerd zelf de weg te vinden, maar toen ik zag dat mijn weg werd geblokkeerd door duizenden identieke, loerende naaldbomen, besloot ik dat één keer verdwalen genoeg was; in deze toch al ongewone omstandigheden nog een keer verdwalen zou gewoon dom zijn.

'Hoe lang slapen ze normaal gesproken?' vroeg ik hard, met een verveelde klank, in de hoop dat mijn stem hen zou storen.

'Ze willen graag ruim acht uur slapen.'

'Eten ze ook?'

'Drie keer per dag; meestal vast voedsel. Ik laat hen twee keer per dag uit. Vooral Bernard is dol op de riem.' Ze glimlachte in het niets alsof ze zich iets herinnerde. 'En natuurlijk wassen ze zich af en toe,' besloot ze.

'Ik bedoel: eten ze hier?' Ik keek walgend rond over de open plek, waarbij het me niet langer kon schelen of ik hun jaarlijkse kampeer-plek beledigde. Ik kon het niet helpen dat ik zo ongedurig was, ik vond het afschuwelijk om ergens vast te zitten. Normaal gesproken kwam en ging ik wanneer ik wilde, het leven van anderen in en uit. Ik slaagde er zelfs nooit in heel lang bij mijn ouders thuis te zijn; vaak greep ik al snel weer mijn tas, die bij de deur stond, en ging er vandoor. Maar hier kon ik nergens naartoe.

Er echode weer gelach in de verte.

'Wat is dat voor lawaai?'

'Dat noemen mensen lachen, volgens mij.' Helena ging in haar slaapzak zitten, en ze zag er knus en zelfgenoegzaam uit.

'Ben je altijd zo?' vroeg ik.

'Jij dan?'

'Ja,' zei ik vol overtuiging, en ze moest lachen. Ik ontspande mijn voorhoofd en glimlachte. 'Ik zit alleen nu al twee dagen in dit bos.'

'Is dat een verontschuldiging?'

'Ik verontschuldig me nooit. Tenzij het echt moet.'

'Je doet me aan mezelf denken toen ik jong was. Jonger. Ik ben nog steeds jong. Hoe komt het dat je op deze leeftijd al zo geïrri-teerd bent?'

'Ik ben geen mensenmens.' Ik keek rond toen ik weer gelach hoorde.

Helena praatte verder alsof ze het niet had gehoord. 'Nee, nee. Je hebt alleen maar het grootste deel van je leven gewijd aan het zoe-ken naar mensen.'

Ik begreep wat ze bedoelde, maar besloot er niet op te reageren. 'Hoor je dat geluid niet?'

'Ik ben opgegroeid naast een treinstation. Als er vriendinnen ble-ven logeren, konden ze niet slapen door het lawaai en de trillingen. Ik was er zo aan gewend dat ik het niet meer hoorde, maar door het kraken van de trap als mijn ouders naar bed gingen werd ik altijd wakker. Ben je getrouwd?'

Ik sloeg mijn ogen ten hemel.

'Niet, dus. Heb je een vriendje?'

'Soms.'

'Heb je kinderen?'

'Ik ben niet geïnteresseerd in kinderen.' Ik snuffelde in de lucht. 'Wat ruik ik? En wie is er aan het lachen? Is er iemand in de buurt?'

Ik draaide met een ruk mijn hoofd, als een hond die een vlieg probeert te vangen. Ik kon niet uitmaken waar de geluiden vandaan kwamen. Ze leken van achter me te komen, maar als ik me omdraaide leek het geluid juist uit een andere richting te komen.

'Het is overal,' legde Helena op haar gemak uit. 'De nieuwe mensen hier vergelijken het met *surround sound*. Dat snap jij waarschijnlijk beter dan ik.'

'Wie maakt dat geluid, en is er iemand een sigaar aan het roken?' Ik snuffelde nogmaals.

'Wat stel je veel vragen, zeg.'

'Dat deed jij zeker niet toen je hier voor het eerst kwam? Helena, ik weet niet waar ik ben en wat er aan de hand is, en je bent niet erg behulpzaam.'

Helena had in elk geval het fatsoen om gegeneerd te kijken. 'Sorry, ik was helemaal vergeten hoe het was.' Ze zweeg en luisterde naar de geluiden. 'Het gelach en de geuren komen nu onze atmosfeer binnen. Wat weet je tot nu toe over de mensen die hier komen?'

'Dat ze verdwenen zijn.'

'Juist. Dus het gelach, gehuil en die geuren die hier komen, zijn ook verdwenen.'

'Hoe kan dat nou?' vroeg ik, volledig in de war.

'Soms verliezen mensen meer dan sokken, Sandy. Ten eerste kun je vergeten waar je ze hebt neergelegd. Als je dingen vergeet, ontbreken er gewoon stukjes aan je geheugen, dat is alles.'

'Maar die kun je je weer herinneren.'

'Ja, maar je herinnert je niet alles, en je vindt niet alle dingen terug. Die dingen komen hier naartoe, net als hoe iemand aanvoelt en ruikt, de herinnering aan hoe precies hun gezicht eruitzag en hoe hun stem klonk.'

'Wat bizar.' Ik schudde mijn hoofd, en kon het niet allemaal bevatten.

'Het is eigenlijk heel eenvoudig als je het zo onthoudt: alles in het leven heeft een plekje en wanneer er iets beweegt, moet het ergens anders naartoe. Hier is de plek waar al die dingen naartoe gaan.' Ze hief haar handen om onze omgeving aan te geven.

Er kwam plotseling een gedachte in me op. 'Heb je ooit je eigen lach of huilen gehoord?'

Helena knikte verdrietig. 'Heel vaak.'

'Vaak?' vroeg ik verrast.

Ze glimlachte. 'Ik had het voorrecht dat heel veel mensen van me hielden. Hoe meer mensen van je houden, hoe meer mensen er zijn die herinneringen kunnen verliezen. Trek niet zo'n gezicht, Sandy. Het is niet zo wanhopig als het klinkt. Mensen verliezen herinneringen niet met opzet. Hoewel er altijd dingen zijn die we liever willen vergeten.' Ze knipoogde. 'Het zou kunnen zijn dat het echte geluid van mijn lach is vervangen door een nieuwe herinnering, of dat, toen ik een paar maanden weg was en de geur uit mijn kamer en kleren trok, de geur die ze uit alle macht probeerden te onthouden was veranderd. Ik weet zeker dat het beeld dat ik van het gezicht van mijn moeder heb heel anders is dan hoe ze er echt uitzag, maar hoe moet je geheugen dat na veertig jaar zonder dat het wordt opgefrist nog weten? Je kunt niet alles voor altijd vasthouden, hoe hard je dingen ook vastgrijpt.'

Ik dacht aan de dag waarop ik mijn eigen lach hierheen zou horen zweven, en ik wist dat dat maar één keer zou gebeuren, omdat er maar één persoon was die het echte geluid van mijn lach en huilen wist.

'Hoe dan ook,' Helena keek met tranen in haar ogen op naar de nu heldere lucht, 'soms wil je ze pakken en teruggooien naar waar ze vandaan komen. Onze herinneringen zijn het enige contact dat we hebben. We kunnen in onze geest telkens weer met hen knuffelen, hen kussen, met hen lachen en huilen. Dat is iets heel kostbaars.'

Gelach, gesis, gesnurk en gegiechel klonken in de lucht, ze zweefden op de wind langs ons heen, de lichte bries droeg vage geuren mee, zoals de vergeten geur van het huis uit je jeugd, een keuken na een dag bakken. Daar is de door een moeder vergeten geur van haar baby, die nu volwassen is: babypoeder, crème, een zoet ruikende huid. Er zijn oudere, muffe geuren van favoriete grootouders: lavendel voor oma, de geur van de rook van een sigaar, sigaret en pijp voor opa. Er zijn de geuren van vroegere geliefden: zoete parfum en aftershave, de geur van slaperige ochtenden in bed, of eenvoudigweg de onverklaarbare individuele geur die in een kamer achterblijft. Persoonlijke geuren, even kostbaar als de mensen zelf. Alle aroma's die waren verdwenen uit iemands leven kwamen hier terecht. Ik kon niet anders dan mijn ogen sluiten, de geuren inademen en met de geluiden mee lachen.

Joan begon in haar slaapzak te bewegen en met een schok kwam ik uit mijn trance. Mijn hart begon als een bezetene te slaan bij het vooruitzicht dat ik eindelijk verder zou kijken dan het bos.

'Goedemorgen, Joan,' zei Helena zangerig, zo hard dat ze Bernard ook wekte. Hij werd in één keer wakker en tilde zijn hoofd op. De spaghettislierten hingen naar de verkeerde kant. Hij keek slaperig rond en tastte naar zijn bril.

'Goedemorgen, Bernard,' zei Helena zo luid dat ze ook Marcus en Derek wakker maakte.

Ik onderdrukte een lach.

'Alsjeblieft, een lekker warme kop koffie om wakker te worden.' Ze duwde ieder een dampende kop onder de neus.

Ze keken haar slaperig en verward aan. Zodra ze hun eerste slok koffie hadden gehad, gooide Helena haar deken van zich af en stond op.

'Nou, jullie hebben wel genoeg rond gehangen. Kom op, jongens.' Ze vouwde haar deken netjes op en pakte de andere kampeerspullen in.

'Waarom praat je zo hard en waar is de brand?' Jenny hield haar hoofd met warrig haar in haar handen en fluisterde, alsof ze een kater had.

'Het is een prachtige nieuwe dag, dus drink je koffie maar op en zodra iedereen klaar is, gaan we.'

'Waarom?' vroeg Joan, die snelle slokjes nam.

'En het ontbijt dan?' zeurde Bernard als een kind.

'We ontbijten wel als we terug zijn.' Helena pakte zijn kop van hem af, gooide het restje koffie over haar schouder en stopte hem in een tas. Ik moest mijn blik afwenden om niet te gaan lachen.

'Wat is er aan de hand?' vroeg Marcus. 'Gaat het wel?' Hij keek haar ingespannen aan, nog steeds niet wetend waarom ik er was.

'Ja hoor, prima, Marcus.' Ze legde zorgzaam een hand op zijn schouder. 'Sandy heeft alleen nog wat werk te doen.' Ze glimlachte naar me.

Was dat zo?

'O, wat leuk. Gaan we een toneelstuk opvoeren? Het is zo lang geleden dat we dat hebben gedaan,' zei Joan opgewonden.

'Ik hoop dat je ons wel ruim van tevoren laat weten wanneer de audities zijn, want we hebben tijd nodig om ons voor te bereiden. Het is al weer even geleden,' zei Bernard bezorgd.

'Maak je geen zorgen,' bemoeide Helena zich ermee, 'dat zal ze zeker doen.'

Mijn mond viel open, maar Helena hief een hand op om me van protesteren te weerhouden.

'Heb je er ooit over gedacht een musical op te voeren?' vroeg Derek, die zijn gitaar inpakte. 'Er zouden heel veel mensen willen meedoen aan een musical.'

'Dat is zeker een mogelijkheid,' zei Helena, alsof ze een kind wilde afpoeieren.

'Zijn er groepsaudities?' vroeg Bernard, lichtelijk in paniek.

'Nee, hoor,' zei Helena glimlachend, en ik wist eindelijk wat ze van plan was. 'Ik denk dat Sandy iedereen apart wil zien. Nou,' ze pakte de deken van Bernards schouders en begon hem op te vouwen, terwijl hij met open mond toekeek, 'als we dit afronden, kunnen we Sandy alles laten zien. Ze moet een goede plek uitzoeken voor de show.'

Wat waren Bernard en Joan ineens snel klaar.

'Trouwens, dat had ik je nog willen vragen,' fluisterde Helena, 'was je aan het werk toen je hier aankwam?'

'Wat bedoel je precies?'

'Was je het spoor van iemand aan het volgen op het moment dat je hier aankwam? Dat is een heel belangrijke vraag, maar ik was hem vergeten te stellen.'

'Ja en nee,' antwoordde ik. 'Ik was aan het joggen langs de Shannon toen ik hier terechtkwam, maar de reden dat ik in Limerick was, had wel met mijn werk te maken. Ik had vijf dagen eerder een nieuwe zaak aangenomen.' Ik dacht terug aan het telefoontje dat ik die keer 's nachts van Jack Ruttle had gekregen.

'Ik vraag het omdat ik me afvraag wat er precies zo bijzonder was aan die persoon, van al die vermiste personen die je hebt gezocht, dat je hier terecht bent gekomen. Was je sterk met hem verbonden?'

Ik schudde mijn hoofd, maar wist dat ik niet echt de waarheid sprak. De telefoongesprekken met Jack Ruttle midden in de nacht waren heel anders dan die in mijn andere zaken. Het waren telefoontjes die ik graag kreeg, hij was iemand met wie ik over andere dingen dan werk kon praten. Hoe meer ik met die aardige Jack sprak, hoe harder ik mijn best deed om zijn broer te vinden. Er was maar één persoon in mijn leven door wie ik me net zo voelde.

'Hoe heette die vermiste persoon?'

'Donal Ruttle,' zei ik, en ik herinnerde me de speelse blauwe ogen van de foto.

Helena dacht erover na. 'Nou, we kunnen net zo goed nu beginnen. Kent iemand ene Donal Ruttle?' Ze keek rond.

HOOFDSTUK 17

Jack ijsbeerde ongeduldig, gefrustreerd en angstig langs de rode Ford Fiesta. Zo af en toe hield hij op, keek door een zijruit naar binnen en probeerde met zijn wil de deur open te dwingen zodat hij het dossier kon pakken en de informatie daarin hongerig in zich opnemen. Dan kalmeerde hij weer en begon weer te ijsberen. Hij keek rond, en wilde zich niet te ver van de auto wagen voor het geval Sandy Shortt zou terugkeren en zonder hem zou wegrijden.

Hij kon niet geloven dat Sandy Shortt de vrouw van het tankstation was. Ze hadden elkaar gepasseerd alsof ze vreemden waren, maar net als toen hij met haar over de telefoon praatte, had hij iets gevoeld toen hij haar zag, iets wat hen verbond. Op dat moment had hij gedacht dat dat kwam doordat zij de enigen daar waren, zo vroeg in de ochtend, maar nu wist hij dat die band uit meer bestond. En nu was hij haar hier weer op een verborgen plek tegengekomen. Iets in haar trok hem aan. Wat zou hij er veel voor overhebben om terug naar dat moment te gaan, zodat hij het met haar over Donal kon hebben. Ze was dus toch naar Glin gekomen. Hij wist dat ze hem niet had laten zitten, en ze was inderdaad 's nachts gaan rijden, zoals ze had beloofd. Nu hij haar auto op deze verlaten plek had aangetroffen wierp dat alleen maar meer vragen op dan hij al had. Als ze in Glin was, waar was ze dan zondag geweest toen ze hadden afgesproken?

Hij keek op zijn horloge. Er waren drie uur voorbijgegaan sinds hij de auto had opgemerkt, en er was nog steeds geen teken van haar. Er kwam nog een belangrijkere vraag in hem op: waar was ze nu?

Hij ging op de vervallen stoeprand naast de auto zitten en deed wat hij het laatste jaar gewend was geworden te doen. Hij wachtte. En hij zou zich niet verroeren totdat Sandy Shortt terug naar haar auto kwam.

Ik volgde de groep tussen de bomen door, en mijn hart bonsde zo hard dat ik Bernard amper kon horen, die voortdurend tegen me kletste over zijn acteerervaringen van de afgelopen jaren. Af en toe, wanneer ik voelde dat hij naar me keek, knikte ik. Teleurstellend genoeg was er geen reactie gekomen op Donals naam toen ernaar werd gevraagd, ze hadden hun schouders opgehaald en 'ken ik niet' gemompeld. Maar binnen in me was wel een reactie opgewekt toen Helena zijn naam tegen de anderen noemde, omdat het horen ervan het allemaal echt voor me maakte. Ik zou de mensen gaan zien die ik jarenlang had gezocht.

Het voelde net alsof mijn hele levenswerk tot dit moment had geleid. Door nachten zonder slaap, me af te zonderen van mogelijke vrienden en zorgzame ouders had ik een eenzaam leven geleid waarmee ik tevreden was geweest, maar het was een leven geweest dat werd gekweld door vriendschappen en relaties met mensen die ik nooit had ontmoet. Ik wist alles over hen: wat hun favoriete kleur was, hoe hun beste vrienden heetten, wat hun favoriete band was, en ik voelde dat ik met elke stap die ik nam dichter bij het moment kwam waarop ik mijn verloren vrienden, vermiste ouders, ooms, tantes en familie zou ontmoeten. Deze emoties wezen me erop dat ik een eiland was geworden. Geen van die vermiste mensen aan wie ik zo vol liefde dacht, zou mij zelfs maar kennen. Als hun oog op me viel, zouden ze een vreemde zien, maar ik zou allesbehalve een vreemde zien. Hoewel we elkaar nooit hadden ontmoet, waren familiefoto's van Kerstmissen, verjaardagen en bruiloften, de eerste dag op school, een schoolbal stevig in mijn geheugen verankerd. Ik had bij huilende ouders gezeten en fotoalbum na fotoalbum gezien, en toch kon ik me niet herinneren dat ik ook maar één keer met mijn eigen familie op de bank had gezeten en hetzelfde had gedaan. De mensen voor wie ik leefde wisten niet eens van mijn bestaan en ik had het bestaan van de mensen die voor mij leefden ook niet erkend.

Ik kon een stukje verder zien, daar waar de bomen ophielden. De verstilling van het bos loste op en in plaats daarvan waren er een heleboel beweging, geluid en kleur. Zo veel mensen. Ik liep niet verder met de groep mee en hief trillerig mijn hand omhoog om me aan een boomstam vast te houden.

'Gaat het, Sandy?' vroeg Bernard, die naast me stopte.

De rest hield ook halt, draaide zich om en keek naar me. Ik kon niet eens glimlachen. Ik kon niet doen alsof alles in orde was. De meester van de leugen was verstrikt geraakt in een web van leugens dat ze zelf had geweven. Helena, die voorop had gelopen, baande zich een weg door de groep en haastte zich naar me toe.

'Loop maar door, hoor. We halen jullie wel weer in,' zei ze, waarmee ze hen wegstuurde, en toen ze niet bewogen: 'Schiet op!' Langzaam draaiden ze zich om en liepen aarzelend vanuit het donker het licht in.

'Sandy.' Helena legde zachtjes haar hand op mijn schouder. 'Je trilt.' Ze legde haar arm om mijn schouders en drukte me tegen zich aan. 'Het is niet erg, er is hier niets om bang voor te zijn. Het is hier heel veilig.'

Het was niet de plek zelf waardoor ik trilde. Het was het feit dat ik me nooit ergens thuis had gevoeld. Ik had me in mijn leven losgemaakt van iedereen die dicht bij me wilde zijn, van vrienden en geliefden omdat ze mijn vragen nooit beantwoordden, of mijn zoektochten niet tolereerden of begrepen. Door hen voelde ik me alsof ik het mis had en, zonder dat ze het wisten, alsof ik een beetje gek was, maar ik had een passie om dingen te vinden. Het vinden van deze plek was een groot antwoord op een levenslange vraag, waarvoor ik alles had opgeofferd. Ik had heel veel mensen die van me hielden pijn gedaan om die mensen te helpen die ik niet kon zien, en nu stond ik op het punt hen te gaan ontmoeten en was ik ook bang om hen dichtbij te laten komen. Ik dacht altijd dat ik een heilige was, net als Jenny-May Butler op het avondnieuws, ik dacht dat ik Moeder Teresa was met een dossier over een vermist persoon, die offers bracht om anderen te helpen. In werkelijkheid offerde ik niets op. Mijn gedrag kwam mezelf heel erg goed uit.

De mensen op deze plek waren de mensen aan wie ik me had vastgeklampt. Als ik mijn tas pakte, die bij de deur van mijn ouderlijk huis in Leitrim stond, was dat voor deze mensen. Als ik een relatie verbrak en uitnodigingen voor een avondje uit afsloeg was dat voor deze mensen.

Maar nu ik hen had gevonden, had ik geen idee wat ik moest doen.

HOOFDSTUK 18

Helena en ik stapten uit het duister van het beschaduwde bos en betraden een wereld vol kleur. Ik hield mijn adem in bij de aanblik voor me. Het was net alsof er grote rode gordijnen opzij waren getrokken voor een productie op zo'n grote schaal dat ik mijn aandacht nauwelijks lang genoeg op één ding kon richten. Wat ik zag was een bedrijvig stadje waarin heel veel landen samenkwamen. Sommige mensen liepen alleen, andere met zijn tweeën, drieën, in groepjes en menigten. De aanblik van traditionele klederdracht, het geluid van allerlei talen, de geur van kookkunsten van over de hele wereld. Het was overvloedig en levendig, barstte van de kleuren en geluiden, alsof we het pad van een slagader hadden gevolgd en bij het hart van de bossen waren uitgekomen. En daar pompte het, en er stroomden overal mensen.

Er stonden prachtige houten gebouwen langs de straat, de deuren en ramen waren versierd met ingewikkeld houtsnijwerk. Elk gebouw was van een andere houtsoort gemaakt, en de verschillende tinten en nerven camoufleerden het dorp zodanig dat het dorp en het bos bijna samensmolten. Er lagen zonnepanelen op de daken – honderden daken tot waar ik kon zien. Overal stonden windmolens, tot wel vijfendertig meter hoog, waarvan de bladen ronddraaiden tegen de blauwe hemel, en de donkere schaduwen ervan zwiepten over de daken en wegen. Het dorp lag tussen de bomen genesteld, tussen bergen en windmolens. Er leefden hier honderden mensen, gekleed in traditionele kleding uit allerlei tijdperken, op een verloren plek die er echt uitzag en rook, en toen ik mijn hand uitstak om aan de kleding van iemand die voorbijkwam te voelen, voelde die echt aan. Ik kon het bijna niet geloven.

Het was een aanblik die me zowel bekend als onbekend voorkwam, omdat alles wat ik kon zien bestond uit herkenbare elementen van thuis, die op heel andere wijze waren gebruikt. We waren niet voor- of achteruitgegaan in de tijd, we waren een heel nieuwe tijd binnengegaan. Eén grote smeltkroes van landen, culturen, ontwerpen en geluiden die zich vermengden tot een nieuwe wereld. Er speelden kinderen, er stonden marktkramen langs de kant van de weg en daar zwermden klanten omheen. Zo veel kleur, zo veel nieuwe geluiden, anders dan elk land waar ik ooit was geweest. Op een bord naast ons stond HIER.

Helena haakte haar arm door de mijne, een gebaar dat ik had afgeschud als ik geen lichamelijke ondersteuning nodig had gehad. Ik was stomverbaasd. Ik was Ali Baba die de grot met schatten vond, Galileo na zijn ontdekkingen met zijn telescoop. Belangrijker nog, ik was een meisje van tien dat al haar sokken had gevonden.

'Het is elke dag marktdag,' legde Helena zachtjes uit. 'Sommige mensen vinden het leuk om alles wat ze vinden te verhandelen in ruil voor andere waardevolle dingen. Soms zijn het helemaal geen waardevolle dingen, maar het is een beetje een sport geworden. Geld heeft geen waarde – alles wat we nodig hebben ligt op straat – dus we hoeven niet voor geld te werken om onszelf te onderhouden. Er wordt echter wel de eis gesteld dat je ten behoeve van het dorp werkt, als dat gezien je leeftijd, gezondheid en andere persoonlijke omstandigheden mogelijk is. Ons werk bestaat uit dienstverlening aan de gemeenschap, en is niet gericht op zelfverrijking.'

Ik keek vol ontzag rond. Helena bleef zachtjes in mijn oor praten, en ze hield mijn arm vast terwijl mijn lichaam bleef trillen.

'Die windmolens staan door het hele land. We hebben veel windmolenparken, vooral in bergkloven waar de wind hoge snelheden krijgt. Een windmolen produceert genoeg elektriciteit voor vierhonderd gezinnen per jaar, en met behulp van de zonnepanelen op de gebouwen wordt ook energie gegenereerd.'

Ik luisterde naar haar, maar hoorde amper een woord. Ik richtte me op de gesprekken om me heen, de geluiden van de enorme bladen van de windmolens die door de lucht zoefden. Mijn neus paste zich aan de knisperende frisheid aan, die mijn longen bij elke kleine ademteug met koele lucht vulde. Ik richtte mijn aandacht op de kraam die het dichtst bij ons stond.

'Het is een mobiele telefoon,' legde een Britse heer uit aan een oudere kraamhouder.

'Wat heb ik nou aan een mobiele telefoon?' vroeg de Caribische marktkraamhouder lachend, met een afwerend gebaar. 'Ik heb gehoord dat die dingen het hier niet eens doen.'

'Dat klopt, maar...'

'Maar niets. Ik ben hier al vijfenveertig jaar, drie maanden en tien dagen.' Hij hield zijn hoofd trots geheven. 'En ik zie niet in waarom deze speeldoos een eerlijke ruil zou zijn voor een telefoon die het niet doet.'

De boosheid van de klant ebde weg en hij leek hem met meer respect te bekijken. 'Nou, ik ben hier pas vier jaar,' legde hij beleefd uit, 'dus ik zal u laten zien wat telefoons tegenwoordig kunnen.' Hij hield de telefoon in de lucht, richtte hem op de eigenaar van de marktkraam en er klonk een klik. Hij liet het scherm aan de handelaar zien.

'Ah!' Hij begon te lachen. 'Het is een camera! Waarom heb je dat niet gezegd?'

'Nou, het is een telefoon met een camera, maar, beter nog, kijk hier eens naar. Degene van wie de telefoon was heeft een heleboel foto's genomen van zichzelf en het land waarin hij woont.' Hij scrolde door het menu.

De marktkraamhouder ging er voorzichtig mee om.

'Misschien kent iemand hier deze mensen,' zei de klant zachtjes.

'Ah, ja man,' antwoordde de handelaar vriendelijk, knikkend met zijn hoofd. 'Dit is inderdaad heel kostbaar.'

'Kom op, we gaan,' fluisterde Helena, en ze voerde me aan mijn arm mee.

Ik bewoog me op de automatische piloot, terwijl ik met open mond naar alle mensen om me heen keek. We liepen langs de klant en de kraamhouder, die allebei stonden te knikken en te glimlachen. 'Welkom.'

Ik keek alleen maar terug.

Twee kinderen die een hinkelspelletje speelden hielden ermee op toen ze de begroeting van de mannen hoorden. 'Welkom.' Ze wierpen me allebei een tandeloze grijns toe.

Helena leidde me door de menigte, door het koor van begroetingen, langs de knikjes en glimlachjes. Helena groette hen allemaal beleefd voor mij. We liepen over straat naar het grote gebouw met twee verdiepingen en een overdekte veranda aan de voorkant. De deur was versierd met een ingewikkeld snijwerk van een perkamentrol en een dramatische ganzenveer. Helena duwde de deur open en de rol en veer weken uiteen alsof ze bogen en hun armen spreidden om de weg voor ons vrij te maken.

'Dit is de burgerlijke stand. Iedereen komt na aankomst hier naartoe,' legde Helena geduldig uit. 'De naam en gegevens van die persoon worden in deze boeken vastgelegd zodat we kunnen bijhouden wie wie is en hoeveel mensen er zijn.'

'Voor het geval er iemand verdwijnt,' zei ik gevat.

'Ik denk dat je erachter zult komen dat niemand hier verdwijnt, Sandy.' Helena meende het serieus. 'Dingen kunnen nergens anders naartoe, dus ze blijven hier.'

Ik negeerde de kille implicatie en probeerde in plaats daarvan tevergeefs om wat humor in de situatie te brengen. 'Wat moet ik gaan doen als ik nergens meer naar op zoek hoef?'

'Dan kun je doen wat je altijd al wilde: diegenen opzoeken naar wie je hebt gezocht. Het werk waaraan je bent begonnen afmaken.'

'En dan?'

Ze zweeg.

'Dan help je me weer thuis te komen, toch?' vroeg ik nogal fel.

Ze antwoordde niet.

'Helena,' riep een vrolijke jongen vanaf zijn plek achter de balie. Op de balie stonden bordjes met nummers. Naast de voordeur hing een bord met alle landen ter wereld, de talen die daar werden gesproken, van sommige daarvan had ik zelfs nog nooit gehoord, en de corresponderende nummers. Ik koppelde een van de nummers op de balie aan een bekend land op het bord. 'Land: Ierland. Talen: Gaelisch, Engels.'

'Hallo, Terence.' Helena leek blij met de onderbreking van ons gesprek.

Pas toen keek ik voor het eerst de ruimte rond. Er stonden tientallen bureaus in de grote zaal. Op elk bureau stonden bordjes met nummers en achter elk bureau zat iemand met een andere nationaliteit. Er stonden rijen voor de tafels. Het was rustig in de ruimte, maar er hing de spanning van honderden mensen die net waren aangekomen en hun situatie nog niet konden bevatten. Ze keken de ruimte nerveus rond, met wijdopen, doodsbenauwde ogen, ze hadden hun armen om hun lijf heen geslagen om zichzelf een beetje gerust te stellen.

Ik zag dat Helena bij Terence achter de balie was gaan staan.

Hij keek op toen ik naar hen toe liep. 'Welkom,' zei hij met een kleine glimlach. Ik hoorde het medeleven in zijn stem en zijn accent verried zijn Ierse wortels.

'Sandy, dit is Terence O'Mally. Terence, dit is Sandy. Terence is hier al... poeh, hoeveel jaar ben je hier nu al, Terence?' vroeg Helena hem.

Elf jaar, dacht ik.

'Bijna elf jaar nu,' antwoordde hij glimlachend.

'Terence werkte als...'

'Bibliothecaris in Ballina,' onderbrak ik haar, zonder er bij na te denken. Na al die tijd was hij nog steeds te herkennen als de alleenstaande bibliothecaris van 55 die elf jaar geleden op weg van zijn werk naar huis was verdwenen.

Helena verstijfde en Terence keek verward.

'O ja, dat had ik je al verteld voordat we naar binnen gingen,' sprong Helena erop in. 'Stom, ik word oud, ik was vergeten dat ik dat al had gezegd,' zei ze lachend.

'Ik weet hoe het voelt,' zei Terence lachend, en hij duwde de naar beneden gegleden bril hoger op zijn neus.

Ik vond altijd dat zijn neus precies op die van zijn zus leek. Ik keek er nog eens goed naar.

'Oké.' Terence begon zich ongemakkelijk te voelen onder mijn blik en hij wendde zich tot Helena voor steun. 'Zullen we de zaken dan maar afhandelen? Ga maar zitten, Sandy, dan help ik je met dit formulier. Het is eigenlijk heel eenvoudig.'

Toen ik aan het bureau ging zitten, keek ik naar de rijen om me heen. Rechts hielp een vrouw een jongetje dat voor haar bureau zat.

'Permettimi di aiutarti a sederti, e mi puoi raccontare tutto su come sei arrivato fin qui. Avresti voglia di un po' di latte con i biscotti?'

Hij keek haar met grote bruine ogen aan, zo verloren als een puppy, en knikte. Ze knikte naar iemand achter haar, die door een deur achter het bureau verdween en even later terugkwam met een glas melk en een schaal koekjes.

Rechts liep een verbijsterd uitziende man naar voren. De man aan het bureau, op wiens naamkaartje 'Martin' stond, glimlachte bemoedigend naar hem. *'Nehmen Sie doch Platz, bitte, dann helfe ich Ihnen mit den Formularen.'*

'Sandy.' Terence en Helena riepen me om mijn aandacht te trekken.

'Ja, wat is er, sorry?' Ik kwam uit mijn trance.

'Terence vroeg je waar je vandaan kwam.'

'Leitrim.'

'Woon je daar?'

'Nee, ik woon in Dublin.' Ik keek om me heen terwijl er nog meer mensen, die er versuft uitzagen, de ruimte in werden geleid.

'En je bent in Dublin verdwenen,' bevestigde Terence.

'Nee. In Limerick.' Mijn stem was zacht, terwijl de gedachten in mijn hoofd steeds luider werden.

'Ken je Jim Gannon... uit Leitrim...?'

'Ja,' antwoordde ik, en ik zag hoe een jonge Afrikaanse vrouw haar okerkleurige deken dichter om zich heen trok terwijl ze angstig naar de vreemde omgeving keek. Haar lichaam was versierd met koperen armbanden, geweven grassen en kralen. We keken elkaar even aan voordat ze snel haar blik afwendde, en ik praatte door met Terence, hoewel ik er niet echt bij was. 'Jim is de eigenaar van de doe-het-zelfwinkel. Zijn zoon heeft me aardrijkskundeles gegeven.'

Terence lachte blij, en zei dat het een kleine wereld was.

'Veel groter dan ik dacht,' antwoordde ik, terwijl mijn stem klonk alsof die ergens anders vandaan kwam.

Terences stem zweefde mijn hoofd in en uit terwijl ik om me heen naar alle gezichten keek, alle mensen die even geleden nog op weg waren naar hun werk, of naar de winkel liepen en toen plotseling hier terecht waren gekomen.

'...voor werk?'

'Ze zit in de theaterwereld, Terence. Ze heeft een castingbureau voor acteurs.'

Nog meer gemompel terwijl ik niet meer oplette.

'...klopt dat, Sandy? Heb je een eigen bureau?'

'Ja,' zei ik afwezig, kijkend hoe het jongetje naast me aan de hand werd meegenomen door een deur achter de Italiaanse registratiebalie.

Hij keek me de hele tijd met grote, bezorgde ogen aan. Ik glimlachte tegen hem en zijn frons verzachtte zich. De deur ging achter hem dicht.

'Waar gaat die deur naartoe?' vroeg ik plotseling midden in een van Terences vragen.

Hij zweeg. 'Welke deur?'

Ik keek de ruimte door en merkte voor het eerst op dat er achter elk bureau een deur was.

'Al die deuren. Waar gaan ze naartoe?'

'Daar worden alle mensen ingelicht over wat we weten, waar we zijn en wat hier gebeurt. Daar zijn mogelijkheden voor therapie en werk, en we regelen dat er iemand van hier komt om hen te begroeten en hen rond te leiden zolang dat nodig is.'

Ik keek naar de grote, massief eikenhouten deuren en zei niets.

'Aangezien je Helena al kent, zal zij je gids zijn,' zei Terence vriendelijk. 'Nu handelen we even de laatste vragen af en dan kun je hier weg, dat zul je wel graag willen, lijkt me.'

De voordeur ging open en er viel weer zonlicht naar binnen. Iedereen keek op en zag een jong meisje, niet ouder dan tien, met zacht dansende krullen en grote blauwe ogen, de ruimte binnenkomen. Ze snufte en veegde in haar ogen, en liep de gids achterna die haar de ruimte binnen leidde.

'Jenny-May,' fluisterde ik, en ik werd weer duizelig.

'En je broer?' vroeg Terence, die het formulier afwerkte.

'Nee, wacht even. Ze heeft geen zus,' onderbrak Helena. 'Ze heeft me verteld dat ze enig kind was.'

'Nee, nee.' Terence klonk lichtelijk geagiteerd. 'Ik vroeg haar net of ze zussen had en toen zei ze Jenny-May.'

'Dan moet ze je niet goed hebben gehoord, Terence,' zei Helena kalm, en de rest van hun zinnen werd gemompel in mijn oren.

Mijn ogen bleven het kleine meisje volgen terwijl ze door de ruimte werd geleid, mijn hart sloeg sneller, net als altijd gebeurde als Jenny-May Butler binnen een paar meter afstand van me was.

'Misschien kun je dit even rechtzetten.' Terence keek me aan. Zijn gezicht verscheen en verdween uit mijn blikveld.

'Misschien voelt ze zich niet goed, Terence. Ze ziet erg bleek.' Helena's stem was nu dicht bij mijn oor. 'Sandy, wil je niet even...'

Toen viel ik flauw.

HOOFDSTUK 19

'Sandy...'
Ik hoorde dat ik werd geroepen en voelde warme adem op mijn gezicht. De geur was bekend: zoete koffie, waardoor mijn hart zoals gewoonlijk ging fladderen, een gevoel dat door mijn hele lichaam ging en waardoor opgewonden rillingen elkaar onder de oppervlakte van mijn huid opvolgden.

Gregory veegde zachtjes met zijn hand het haar uit mijn gezicht, alsof hij voorzichtig zand wegveegde op een archeologische opgraving om iets veel kostbaarders dan ik te onthullen. Maar dat was precies wat hij was, mijn opgraver, degene die alles wat in me begraven was omhoog haalde om mijn verborgen gedachten te onthullen. Er lag een hand achter in mijn nek, alsof het het meest breekbare was wat hij ooit had vastgehouden, de andere volgde zachtjes mijn kaaklijn, en ging af en toe over mijn wang en door mijn haar.

'Sandy, liefje, doe je ogen open,' fluisterde de stem dicht bij mijn oor.

'Achteruit, iedereen!' riep een luidere en agressievere stem dichtbij. 'Hoe is het met haar?' Zijn stem werd luider, kwam dichterbij.

De troostende hand ging van mijn haar naar mijn hand en hield die stevig vast, de duim streelde geruststellend over mijn huid, terwijl hij zachtjes sprak. 'Ze reageert niet. Bel een ambulance.' Zijn stem was vervormd en echode in mijn hoofd. Ik had hoofdpijn.

'O, jezus,' mompelde de stem.

'Sean, breng de kinderen de school in. Laat ze dit niet zien,' zei mijn redder kalm.

Sean, Sean, Sean. Ik kende die naam. Kende die stem.

'Waar komt dat bloed vandaan?' vroeg hij paniekerig.

'Van haar hoofd. Haal die kinderen weg.' Mijn hand werd steviger vastgehouden.

'Hij heeft haar geslagen, de klootzak.'

'Ik weet het, ik zag het ook. Ik keek uit het raam. Bel een ambulance.'

Seans geschreeuw dat de kinderen naar binnen moesten, klonk van steeds verder weg en ik bleef in de echoënde stilte achter met de engel. Ik voelde zachte lippen op mijn hand.

'Doe je ogen open, Sandy,' fluisterde hij. 'Alsjeblieft.'

Ik probeerde het, maar het leek alsof ze aan elkaar zaten gelijmd, als een lotus die in de modder vast zit, en gedwongen wordt zijn blaadjes vroegtijdig te openen. Mijn hoofd was zwaar en mijn gedachten waren onbeholpen en langzaam terwijl het ritmisch met abnormaal sterke kracht bonsde en pulseerde in de beschermende hand waarin het lag. De grond voelde koud en ruw aan onder me. Asfalt. Waarom lag ik op de grond? Ik worstelde om te gaan zitten, maar mijn lichaam stribbelde tegen, en mijn ogen wilden nog steeds niet open.

Ik hoorde de ambulance in de verte en deed mijn best om mijn ogen te openen. Het werden spleetjes. Ah. Meneer Burton. Mijn redder. Hij hield me in zijn armen en keek op me neer alsof hij zojuist goud had ontdekt in de teerlaag van Leitrim. Hij had bloed op zijn overhemd, was hij gewond? Zijn ogen keken gepijnigd terwijl ze mijn gezicht bestudeerden. Ik herinnerde me plotseling de enorme puist op mijn kin, waarvan ik de hele dag al had gewenst dat ik hem die ochtend had uitgeknepen. Ik probeerde mijn hand te bewegen om hem te bedekken, maar het leek net alsof mijn hand in vloeibaar beton was gestopt dat daarna was opgedroogd.

'Godzijdank,' fluisterde hij, en zijn hand greep de mijne steviger vast. 'Niet bewegen. De ambulance is er bijna.'

Ik moest het puistje bedekken, na vier jaar was ik zo dicht bij meneer Burton en nu zag ik er niet uit. De hormonen van een zeventienjarige verpestten het ogenblik waar ik van had gedroomd. Wacht even, hij zei 'ambulance'. Wat was er gebeurd? Ik probeerde iets te zeggen, en er kwam een krakend geluid over mijn lippen.

'Het komt allemaal weer goed,' suste hij, zijn gezicht dicht bij het mijne.

Ik geloofde hem en vergat mijn pijn een ogenblik terwijl ik weer opgelaten naar mijn puistje tastte.

'Ik weet wat je probeert te doen, Sandy, hou er maar mee op.' Gregory probeerde zachtjes te lachen terwijl hij voorzichtig mijn arm voor mijn gezicht weghaalde.

Ik gromde, kon nog steeds geen woord uitbrengen.

'Hij is niet zo erg. Hij heet Henry, en hij heeft me gezelschap gehouden terwijl jij zo onbeleefd was om flauw te vallen. Henry, Sandy; Sandy, Henry, hoewel je volgens mij niet zo'n welkome gast bent.' Hij bewoog zijn vinger over mijn kin, waarbij hij het puistje zachtjes aaide, alsof het het mooiste aan mij was.

Dus daar lag ik dan, met bebloed hoofd, een puistje met de naam Henry op mijn kin en een gezicht zo brandend rood dat het het hele stadje in vuur en vlam had kunnen zetten. Ik begon mijn ogen weer te sluiten. De hemel was zo helder dat hij mijn pupillen doorboorde en scheuten pijn door mijn oogkassen en in mijn al bonzende hoofd joeg.

'Niet je ogen dichtdoen, Sandy,' zei Gregory iets harder. Ik deed ze open en zag de bezorgdheid op zijn gezicht voordat hij de kans had gehad die te verbergen.

'Ik ben moe,' fluisterde ik uiteindelijk.

'Ik weet het.' Hij hield me steviger vast. 'Maar je moet nog even wakker blijven. Hou me gezelschap totdat de ambulance er is,' smeekte hij. 'Beloof het me.'

'Beloofd,' fluisterde ik, voordat ik ze weer dichtdeed.

Er kwam een tweede sirene op de plek aan. Er stopte een auto dichtbij. Ik voelde trillingen in het asfalt naast mijn hoofd en was bang dat de banden over me heen zouden rijden. Er werden deuren geopend en dichtgeslagen.

'Daar is hij, agent.' Sean was er weer, schreeuwend. 'Hij reed recht op haar in, hij keek niet eens,' zei hij paniekerig. 'Deze meneer hier heeft het gezien.'

Sean werd gekalmeerd, ik hoorde een man huilen. Ik hoorde stemmen van politieagenten, die probeerden mensen te troosten, radio's kraakten en piepten, Sean werd meegenomen. Er kwamen voetstappen dichterbij, boven mijn hoofd mompelden bezorgde stemmen. De hele tijd fluisterde Gregory woordjes in mijn oor die fijn klonken in mijn tuitende oren. Die geluiden sloten de sirenes, kreten van angst, geschreeuw van paniek en woede, het gevoel van het koude beton en het plakkerige, natte bloed dat langs mijn oor stroomde uit.

De sirenes van de ambulances werden luider en Gregory's stem klonk steeds dringender terwijl ik in zijn armen begon weg te drijven.

'Welkom terug.'

Ik werd wakker en zag Helena, die met een waaier voor mijn gezicht wapperde.

Ik kreunde en mijn hand vloog naar mijn hoofd.

'Je hebt een nare bult, dus je kunt er maar beter niet aankomen,' zei ze zachtjes.

Mijn arm bleef bewegen.

'Ik zei: niet...'

'Au.'

'Net goed,' zei ze zelfvoldaan, en ze liep weg.

Ik tuurde door mijn wimpers heen de onbekende kamer rond, en voelde de eivormige bult die zich boven mijn slaap had gevormd. Ik lag op een bank, Helena stond bij een gootsteen van waar ze door een raam kon kijken. Ze stond in het heldere licht, en haar contouren waren vaag, alsof ze een heilig visioen was.

'Waar zijn we?'

'Bij mij thuis.' Ze draaide zich niet om en bleef een doek uitspoelen.

Ik keek om me heen. 'Waarom heb je een bank in de keuken?'

Helena lachte zachtjes. 'Van alle vragen die je had kunnen stellen is dat de eerste die je uitkiest.'

Ik zweeg.

'Het is geen keuken, het is een gezinskamer,' was haar antwoord. 'Ik kook hier niet.'

'Je hebt zeker geen elektriciteit.'

Ze gromde. 'Zodra je buiten rond kunt gaan kijken, zul je zien dat we een systeem hebben dat we *zonnepanelen* noemen.' Ze sprak het woord langzaam uit, alsof ze dacht dat ik achterlijk was. 'Ze lijken op die in rekenmachines en genereren elektriciteit uit zonlicht. Elk huis heeft zijn eigen netspanning,' zei ze opgewonden.

Ik ging weer achterover op de bank liggen, omdat ik duizelig was, en sloot mijn ogen. 'Ik weet hoe zonnepanelen werken.'

'Bestaan ze daar ook?' Ze was verbaasd.

Ik negeerde haar vraag. 'Hoe ben ik hier terechtgekomen?'

'Mijn man heeft je gedragen.'

Mijn ogen vlogen open en ik kromp ineen van de pijn. Helena draaide zich nog steeds niet om en het water bleef stromen.

'Je man? Kun je hier trouwen?'

'Je kunt overal trouwen.'

'Dat is natuurlijk niet helemaal waar,' protesteerde ik gedwee. 'Mijn god, elektriciteit én trouwen? Dat is te veel voor me,' mompelde ik, terwijl het plafond boven me begon te tollen.

Helena ging naast me op de bank zitten en legde een koud washandje over mijn voorhoofd en ogen. Het verzachtte mijn bonzende, brandende hoofd.

'Ik had een vreselijke droom: ik was op een bizarre plek waar alle vermiste dingen en personen ter wereld heengaan,' kreunde ik. 'Vertel me alsjeblieft dat het een droom was, of dat ik ben ingestort. Daar kan ik wel mee leven.'

'Nou, als je daarmee kunt leven, kun je de waarheid ook aan.'

'Wat is de waarheid?' Ik deed mijn ogen open.

Ze zweeg terwijl ze naar me keek, en toen zuchtte ze. 'Je weet best wat de waarheid is.'

Ik deed mijn ogen dicht en vocht tegen de aandrang om te huilen.

Helena pakte mijn arm, gaf er een kneepje in, leunde naar me toe en zei dringend: 'Hou vol, Sandy. Over een tijdje is het allemaal heel logisch.'

Dat leek me onmogelijk.

'Als je je er beter door gaat voelen, ik heb niemand anders verteld wat je mij hebt verteld. Helemaal niemand.'

Ik voelde me er inderdaad beter door. Zo kon ik er in mijn eigen tempo achter komen wat ik moest doen.

'Wie is Jenny-May?' vroeg Helena nieuwsgierig.

Ik sloot mijn ogen en kreunde, terwijl ik me de scène bij de burgerlijke stand herinnerde. 'Niemand. Nou ja, niet niemand, ze is wel iemand. Ik dacht dat ik haar bij de burgerlijke stand zag, dat is alles.'

'En ze was het niet?'

'Niet als ze niet ouder is geworden sinds de dag dat ze hier is aangekomen. Ik weet niet hoe ik dat kon denken.' Mijn wenkbrauwen fronsend bracht ik mijn hand weer naar mijn bonkende hoofd.

Er werd zachtjes op de deur geklopt en hij werd voorzichtig geopend door een man die zo lang en breed was dat hij de hele deuropening vulde. Wit licht drong zichzelf ongeduldig door de kleine gaatjes die hij niet opvulde, en drong in mijn ogen alsof het verlichte staven waren, direct van de zon. Hij was ongeveer even oud als Helena, met een glanzende huid met de kleur van ebbenhout en intense, zwarte ogen. Hij was een stuk groter dan mijn 1,85 meter, en alleen daarom al vond ik hem meteen aardig. Zijn gestalte domineerde de kamer, maar bracht ook een gevoel van veiligheid met zich mee. Een klein glimlachje onthulde sneeuwwitte tanden, terwijl zijn oogwit als gezuiverde suiker om pupillen als zwarte koffie smolten. Hij was hard, maar zacht aan de randjes. Hij had hoge en trotse jukbeenderen, en een vierkante kaak, maar daarboven bevonden zich gewelfde lippen waar zijn woorden vanaf konden stuiteren en zich de wereld in konden lanceren.

'Hoe gaat het met ons kipepeomeisje?' Het ritmische geluid van zijn woorden verried zijn Afrikaanse wortels.

Verward keek ik naar Helena, die hem verbaasd aankeek, niet omdat hij plotseling was verschenen, maar verbaasd vanwege wat hij had gezegd. Ze kende deze man en ik nam aan dat ze ook wist wat zijn woorden betekenden. Ik wist dat niet, maar ik nam aan dat degene die ze had uitgesproken haar man was. We keken elkaar aan en ik voelde me aangetrokken tot zijn blik, ik raakte verstrikt in de zijne en hij in de mijne, alsof we door een magneet tot elkaar werden aangetrokken. Hij hield een plank in zijn grote handen, zijn witte linnen kleding was overdekt met zaagsel.

'Wat betekent "kipepeo"?' vroeg ik aan de kamer. De kamer wist het wel, maar gaf geen antwoord.

'Sandy, dit is mijn man, Joseph,' stelde Helena ons aan elkaar voor. 'Hij is timmerman,' voegde ze eraan toe, wijzend naar de plank in zijn handen.

Mijn ongewone introductie tot Joseph de timmerman werd onderbroken door een meisje, dat giechelend tussen Josephs benen door de keuken binnenkwam, haar zwarte krullen dansten bij elke huppel. Ze rende naar Helena toe en sloeg haar armen om haar been.

'En wie is dat, de onbevlekte ontvangenis?' vroeg ik, terwijl het gegil van het meisje in mijn bonkende hoofd klonk als het geloei van een sirene.

'Bijna,' zei Helena glimlachend. 'Ze is de onbevlekte ontvangenis van onze dochter. Zeg eens hallo, Wanda.' Ze haalde haar hand door het haar van het meisje.

Ik werd begroet door een tandeloze glimlach, voordat ze verlegen tussen de benen van haar opa door de kamer weer uit rende. Ik keek op van waar ze was verdwenen, weer in Josephs ogen. Hij keek nog steeds naar me. Helena keek van hem naar mij, niet achterdochtig maar... ik wist het niet precies.

'Je moet slapen.' Hij knikte een keer.

Onder Helena's en Josephs blik legde ik het washandje over mijn gezicht en liet mezelf wegdrijven. Voor één keer was ik te moe voor vragen.

'Ah, daar zul je haar hebben.' Mijn vaders stem begroette me alsof ik plotseling uit het water werd getrokken. Langzaam maar zeker werden er gedempte geluiden hoorbaar, gezichten herkenbaar. Het was net alsof ik opnieuw werd geboren, en ik zag de gezichten van mijn ouders vanuit een ziekenhuisbed.

'Hallo, liefje.' Mijn moeder haastte zich naar me toe en pakte mijn hand. Haar gezicht verscheen vlak voor het mijne, zo dichtbij dat ik mijn ogen niet kon focussen, en dus bleef ze een naar lavendel geurende vage vlek met vier ogen. 'Hoe gaat het?'

Voordat het me werd gevraagd had ik de tijd niet gehad om te voelen, dus concentreerde ik me daarop voordat ik antwoord gaf. Ik voelde me niet zo goed.

'Gaat wel,' antwoordde ik.

'O, mijn arme schat.' Haar decolleté domineerde mijn uitzicht terwijl ze naar voren boog om me een kus op mijn voorhoofd te geven, waarbij haar glosslippen een kleverig, prikkend laagje op mijn huid achterlieten. Toen ze zich had teruggetrokken keek ik de kamer rond en zag mijn vader, met zijn pet verfrommeld in zijn hand, die er ouder uitzag dan ik me herinnerde. Misschien was ik langer onder water geweest dan ik dacht. Ik knipoogde, hij glimlachte, met een opgeluchte uitdrukking op zijn gezicht. Grappig dat het aan de patiënt was om ervoor te zorgen dat de bezoekers zich beter gingen voelen. Het was net alsof ik op het podium stond en het mijn beurt was om op te treden. De ziekenhuisomgeving had iedereen met stomheid geslagen en we zaten er opgelaten bij, alsof we elkaar die dag voor het eerst hadden ontmoet.

'Wat is er gebeurd?' vroeg ik, nadat ik door een rietje water had gedronken uit een kopje dat me door een verpleegster in de hand was geduwd.

Ze keken elkaar nerveus aan. Mama besloot de honneurs waar te nemen.

'Je bent aangereden door een auto, liefje, toen je naar school liep. Hij kwam de hoek om... het was een jong ventje, met zijn voorlopige rijbewijs. Zijn moeder wist niet dat hij de auto had gepakt. Gelukkig zag meneer Burton het allemaal gebeuren en kon hij de gardaí er een goed verslag van geven. Het is een goede man, die meneer Burton,' zei ze glimlachend. 'Gregory,' voegde ze er iets zachter tegen mij aan toe.

Ik glimlachte ook.

'Hij is de hele tijd bij je gebleven, tot je in het ziekenhuis was.'

'Mijn hoofd,' fluisterde ik, omdat de pijn plotseling mijn lichaam in drong, alsof het zich bij het horen van het verhaal had herinnerd dat het zijn werk moest doen.

'Je linkerarm is gebroken.' Mijn moeders lippen glansden van de gloss in het licht terwijl ze ze open- en weer dichtdeed. 'En je linkerbeen,' haar stem trilde enigszins, 'maar afgezien daarvan heb je erg veel geluk gehad.'

Pas toen merkte ik dat mijn arm in een mitella hing en mijn linkerbeen in het gips zat, en ik vond het wel grappig dat ze vonden dat ik geluk had gehad nadat ik door een auto was aangereden. Ik begon te lachen, maar hield ermee op door de pijn.

'O ja, en je hebt een rib gebroken,' voegde mijn vader er snel aan toe, en hij keek me verontschuldigend aan omdat hij niet had gewaarschuwd.

Toen ze weg waren, tikte Gregory zachtjes op de deur. Hij zag er knapper uit dan ooit met zijn vermoeide, bezorgde ogen en warrige haar, waarvan ik me voorstelde dat hij erin woelde terwijl hij zorgelijk heen en weer liep. Dat deed hij altijd.

'Hoi,' zei hij glimlachend, en hij liep verder en gaf me een kus op mijn voorhoofd.

'Hoi,' fluisterde ik terug.

'Hoe gaat het met je?'

'Alsof ik ben overreden door een bus.'

'Neuh, het was maar een Mini. Hou toch eens op zo de aandacht te trekken.' Er was een vage glimlach te zien om zijn lippen. 'Je hebt het slechte nieuws zeker al gehoord?'

'Dat ik mijn examens mondeling moet afleggen?' Ik tilde mijn ingegipste linkerarm op. 'Ik denk dat de politie me nog wel zal aannemen,' zei ik glimlachend.

'Nee,' zei hij serieus, en hij ging op het bed zitten. 'In de ambulance is Henry overleden. Volgens mij heeft het zuurstofmasker hem omgebracht.'

Ik begon te lachen, maar moest ermee ophouden.

'O, shit, sorry.' Toen hij zag dat ik pijn had hield hij onmiddellijk op met zijn grapjes.

'Dank je wel dat je bij me bent gebleven.'

'Dank je wel dat jij bij mij bent gebleven,' antwoordde hij.

'Dat had ik toch beloofd,' zei ik glimlachend, 'en ik ben niet van plan in de nabije toekomst te verdwijnen.'

HOOFDSTUK 20

Jack zat op de grond naast wat hij nu als een achtergelaten auto beschouwde. In zijn overactieve geest ging hij elk mogelijk scenario langs: waar Sandy Shortt was, waarom haar auto tussen de bomen op een verlaten parkeerplaats stond, waarom ze de vorige dag niet naar hun afspraak was gekomen en waarom ze de hele dag niet naar haar auto was teruggekeerd. Hij snapte er niets meer van. Hij was de hele dag in de buurt van de auto gebleven. Een snelle zoektocht in de nabijheid leverde geen teken van haar op – of van ander leven, trouwens. Het was laat geworden. Het bos was zwart, de enige lichten waren die van schepen op zee en van Glin Castle, dat in de verte achter de hoge naaldbomen stond. Jack kon amper nog iets zien. Het duister van de nacht was dik en omringde hem, en toch was hij bang om weg te gaan, voor het geval hij haar dan zou missen, voor het geval iemand de auto zou wegslepen, wat zou betekenen dat Donal en alle mogelijke sporen naar hem toe ook zouden worden weggehaald.

Het dossier lag op het dashboard. De mobiele telefoon ernaast was de enige directe lichtbron, want hij lichtte om de paar seconden op om aan te geven dat hij bijna leeg was. Als Sandy niet binnen zeer korte tijd naar haar auto zou terugkeren, moest Jack die telefoon in handen krijgen om te kijken wie ze onlangs had gebeld en, met wat geluk, iemand uit haar telefoonboek te pakken te krijgen die hem kon helpen haar te vinden. Als haar batterij leeg was, zou hij de tele-

115

foon zonder pincode misschien niet meer aankrijgen.

Zijn eigen mobiele telefoon ging weer over: ongetwijfeld was het Gloria, die hem zocht. Het was elf uur en hij kon zich er niet toe brengen op te nemen, hij wist niet wat hij tegen haar zou moeten zeggen. Hij wilde niet liegen, dus de laatste tijd had hij het helemaal vermeden met haar te praten: hij verliet het huis voordat ze wakker werd en kwam weer thuis nadat ze in slaap was gevallen. Hij wist dat zijn gedrag haar heel erg van slag zou maken – die lieve, geduldige Gloria, die nooit zeurde, zoals de partners van zijn vrienden volgens hun zeggen wel deden. Ze gaf hem altijd de ruimte die hij nodig had en was zelfverzekerd genoeg om te weten dat hij haar niet zou bedriegen. Maar dat deed hij wel – hij hield haar voor de gek en duwde haar misschien wel weg. Misschien was dat wel wat hij wilde. Misschien ook niet. Hij wist alleen maar dat Donals verdwijning een einde had gemaakt aan het gepraat over een gezin en een huwelijk, dat hem, hun allebei, eerst zo belangrijk had geleken. Op dit moment zette hij hun relatie opzij en richtte zich op het vinden van zijn vermiste broer. Hij had op een of andere manier het gevoel dat als hij Sandy zou vinden, hij een stap dichter bij het vinden van Donal zou zijn, of misschien was dat alleen maar weer een uitvlucht, weer een obsessie waardoor hij het kon uitstellen zijn leven weer op te pakken, met Gloria over de relatie te praten waarvan hij niet meer wist wat hij ervan vond.

Hij deed het enige wat hij kon bedenken. Hij pakte zijn telefoon en belde Graham Turner, de politieagent met wie Jack en zijn familie te maken hadden gehad tijdens de zoektocht naar Donal.

'Hallo?' Het was lawaaiig op de achtergrond: geschreeuw, geklets en gelach. Pubgeluiden.

'Graham, met Jack,' schreeuwde Jack in het stille, beboste gebied.

'Hallo?' schreeuwde Graham weer.

'Met Jack,' riep hij nog harder, en schrok daarmee dieren op die in de nabijgelegen bomen hun toevlucht hadden gezocht.

'Wacht even, ik loop even naar buiten,' brulde Graham. De stemmen en het geluid werden harder terwijl de telefoon door de pub werd gedragen. Eindelijk was het stil. 'Hallo?' zei Graham zachter.

'Graham, met Jack.' Hij praatte nu ook zachtjes. 'Sorry dat ik je zo laat bel.'

'Maakt niet uit. Gaat het een beetje?' vroeg Graham bezorgd. Hij was het afgelopen jaar gewend geraakt aan Jacks late telefoontjes.

'Ja hoor, het gaat wel,' loog Jack.

'Is er nog nieuws over Donal?'

'Nee, helemaal niets. Eigenlijk belde ik je over iets anders.'

'Oké, wat is er?'

Hoe zou hij dit in vredesnaam gaan uitleggen? 'Ik maak me zorgen om iemand. Ik zou degene gisteren in Glin ontmoeten, maar de persoon is niet komen opdagen.'

Stilte.

'Aha.'

'Er was een bericht achtergelaten op mijn antwoordapparaat dat diegene onderweg was, maar die is nooit gekomen, en de auto staat bij de riviermond geparkeerd.'

Stilte.

'Ja?'

'Ik begin me zorgen te maken, snap je?'

'Ja, ja, dat begrijp ik. Dat is logisch, gezien de omstandigheden.'

Door die uitspraak voelde Jack zich net een volslagen paranoïde mafkees. Misschien was hij dat ook wel.

'Ik weet dat het niet klinkt alsof er iets aan de hand is, maar volgens mij is dat wel zo, weet je?'

'Ja, ja, natuurlijk,' zei Graham gehaast. 'Sorry, wacht even.' Hij bedekte de telefoon, en Jack hoorde gedempte stemmen. 'Ja, nog een biertje. Dank je, Damian. Als ik mijn peuk op heb, kom ik weer binnen,' zei hij, en toen kwam hij weer aan de lijn. 'Sorry, hoor.'

'Geen probleem. Hoor eens, ik weet dat het laat is en dat je uit bent. Het spijt me dat ik heb gebeld.' Jack hield zijn hoofd in zijn handen en voelde zich een idioot. Zijn verhaal had stom geklonken en zijn bezorgdheid om Sandy onnodig zodra hij die had uitgesproken, maar diep vanbinnen wist hij dat er ergens iets niet klopte.

'Maak je daar maar geen zorgen over. Wat wil je dat ik doe? Hoe heet die kerel, dan vraag ik wel wat rond.'

'Sandy Shortt.'

'*Sandy* Shortt.' Ja, de kerel was een vrouw.

'Klopt.'

'Oké.'

'En waar zou je haar treffen?'

'In Glin, gisteren. We zijn elkaar bij Lloyds pompstation tegengekomen, je weet wel, bij...'

'Ja, ik ken het.'

'Oké, nou, dat was ongeveer om halfzes 's ochtends, maar later die morgen is ze niet komen opdagen.'

'Heeft ze niet gezegd waar ze naartoe ging toen je haar ontmoette?'

'Nee, we hebben amper een woord gewisseld.'

'Hoe ziet ze eruit?'

'Heel lang, zwart krullend haar...' Zijn stem stierf weg, want hij besefte dat hij geen idee had hoe Sandy Shortt eruitzag, hij had geen reden om zelfs maar aan te nemen dat de vrouw die hij bij het pompstation had gezien Sandy Shortt was. Het enige bewijs dat hij had was een dossier op het dashboard, met de naam van Donal erop. De chauffeuse had iedereen wel kunnen zijn. Hij had alle stukjes netjes in elkaar gepast, zonder zich maar af te vragen of het wel klopte, en daar twijfelde hij nu ernstig aan.

'Jack?' riep Graham hem.

'Ja.'

'Ze is lang en heeft zwarte krullen. Weet je nog iets anders? Hoe oud ze is of waar ze vandaan komt of zo?'

'Nee. Ik weet het niet, Graham. Ik weet niet eens zeker of ze er zo uitziet. We hebben elkaar alleen over de telefoon gesproken. Ik weet niet of zij het was, bij het pompstation.' Plotseling kwam er een gedachte in hem op. 'Ze heeft bij de politie gezeten. In Dublin. Ze heeft vier jaar geleden ontslag genomen. Dat is alles wat ik weet.' Hij gaf het op.

'Oké, nou, ik ga een paar telefoontjes plegen en dan bel ik je terug.'

'Bedankt.' Jack voelde zich vernederd, zijn verhaal zat vol gaten.

'Dit blijft toch wel onder ons, hè?' vroeg hij zacht.

'Ja hoor. Hoe is het met Gloria?' Het klonk beschuldigend. Of misschien ook wel niet – misschien beoordeelde Jack tegenwoordig alles verkeerd.

'Heel goed, hoor.'

'Fijn. Doe haar maar de groeten. Ze is een heilige, hoor, Jack.'

'Dat weet ik,' antwoordde hij verdedigend.

Stilte. Dan op de achtergrond weer de pub.

'Ik bel je nog, Jack,' schreeuwde Graham. De verbinding werd verbroken.

Jack sloeg zich voor zijn hoofd en voelde zich een sukkel.

Om middernacht, terwijl hij heen en weer lopend met zijn vinger langs de zijkant van het koude metaal van de auto ging, rinkelde zijn telefoon. Hij had Gloria al gesms't dat hij laat thuis zou zijn, dus hij wist dat zij het niet was toen hij opnam.

'Jack, met Graham.' Hij klonk vriendelijker dan eerder. 'Hoor eens, ik heb een paar mensen gebeld, rondgevraagd of iemand ene Sandy Shortt kende.'

'Ga door.'

'Dat had je me moeten vertellen, Jack,' zei Graham zachtjes,

Jack knikte in de duisternis, hoewel Graham hem niet kon zien.

Graham ging verder: 'Het lijkt erop dat je je geen zorgen om haar hoeft te maken. Een flink aantal van de jongens kende haar,' zei hij lachend, waarna hij zich inhield. 'Ze zeiden dat ze voortdurend verdwijnt, zonder iemand ergens van op de hoogte te stellen. Ze is een kluizenaar, is heel erg op zichzelf. Ze komt en gaat naar believen, maar ze komt altijd binnen een week of zo terug. Ik zou me over haar geen zorgen maken, Jack. Dit lijkt haar normale gedrag te zijn.'

'En haar auto dan?'

'Een rode Ford Fiesta uit 1991?'

'Precies.'

'Die is inderdaad van haar. Maak je er maar geen zorgen over, ze is waarschijnlijk in de buurt het gebied aan het onderzoeken. Mijn maten zeiden dat ze dol is op joggen, dus ze heeft waarschijnlijk haar auto daar geparkeerd, en is gaan lopen, of misschien wilde de auto niet starten of zoiets. Hoe dan ook, het is pas ruim 24 uur geleden dat je die afspraak met haar had. Er is geen reden voor paniek.'

'Ik dacht dat de eerste 24 uur de belangrijkste waren,' zei Jack tussen zijn op elkaar geklemde tanden door.

'In vermissingszaken wel, Jack, maar deze Sandy Shortt is niet vermist. Ze houdt ervan voortdurend te verdwijnen. Na wat ik van haar ex-collega's heb gehoord, weet ik bijna zeker dat ze binnen een paar dagen contact met je zal opnemen. Zo gaat ze blijkbaar te werk. Ik heb gehoord dat zelfs haar eigen familie nooit weet waar ze is. Ze hebben jaren geleden drie keer de politie gebeld, maar dat doen ze niet meer. Ze komt wel weer terug.'

Jack zweeg.

'Ik kan niet veel doen. Er zijn geen aanwijzingen, niets wijst erop dat ze in gevaar verkeert.'

'Ik weet het, ik weet het.' Jack wreef vermoeid in zijn ogen.

'En als advies: wees voorzichtig met dat soort mensen. Bureaus zoals dat van Sandy Shortt willen alleen maar geld verdienen. Het zou me niet verbazen als ze er gewoon vandoor is. Ze kan niets doen wat wij niet al hebben gedaan. Er zijn geen plekken meer om te onderzoeken die wij niet al hebben onderzocht.'

Sandy had geen cent gevraagd, omdat ze wist dat Jack geen cent had om uit te geven.

'Ik moest iets doen,' antwoordde hij. De manier waarop Graham over Sandy sprak, stond hem niet aan. Hij geloofde niet dat ze een bedrieger was, hij geloofde niet dat ze een onderzoek aan het uitvoeren was zonder haar telefoon, dossier, agenda en auto, of dat ze om middernacht nog aan het joggen was. Niets van wat Graham had gezegd was logisch, maar wat Jack hardop had gezegd was ook niet logisch. Hij ging volledig op zijn intuïtie af, een intuïtie die was aangetast door Donals verdwijning en een week van nachtelijke telefoongesprekken met een vrouw die hij nooit had ontmoet.

'Ik snap het,' antwoordde Graham. 'Ik zou waarschijnlijk hetzelfde doen als ik in jouw schoenen stond.'

'En die spullen die in haar auto liggen dan?' blufte Jack.

'Wat voor spullen?'

'Ik heb haar Donals dossier en nog wat andere dingen gestuurd. Ik zie ze vanaf hier in de auto liggen. Als ze mijn geld heeft aangenomen en is verdwenen, dan wil ik in elk geval mijn spullen terughebben.'

'Daarmee kan ik je niet helpen, Jack, maar ik zou verder geen vragen meer stellen als je morgenochtend je spullen weer terug hebt.'

'Bedankt, Graham.'

'Graag gedaan.'

Een paar uur later, toen de zon opkwam boven de riviermond, en oranje tinten over de zwarte golven wierp, ging Jack in Sandy's auto zitten, en hij bladerde door Donals dossier en door alle bladzijden van de politierapporten die Sandy alleen via haar contacten had kunnen krijgen. In haar agenda stond dat ze die dag naar Limerick zou gaan om met een van Donals vrienden, Alan O'Connor, te praten, die op de avond van Donals verdwijning met hem was wezen stappen. Hij kreeg weer hoop door de mogelijkheid dat hij haar daar zou ontmoeten. De volle auto rook misselijkmakend zoet door de luchtverfrisser met vanillegeur die aan de achteruitkijkspiegel hing, vermengd met de ondertoon van verschaalde koffie in het piepschuimen bekertje eronder. Niets in de auto gaf hem aanwijzingen over wat voor persoon Sandy was. Er lagen geen wikkels, cd's of cassettebandjes waaruit haar muzieksmaak kon worden afgeleid. Het was gewoon een oude, koude auto waarin werk en koude koffie waren achtergelaten.

De auto had geen hart, dat had ze met zich meegenomen.

HOOFDSTUK 21

Ik werd ik weet niet precies hoeveel uur later wakker, en zag een klein meisje met wild zwart kroeshaar naast me op de armleuning van de bank zitten, dat me met dezelfde intense, zwarte ogen aankeek als haar opa.

Ik sprong op.

Ze glimlachte. Er kwamen kuiltjes in haar gele huid en haar ogen verzachtten zich.

'Hoi,' piepte ze.

Ik keek de kamer rond, die nu bijna pikzwart was, afgezien van het oranje licht dat onder de keukendeur heen kroop, en dat de vloer net voldoende verlichtte zodat ik de omgeving kon zien, en het meisje voor me, dat halfverlicht was. De lucht buiten het raam boven de gootsteen was zwart. Er hingen sterren, dezelfde sterren waar ik thuis nooit op lette, als kerstlampjes die een speelgoedstadje verlichtten.

'Ga je geen "hoi" zeggen?' piepte het stemmetje blij.

Ik zuchtte, ik had nooit tijd gehad voor kinderen en had het zelfs afschuwelijk gevonden om er zelf een te zijn.

'Hoi,' zei ik ongeïnteresseerd.

'Zie je wel? Dat was toch niet zo moeilijk?'

'Het was afschuwelijk.' Ik gaapte en rekte me uit.

Ze stuiterde van de armleuning van de bank af en sprong op het uiteinde, om bij me te komen zitten, maar daarbij vermorzelde ze wel bijna mijn voeten.

'Au,' kreunde ik, en ik trok mijn benen dichter onder me.

'Dat kan geen pijn hebben gedaan.' Ze boog haar hoofd en keek me twijfelend aan.

'Hoe oud ben je, 190?' vroeg ik, terwijl ik mijn deken dichter om me heen trok alsof die me tegen haar zou beschermen.

'Als ik 190 zou zijn, zou ik dood zijn.' Ze sloeg haar ogen ten hemel.

'Goh, dat zou jammer zijn, zeg.'

'Je vindt me niet aardig, hè?'

Ik dacht erover na. 'Niet echt.'

'Waarom niet?'

'Omdat je op mijn voeten zat.'

'Je vond me al niet aardig voordat ik op je voeten zat.'

'Dat klopt.'

'De meeste mensen vinden me schattig,' zei ze zuchtend.

'Echt waar?' vroeg ik, en ik deed alsof ik verbaasd was. 'Die indruk krijg ik helemaal niet.'

'Waarom niet?' Ze leek niet beledigd te zijn, eerder geïnteresseerd.

'Omdat je maar één meter lang bent en geen voortanden hebt.' Ik deed mijn ogen dicht en wilde dat ze wegging, en ik liet mijn hoofd tegen de rug van de bank steunen. Het gebons in mijn hoofd was verdwenen, maar het gepiep vanaf de bank zou het ongetwijfeld in volle hevigheid terugbrengen.

'Ik blijf niet altijd zo, hoor,' zei ze, trachtend me te plezieren.

'Dat hoop ik niet, voor jou.'

'Ik ook,' zei ze met een zucht, en ze deed me na en liet haar hoofd tegen de rug van de bank steunen.

Ik keek haar zwijgend aan, in de hoop dat ze die hint zou begrijpen en zou weggaan. Ze glimlachte naar me.

'De indruk die de meeste mensen van mij hebben is dat ik niet met hen wil praten,' hintte ik.

'Echt waar? Die indruk krijg ik helemaal niet,' deed ze me na, waarbij de woorden met moeite uit haar tandeloze mond kwamen.

Ik moest lachen. 'Hoe oud ben jij?'

Ze hield haar hand omhoog en stak vier vingers en een duim op.

'Vier vingers en een duim?' vroeg ik.

Ze fronste haar voorhoofd en keek weer naar haar hand, en terwijl ze telde bewogen haar lippen.

'Is er een speciale school waar kinderen dat leren?' vroeg ik. 'Kun je niet gewoon "vijf" zeggen?'

'Ik kan best "vijf" zeggen.'

'Denk je soms dat het schattiger is als je je hand omhoog houdt?'

Ze haalde haar schouders op.

'Waar is iedereen?'

'Ze slapen. Had jij een televisie? We hebben hier wel televisies, maar die doen het niet.'

'Balen voor je.'

'Ja, balen,' zei ze, dramatisch zuchtend, maar volgens mij kon het haar niet schelen. 'Mijn oma zegt dat ik heel veel vragen stel, maar volgens mij stel jij er nog meer.'

'Vind je het leuk om vragen te stellen?' Ik was plotseling geïnteresseerd. 'Wat voor soort vragen?'

Ze haalde haar schouders op. 'Gewoon, vragen.'

'Waarover?'

'Over alles.'

'Blijf die vragen maar stellen, Wanda, misschien kom je hier dan wel weg.'

'Oké.'

Stilte.

'Waarom zou ik hier weg willen?'

Toch niet zulke gewone vragen, bleek. 'Vind je het hier leuk?'

Ze keek de kamer rond. 'Ik vind mijn eigen kamer leuker.'

'Nee, ik bedoel dit dórp,' ik wees uit het raam, 'waar je woont.'

Ze knikte.

'Wat doe je de hele dag?'

'Spelen.'

'Wat vermoeiend voor je.'

Ze knikte. 'Soms is het dat wel. Maar ik moet ook al snel naar school.'

'Is er hier een school?'

'Niet hier.'

Ze kon nog steeds niet verder denken dan deze kamer. 'Wat doen je ouders de hele dag?'

'Mama werkt bij opa.'

'Is ze ook timmerman?'

Ze schudde haar hoofd. 'Nee, ze is een vrouw.'

'Wat doet je vader?'

Ze haalde weer haar schouders op. 'Mama en papa vinden elkaar niet meer lief. Heb je een vriendje?'

'Nee.'

'Heb je die wel gehad?'

'Wel meer dan een.'

'Tegelijkertijd?'

Ik gaf geen antwoord.

'Waarom heb je die niet meer?'

'Omdat ik ze niet meer lief vond.'

'Allemaal?'

'Bijna allemaal.'

'O, dat is niet zo lief.'

'Nee...' Mijn geest dwaalde af. 'Ik denk het niet, nee.'

'Word je er verdrietig van? Mama wel.'

'Nee, ik word er niet verdrietig van.' Ik lachte opgelaten, ik voelde me niet prettig onder haar blik en door haar losse tong.

'Je ziet er verdrietig uit.'

'Hoe kan ik er nou verdrietig uitzien als ik lach?'

Ze haalde weer haar schouders op. Daarom had ik zo'n hekel aan kinderen: ze hadden heel veel lege plekken in hun geest en niet genoeg antwoorden, en dat was precies de reden waarom ik het zelf zo vreselijk had gevonden om kind te zijn. Je wist nooit precies wat er aan de hand was en ik kwam maar zelden een volwassene tegen die me iets vertelde.

'Wanda, voor iemand die veel vragen stelt heb je niet veel antwoorden.'

'Ik stel andere vragen dan jij,' zei ze, fronsend met haar voorhoofd. 'Ik heb heus wel veel antwoorden.'

'Wat dan, bijvoorbeeld?'

'Nou, eh...' Ze dacht ingespannen na. 'Meneer Mgambao van hiernaast werkt niet op het veld omdat hij pijn in zijn rug heeft.'

'Waar is dat veld?'

Ze wees uit het raam. 'Die kant op. Daar groeit ons eten en iedereen gaat drie keer per dag naar het eethuisje om het op te eten.'

'Eet het hele dorp samen?'

Ze knikte. 'Petra's moeder werkt er, maar ik wil daar niet werken als ik groot ben, en ook niet op het veld. Ik wil bij Bobby werken,' zei ze dromerig. 'De vader van mijn vriendinnetje Lacey werkt in de bibliotheek.'

Ik vroeg me af of ze iets belangrijks had gezegd, maar dat was volgens mij niet zo. 'Denkt niemand hier er nou over om zijn tijd beter te besteden, bijvoorbeeld om te proberen hier weg te komen?' vroeg ik fel, meer tegen mezelf.

'Er proberen wel mensen weg te komen,' zei ze, 'maar dat lukt niet. Er is geen uitweg, maar ik vind het hier leuk, dus ik vind het niet erg.' Ze gaapte. 'Ik ben moe. Ik ga naar bed. Slaap lekker.' Ze klauterde van de bank en liep naar de deur, waarbij ze een versleten dekentje achter zich aan trok. 'Is die van jou?' Ze bleef staan en boog zich voorover om iets van de vloer te pakken. Ze hield het omhoog en ik zag het glanzen toen het licht dat onder de deur doorkwam erop viel.

'Ja,' zei ik zuchtend, en ik pakte mijn horloge aan.

De deur ging open, oranje licht vulde de kamer, dwong me mijn ogen dicht te doen, en toen hoorde ik hem weer dichtgaan en was ik alleen in het donker, terwijl de woorden van een vijfjarig meisje in mijn oren klonken.

Er proberen wel mensen weg te komen, maar dat lukt niet. Er is geen uitweg...

Dat was nog iets wat ik vreselijk vond van kinderen: ze zeiden altijd precies die dingen die je diep vanbinnen al wist, nooit zou toegeven en al helemaal niet wilde horen.

HOOFDSTUK 22

'Joseph is dus timmerman. Wat doe jij, Mary?' vroeg ik Helena, terwijl we over het stoffige dorpspaadje liepen.

Helena glimlachte.

We waren door het dorp gelopen en liepen er nu vandaan, waarbij we langs velden vol prachtige gouden en groene kleuren liepen, bezaaid met mensen van alle nationaliteiten. Ze werkten, vooroverbuigend en weer omhoog komend, op het land, en verbouwden van alles, ook dingen waar ik zelfs nog nooit van had gehoord. In het landschap stonden tientallen kassen, de dorpelingen grepen elke mogelijkheid aan om te verbouwen wat ze konden. Net als al die verschillende mensen was ook het weer hier in al zijn onstuimige, kenmerkende vormen aangekomen. Ik had in een paar dagen al brandende hitte, een onweersbui, een lentebriesje en winterkou meegemaakt, wisselend weer dat naar ik aannam de reden was voor de ongewone reeks planten, bomen, bloemen en gewassen die allemaal samen in dezelfde omgeving groeiden. Een uitleg voor de mensen had ik nog niet gevonden. Maar het leek alsof er hier geen regels voor de natuur waren. Vier seizoenen op een dag werden geaccepteerd, verwelkomd, en men paste zich eraan aan. Nu, terwijl we naast elkaar liepen, was het weer warm, en ik voelde me verfrist, omdat ik vannacht langer had geslapen dan ik sinds mijn jeugd had gedaan. Sinds Jenny-May.

'Sinds Jenny-May wát?' vroeg Gregory me altijd. 'Sinds ze verdwenen is?'

'Nee, sinds Jenny-May, punt,' antwoordde ik dan.

Die ochtend kwam ik iemand tegen die ik al twaalf jaar zocht. Helena had me voortgedreven, had mijn openhangende mond dichtgeduwd, en met haar vingers voor mijn uitpuilende ogen geknipt. Ik werd overweldigd door haar aanwezigheid, terwijl ik nooit werd overweldigd. Ik was met stomheid geslagen, terwijl ik nooit met stomheid geslagen was. Ik voelde me plotseling eenzaam, en ik was nooit eenzaam. Maar de laatste tijd was ik veel dingen die ik nooit eerder was geweest. Na zo lang zoeken was het bijna onmogelijk om zo sereen te blijven als Helena toen de mensen die ik in mijn dromen zag op klaarlichte dag voorbijkwamen.

'Rustig blijven,' had Helena meer dan eens in mijn oor gemompeld.

Robin Geraghty was de eerste van mijn spoken die voorbijkwam. We hadden in het 'eethuisje' gezeten, een prachtig houten gebouw met twee verdiepingen, met een balkon om alle vier de zijden van waaruit het zicht op het bos, de bergen en velden tot in perfectie werd getoond. Het was geen drukke kantine als op een werkplek, zoals ik me had voorgesteld, het was een heel mooi gebouw waarin de dorpelingen kwamen ontbijten, lunchen en dineren, een regeling die was ingesteld om het eten dat ze verzamelden en verbouwden te verdelen. Ik kwam erachter dat geld hier waardeloos was, zelfs wanneer er volle portemonnees werden gevonden. 'Waarom zou je geld uitgeven aan iets wat elke dag in overvloed aankomt?' had Helena bij wijze van uitleg gevraagd.

De ingang van het gebouw werd versierd door weelderig met de hand gemaakt houtsnijwerk, net als bij de burgerlijke stand. Vanwege de vele talen in het dorp, legde Helena uit, waren deze houtsnijwerken de meest productieve en aantrekkelijke manier om te laten zien waarvoor het gebouw werd gebruikt. Heel grote wijnstokken, wijn en brood versierden de voorkant, en ze zagen er zelfs in hun houten vorm zo heerlijk uit dat ik mijn hand langs de gladde rondingen van de druiven liet gaan.

Ik kwam net terug van het lopend buffet toen ik Robin zag, waardoor ik bijna mijn dienblad met donuts en frappuccino liet vallen.

(Er was blijkbaar een doos voedsel verdwenen uit een bezorgwagen van de Krispy Kreme, en die was tot mijn verrukking die ochtend net buiten het dorp aangekomen. Ik zag een bezorger voor me, met een klapbord in zijn hand, die het gescheld van een gestreste winkelmanager aanhoorde, terwijl hij verwonderd op zijn hoofd krabde en opnieuw de inhoud van zijn vrachtwagen telde, die op een drukke los- en laadplek voor een winkel in New York geparkeerd stond, terwijl ik, en een rij hongerige mensen achter me, op een verloren plek in de mand doken.) Toen Robin opdook, verbrandde ik me bijna, het was net alsof mijn frappuccino ook schrok, want hij begon iets te wankelen.

Robin Geraghty was verdwenen toen ze zes was. Ze was 's ochtends om elf uur naar buiten gegaan om in een buitenwijk in Noord-Dublin in de voortuin te gaan spelen, maar was weg toen haar moeder om vijf over elf keek waar ze was. Iedereen, en dan bedoel ik echt iedereen, de familie, het land, de gardaí, waar ik op dat moment werkte, dacht dat ze was ontvoerd door de buurman. De 55-jarige Dennis Fairman, een vreemde man, een eenling, sprak tot grote bezorgdheid van Robins ouders met niemand anders dan Robin, elke keer dat hij langskwam.

Hij zei dat hij het niet had gedaan. Hij had me bezworen dat hij het niet had gedaan, hij bleef maar herhalen dat ze zijn vriendinnetje was en dat hij haar geen pijn kon doen en had gedaan. Niemand geloofde hem, ík geloofde hem niet, maar we hadden geen bewijs dat hij schuldig was. We hadden niet eens een lichaam. De man werd zo gekweld door zijn buren, de media, de voortdurende ondervragingen door de politie dat hij een einde aan zijn leven maakte, wat voor de ouders en de rest van de mensen een teken was van zijn schuld. Dus toen de negentienjarige Robin langs me naar de tafel met eten liep, voelde ik me ziek.

Hoewel Robin was verdwenen toen ze zes was, wist ik dat ze het was op het ogenblik dat ik mijn uitpuilende ogen afwendde van de Krispy Kreme en haar voorbij zag lopen. Elke paar jaar werd er een door de computer gegenereerde afbeelding van haar geüpdatet en openbaar gemaakt. Die had ik in mijn geheugen opgeslagen, en me elke keer als ik bekende gezichten tegenkwam voor de geest gehaald. En dat gezicht kwam plotseling naar me toe. De computerafbeelding had er niet ver naast gezeten, hoewel haar gezicht voller was, haar haar donkerder, ze met haar heupen zwaaide en haar ogen wel dezelfde kleur hadden, maar veel wijzer keken door alles wat ze had gezien en meegemaakt. Al die dingen die je niet in een tekening kon vangen. Maar ze was het echt.

Ik kreeg mijn ontbijt niet meer naar binnen; in plaats daarvan zat ik in een waas met Helena's gezin aan tafel, terwijl Wanda me bestudeerde en elke beweging nadeed. Ik negeerde haar en haar voortdurende gebabbel over iemand die Bobby heette, en kon mezelf er niet van weerhouden naar Robin te kijken, terwijl ik erachter probeerde te komen hoe ik me voelde nu ik die vrouw het leven zag leiden dat ze de afgelopen twaalf jaar had geleid. Ik had gemengde gevoelens, mijn geluk was bitterzoet, omdat het, hoewel alle mensen die ik zo graag wilde vinden om me heen waren, ook het ogenblik was dat ik besefte dat ik een heel groot deel van mijn leven op de verkeerde plekken had gezocht. Het is dat ogenblik waarop je je idool ontmoet, waarop al je dromen uitkomen; dan ben je stiekem teleurgesteld.

Helena en ik bleven staan bij een onbewerkt kleurig veld vol met heldergele klaverzuring, blauwe en zachtpaarse vleugeltjesbloem, madeliefjes, paardenbloemen en lange grassen. De zoete geur herinnerde me aan de laatste paar ademteugen die ik in Glin had genomen.

'Wat ligt er verderop?' Ik zag nog meer gebouwen die achter een bosje zilverkleurige berken stonden, het eikenhout stak af tegen de afschilferende, papierachtige zwarte en witte schors van de stammen.

'Dat is nog een dorp,' legde Helena uit. 'Er komen elke dag zo veel nieuwe mensen aan dat we met geen mogelijkheid allemaal in dit dorpje passen. En er zijn ook zo veel culturen dat het ook niet zou lukken om in een omgeving als deze samen te wonen. Hun huizen staan daar.' Ze knikte naar de veraf gelegen bomen en bergen.

Dat was nog niet eens in me opgekomen. 'Dus daar zijn nog meer mensen die ik heb gezocht?'

'Misschien wel,' zei ze instemmend. 'Zij zullen ook wel een burgerlijke stand hebben, net als wij, dus alle namen zullen wel worden bijgehouden, hoewel ik niet zeker weet of ze die informatie wel zullen vrijgeven, omdat die als privé wordt beschouwd, behalve wanneer zich een noodgeval voordoet. Hopelijk hoeven we hen niet te gaan zoeken. Ze zullen jou wel vinden.'

Ik glimlachte bij die tegenstrijdigheid. 'Wat voor plan ben je precies aan het uitbroeden?'

'Nou,' zei ze glimlachend, en haar ogen sprankelden ondeugend, 'dankzij de lijst die je me hebt gegeven, is Joan nu boekingen aan het verzorgen voor privéaudities voor een nieuw Iers stuk over ongeveer,' ze tilde mijn hand op en keek op mijn horloge, 'twee uur.'

Ik was bang om nog meer mensen zoals Robin tegen te komen, maar ik moest lachen om Helena's plan. 'Er moet toch een makkelijkere manier zijn om dit te doen.'

'Natuurlijk.' Helena wierp haar felgele pashmina over haar rechterschouder. 'Maar dit is veel leuker.'

'Waarom denk je dat er mensen van mijn lijst naar die audities zullen komen?'

'Meen je dat nou?' Ze keek verrast. 'Heb je Bernard en Joan niet gezien? De meeste mensen hier doen graag mee aan activiteiten, vooral als die door mensen van thuis worden georganiseerd.'

'Wordt de niet-Ierse gemeenschap dan niet jaloers?' vroeg ik, half als grapje. 'Ik wil niet dat ze denken dat ik hen uitsluit van mijn grootste productie.'

'Nee, hoor,' zei Helena lachend, 'iedereen zal om ons komen lachen als het showtime is.'

'Showtime? We gaan dus echt een toneelstuk opvoeren?' Ik sperde mijn ogen open.

'Natuurlijk!' zei Helena lachend. 'We gaan geen twintig mensen naar een auditie halen om hun dan te vertellen dat er helemaal geen toneelstuk is, maar we moeten nog besluiten welk toneelstuk we precies gaan doen.'

Mijn hoofdpijn kwam terug. 'Zodra ik vandaag met hen ga praten, beseffen ze toch dat de kans dat ik een castingbureau heb even groot is als Bernards kans om een hoofdrol te krijgen?'

Helena lachte weer. 'Maak je maar geen zorgen, ze zullen niet achterdochtig zijn, en zelfs als ze dat wel zijn maakt dat hun niet uit. Mensen hebben de neiging zich hier opnieuw uit te vinden, ze gebruiken deze ervaring als een tweede kans in het leven. Als je thuis geen castingbureau had, dan hoeft dat niet te betekenen dat je dat hier ook niet hebt. Hoe langer je hier bent, hoe beter je zult zien dat er tussen iedereen een heel goede sfeer heerst.'

Dat had ik al gemerkt. De sfeer was ontspannen, mensen waren vredig en voerden hun dagelijkse taken efficiënt uit, maar zonder zich te haasten of in paniek te raken. Er was ruimte om te ademen, na te denken, tijd die verstandig werd doorgebracht en er waren lessen te leren. Mensen die eenmaal verdwenen waren, namen de tijd om dingen te overwegen, elkaar lief te hebben, mensen te missen en zich van alles te herinneren. Het was belangrijk om ergens bij te horen, ook als je daarvoor een hopeloos toneelstuk moest opvoeren.

'Zal Joseph het niet vervelend vinden dat hij niet kan meedoen?'

'Ik denk dat hij daar niet in het minst mee zit,' zei Helena.

'Komt Joseph uit Kenia?'

'Ja.' We wandelden naar het dorp. 'Van de kust in Watamu.'

'Hoe noemde hij me gisteren?'

De uitdrukking op Helena's gezicht veranderde, en ik zag dat ze deed alsof ze het niet wist. 'Wat bedoel je?'

'Kom op, Helena. Ik zag je gezicht toen hij me zo noemde. Je was verbaasd. Ik herinner me het woord niet, kalla... kappa nog iets, wat betekent dat?'

Ze rimpelde haar voorhoofd in voorgewende verwarring. 'Sorry, Sandy, ik heb geen idee. Ik kan het me eerlijk waar niet herinneren.'

Ik geloofde haar niet. 'Heb je hem verteld wat voor werk ik doe?'

Haar gezicht veranderde en nam diezelfde geïntrigeerde blik aan als gisteren. 'Nu weet hij het natuurlijk, maar toen niet.'

'Wanneer niet?'

'Toen hij je ontmoette.'

'Natuurlijk niet. Ik had niet verwacht dat hij helderziend was, ik wilde gewoon weten wat hij zei.' Uit frustratie bleef ik staan. 'Helena, wees alsjeblieft eerlijk tegen me. Ik kan niet tegen raadsels.'

Haar gezicht liep rood aan. 'Dat moet je hem zelf vragen, Sandy, want ik weet het niet. Wat het ook was, hij moet het hebben gezegd in het Kiswahili, en daar ben ik absoluut geen expert in.'

Ik was ervan overtuigd dat ze loog, dus liepen we in stilte door. Ik keek weer op mijn horloge, bang dat ik binnenkort boodschappen van familieleden van thuis zou ontvangen. Boodschappen die ze elke nacht in hun gebeden omhoog stuurden, en die hier landden en werden uitgesproken. Wat ik de vorige dag tegen Helena had gezegd, was waar: ik was echt geen mensenmens, dat ik mensen wilde zoeken betekende niet dat ik tijd met hen wilde doorbrengen. Ik vroeg me af waar Jenny-May naartoe was gegaan, maar ik wilde er niet ook naartoe, noch wilde ik dat ze zou terugkomen.

Helena pikte zoals gewoonlijk op haar intuïtieve wijze mijn gevoelens op. 'Het was leuk dat ik ten langen leste Joseph iets over mijn familie kon vertellen,' zei ze vriendelijk. 'We hebben over hen gepraat tot mijn ogen dichtvielen en ik heb over hen gedroomd totdat de zon opkwam. Ik heb over mijn moeder en haar organisatie gedroomd, over mijn vader en zijn zoektocht naar mij.' Ze sloot haar ogen. 'Ik werd hier vanmorgen wakker, en wist bijna niet waar ik was, nadat ik in mijn dromen uren had doorgebracht op de plek waar ik ben opgegroeid.'

'Sorry als ik je van streek heb gemaakt,' verontschuldigde ik me. 'Ik weet niet precies hoe ik mensen moet vertellen wat hun familie zou willen dat ik zou zeggen.' Ik speelde met het horloge om mijn pols terwijl we doorliepen, en ik wilde de tijd die maar doorliep terugdraaien.

Helena's ogen gingen weer open en ik zag de tranen op haar onderste wimpers liggen, gevormd uit een onzichtbaar reservoir. 'Denk niet zo over jezelf, Sandy. Ik was getroost door jouw woorden – hoe had het ook anders kunnen zijn?' Haar gezicht werd vrolijker. 'Ik werd wakker met het besef dat ik nog een moeder had die aan me dacht. Vandaag voel ik me beschermd, alsof ik in een onzichtbare deken ben gewikkeld. Weet je, jij bent niet de enige wier levenslange vragen zijn beantwoord. Ik heb nu foto's in mijn gedachten die ik nooit eerder heb gehad. Er is een hele catalogus gevuld en opgeborgen, allemaal in één nacht.'

Ik knikte slechts. Er was niets te zeggen.

'Het zal wel goed gaan met die mensen, ik weet zeker dat het meer dan goed zal gaan. Over hoeveel tijd komen de mensen op de lijst die je hebt gekregen aan?'

'Anderhalf uur.'

'Juist, over negentig minuten zijn ze hier allemaal met de bedoeling om eens een keer Romeo te roepen vanaf een balkon, of *The Great Escape* na te spelen in mime.'

Ik lachte.

'Alles wat je hun kunt vertellen is extra, ongeacht hoe je het verwoordt.'

'Dank je wel, Helena.'

'Graag gedaan.' Ze klopte geruststellend op mijn arm en ik probeerde niet te verstijven.

Ik keek naar mijn kleren. 'Er is alleen nog een probleem. Ik draag dit trainingspak nu al dagen en ik zou heel graag andere kleren aantrekken. Kan ik iets van je lenen?'

'Maak je daar maar geen zorgen over,' zei Helena, terwijl ze in de richting van de bomen liep. 'Wacht hier maar even, ik ben zo terug.'

'Waar ga je naartoe?'

'Even wachten...' Haar stem verdween, samen met haar peper-en-zoutkleurige haar en wapperende gele pashmina, in het donker.

Ik tikte ongeduldig met mijn voet op de grond, me afvragend en me zorgen makend over waar ze naartoe was gegaan. Ik kon Helena nu niet kwijtraken. Voor me zag ik hoe de rijzige gestalte van Joseph het bos uit kwam, met hout in zijn ene hand en een bijl in de andere.

'Joseph!' riep ik.

Hij keek op en zwaaide met de bijl, een beweging die niet echt hartelijk overkwam, en kwam naar me toe. Zijn kale hoofd glansde als gepolijst marmer, door zijn smetteloze huid leek hij jaren jonger dan hij was.

'Is alles in orde?' vroeg hij bezorgd.

'Ja, ik denk het wel. Nou ja, ik weet het niet,' voegde ik er verward aan toe. 'Helena is net het bos in verdwenen en...'

'Wat?' Zijn blik versomberde.

'Ik bedoel niet *verdwenen*.' Ik besefte mijn fout. 'Ze *liep* een paar minuten geleden het bos in.' Het was onmogelijk om van hier te verdwijnen, dus het was logisch dat Joseph was geschrokken. 'Ze zei tegen me dat ik hier op haar moest wachten.'

Hij zette de bijl neer en keek het bos in. 'Ze komt wel weer terug, kipepeomeisje.' Zijn stem was vriendelijk.

'Wat betekent dat?'

'Dat ze hier weer naartoe komt,' zei hij glimlachend.

'Niet dat – wat betekent dat Keniaanse woord?'

'Dat is wat jij bent,' zei hij lijzig, terwijl hij zijn ogen niet van de bomen afwendde.

'En dat is?'

Voordat hij een kans had de vraag te beantwoorden, verscheen Helena weer, die iets wat op bagage leek achter haar aan sleepte. 'Ik heb dit voor je gevonden. O, hoi schat. Ik dacht al dat ik je bomen hoorde omhakken. Op de tas staat Barbara Langley uit Ohio. Ik hoop voor je dat Barbara uit Ohio lange benen heeft.' Ze liet de tas aan mijn voeten vallen en klopte haar handen af.

'Wat is dit?' vroeg ik met open mond, terwijl ik het bagagelabel op het handvat bekeek. 'Dit had meer dan twintig jaar geleden naar New York gemoeten.'

'Mooi, dan zul je er prachtig retro uitzien,' zei Helena grappend.

'Ik kan toch niet iemand anders' kleren dragen?' protesteerde ik.

'Waarom niet? Je wilde de mijne toch ook dragen?' zei Helena lachend.

'Maar jou ken ik!'

'Ja, maar je kent degene die ze droeg voordat ik ze had ook niet,' zei ze plagend, terwijl ze voor me uit liep. 'Kom op, hoeveel tijd hebben we nog? We gaan nu naar de audities,' legde ze uit aan Joseph, die ernstig knikte en zijn bijl weer oppakte.

Ik keek op mijn pols. Mijn horloge was weg.

'Verdorie,' bromde ik, en ik liet de tas weer op de grond vallen en tuurde naar de grond om mijn benen heen.

'Wat is er?' Helena en Joseph stopten en draaiden zich om.

'Mijn horloge is weer van mijn pols gevallen,' gromde ik, en ik bleef de grond uitkammen.

'Weer?'

'De sluiting is kapot. Soms gaat hij gewoon los en valt op de grond.' Mijn stem klonk gedempt toen ik me op mijn knieën liet zakken om het beter te kunnen zien.

'Je droeg het net nog, dus het kan niet ver weg zijn. Til die tas eens op,' zei Helena kalm.

Ik keek onder de tas.

'Dat is raar.' Helena kwam naar me toe en boog zich voorover om beter op de grond te kunnen kijken. 'Ben je nog ergens naartoe gegaan toen ik tussen de bomen ging zoeken?'

'Nee, nergens. Ik stond precies hier te wachten, met Joseph.' Ik begon over de stoffige grond te kruipen.

'Het kan niet weg zijn,' zei Helena, niet in het minst bezorgd over de situatie. 'We vinden het wel, dat doen we altijd hier.'

We stonden allemaal stil terwijl we het gebiedje rondkeken waar ik me al meer dan vijf minuten bevond. Het kon nergens anders zijn gevallen. Ik schudde mijn mouwen uit, leegde mijn zakken en controleerde de tas om te zien of het horloge er in verward was geraakt. Niets, nergens een teken van te bespeuren.

'Waar is het in vredesnaam naartoe gerold?' mompelde Helena, terwijl ze de grond onderzocht.

Joseph, die amper een woord had gezegd sinds hij bij ons was komen staan, stond stil op de plek waar hij de hele tijd al stond. Zijn ogen, zwart als kool, leken al het licht om hem heen te hebben geabsorbeerd. Ze waren de hele tijd op mij gericht.

Kijkend.

HOOFDSTUK 23

Het halfuur daarna zocht ik op de weg naar mijn horloge, waarbij ik mijn gangen op mijn gewoonlijke obsessieve manier steeds weer naging. Ik kamde het lange gras aan de randen van de onbewerkte velden uit en groef diep met mijn handen in de modder aan de rand van het bos. Het horloge was nergens te vinden, maar dit stelde me op een vreemde manier gerust. Mijn geest wiste onmiddellijk uit waar ik was en wat er allemaal was gebeurd, en die paar ogenblikken was het weer ik met maar één doel. Zoeken. Als tienjarige bleef ik naar een steentje zoeken alsof het de zeldzaamste diamant ter wereld was, maar dit was anders; het horloge was veel meer waard.

Joseph en Helena keken bezorgd toe terwijl ik het gras doorwoelde en graszoden los ploegde, om het kostbare sieraad dat dertien jaar om mijn pols had gehangen terug te vinden. Dat het een veel te groot deel van die tijd niet in staat was te blijven waar het was, strookte aardig met de inconsistentie van de relatie met degene die het aan me had gegeven. Maar al die keren dat het zich aan mijn greep ontworstelde en eraf viel, in de tegenovergestelde richting getrokken van waar ik naartoe ging, ging ik er naar zoeken en wilde er dichtbij zijn. Wederom precies als de relatie.

Helena en Joseph deden niet alsof, zoals mijn ouders deden wanneer ik weer eens op jacht ging. Ze keken bezorgd en daar hadden ze ook gelijk in, want voor mensen die zeiden dat er op deze plek nooit iets kon wegraken en dat dat ook nooit was gebeurd, was het natuurlijk moeilijk om hun woorden in te slikken. Dat is tenminste wat de geobsedeerde kant van mij dacht. Mijn rationele kant dacht dat de meer voor de hand liggende reden voor hun bezorgdheid ikzelf geweest zal zijn, op handen en voeten, overdekt met stof, vuil, grasvlekken en modder.

'Ik vind dat je moet ophouden met zoeken,' zei Helena, met een enigszins geamuseerde blik. 'Er zitten een heleboel mensen op je te wachten in de gemeenschapsruimte, en dan hebben we het er nog niet over dat je nu ook nog moet douchen en andere kleren aantrekken.'

'Ze kunnen wel wachten,' zei ik, terwijl ik me een weg door het gras klauwde, en voelde hoe het vuil zich ophoopte onder mijn vingernagels.

'Ze hebben lang genoeg gewacht,' zei Helena hard, 'en eerlijk gezegd jij ook. Hou eens op het onvermijdelijke te ontlopen en ga nu met me mee.'

Ik hield op met klauwen. Daar was het woord dat ik zo vaak uit Gregory's mond had gehoord. 'Ontlopen'. *Hou eens op dingen te ontlopen, Sandy...* Was dat wat ik deed? Ik had nooit begrepen hoe ik dingen kon ontlopen door me volledig op één ding te concentreren en te weigeren het achter te laten. Ontlopen hield toch zeker in de andere kant op lopen? Het waren mensen als Gregory, mijn ouders en nu Helena en Joseph die het feit probeerden te ontlopen dat er iets was kwijtgeraakt en niet terug te vinden was. Ik keek op naar Helena, die naast Josephs enorme lijf net een poppetje leek. 'Ik moet dat horloge echt vinden.'

'Je zult het ook vinden,' zei ze, zo makkelijk dat ik haar geloofde. 'Dingen komen hier altijd terug. Joseph zei dat hij een oogje voor je in het zeil zou houden, en misschien weet Bobby wel iets.'

'Wie is toch die Bobby waar iedereen het altijd over heeft?' vroeg ik, terwijl ik weer ging staan.

'Hij werkt in de winkel met gevonden voorwerpen,' legde Helena uit terwijl ze me de bagage aangaf die ik midden op de weg had laten staan.

'Gevonden voorwerpen,' zei ik lachend terwijl ik met mijn hoofd schudde.

'Ik ben verbaasd dat jij niet achter de ramen terecht bent gekomen,' zei Helena vriendelijk.

'Dat is Amsterdam waar je aan denkt,' zei ik glimlachend.

Ze fronste haar voorhoofd. 'Amsterdam? Waar heb je het over?'

Ik stofte mezelf af en liet de plek van de zoektocht achter me. 'Helena, wat moet jij nog veel leren.'

'Dat is geweldig advies, afkomstig van iemand die het afgelopen halfuur op handen en voeten door de modder heeft gekropen.'

We lieten Joseph midden op de weg staan, met zijn handen op zijn heupen, houtblokken en bijl bij zijn voeten, het stoffige pad afturend.

Ik kwam aan in de gemeenschapszaal, gekleed als Barbara Langley uit Ohio. Het bleek dat haar benen verre van lang waren, en ze had een voorliefde voor minirokjes en leggings die ik niet durfde aan te trekken. De andere spullen die ze helaas tijdens haar trip naar New York niet had kunnen dragen, waren een gestreepte sweater met schoudervullingen die tot aan mijn oorlellen reikten en jacks overdekt met badges vol vredestekens, yin yang-tekens, gele smileys en Amerikaanse vlaggen. Ik had de jaren tachtig de eerste keer al vreselijk gevonden, ik was niet van plan ze opnieuw te beleven.

Helena moest lachen toen ze me in een superstrakke stonewashed spijkerbroek zag die boven mijn enkels ophield, witte sokken, mijn eigen sportschoenen, en een zwart T-shirt met een gele smiley.

'Denk je dat Barbara Langley in *The Breakfast Club* speelde?' vroeg ik, terwijl ik de badkamer uit sjokte als een kind dat gedwongen was haar speelkleren uit te trekken en een jurkje met een maillot aan te trekken voor een zondags diner met heel veel groene groenten.

Helena keek verward. 'Ik heb geen idee waar ze speelde, hoewel ik hier wel anderen met dat soort kleren zie.'

Uiteindelijk deed ik waarvan ik zeker was geweest dat ik dat nooit zou doen: ik pakte iets mooiere kleren die langs de weg lagen terwijl we naar het dorp liepen.

'Erna kunnen we naar Bobby gaan,' had Helena geprobeerd me op te vrolijken. 'Hij heeft een enorme voorraad kleding om uit te kiezen, of anders zijn er ook nog wel kleermakers.'

'Ik haal wel wat tweedehands kleren,' zei ik. 'Ik ben hier toch niet meer als ze een garderobe voor me af hebben.'

Tot mijn grote irritatie snoof ze toen ze dat hoorde.

De gemeenschapszaal was een prachtig eiken gebouw met een grote ingang met dubbele deuren, net als de andere. Ze waren bewerkt met meer dan levensgroot houtsnijwerk van mensen die samenkwamen, elkaars hand vasthielden en wier armen en schouders elkaar aanraakten, terwijl hun haar en kleding in een bries wapperden die in de houten muren en deuren was gevangen. Helena duwde de vier meter hoge deuren open en de menigte week voor ons uiteen.

Aan het andere eind van de twaalf meter lange hal bevond zich een podium. Aan drie kanten eromheen stonden rijen massief eiken stoelen, en op een galerij eveneens. Een rood fluwelen gordijn werd aan beide zijden opengehouden door een dik, goudkleurig koord. Langs de hele lengte van de achtermuur op het podium hing een doek met zwarte handafdrukken in verf. Ze hadden allemaal een andere grootte, en gaven leeftijden weer van baby's tot ouderen, in een rij van minstens honderd in de lengte en honderd in de breedte. Erboven stonden in veel talen een paar woorden geschreven, en ik las: 'Kracht en hoop'. Het kwam me erg bekend voor.

'Hierop staan de handafdrukken van iedereen die hier de afgelopen drie jaar is komen wonen. Elk dorp heeft hetzelfde in zijn gemeenschapszaal. Het is nu ons wapen voor hier.'

'Ik herken het,' zei ik, hardop denkend.

'Nee hoor, dat kan niet.' Helena schudde haar hoofd. 'De gemeenschapszaal is de enige plek in het dorp waar dit hangt.'

'Nee, ik herken het van thuis. Op het terrein van Kilkenny Castle bevindt zich een nationaal monument dat hier precies op lijkt. Elke handafdruk is afkomstig van de hand van een verwante van een vermist persoon. Ernaast ligt een steen met de inscriptie...' Ik sloot mijn ogen en citeerde de inscriptie waar ik zo vaak met mijn vinger overheen was gegaan. '"Deze sculptuur en dit stiltegebied zijn opgedragen aan alle vermisten. Mogen alle verwanten en vrienden die dit bezoeken blijvende kracht en hoop vinden." De handafdruk van je moeder staat er ook op.'

Helena hield haar adem in, terwijl ze mijn gezicht bestudeerde en wachtte tot ik zou zeggen dat ik een grapje maakte. Dat deed ik niet en ze ademde langzaam uit.

'Tjee, ik weet niet wat ik moet zeggen.' Haar stem trilde en ze draaide zich om en keek naar het doek. 'Joseph dacht dat het een aardig idee was als iedereen dat deed.' Ze schudde ongelovig haar hoofd. 'Wacht maar totdat hij hoort wat je me hebt verteld.'

'Wauw,' zei ik, terwijl ik rondkeek naar de rest van het gebouw. Het was eerder een theater dan een gemeenschapszaal.

'Hier kunnen 2500 mensen in,' legde Helena uit, terwijl ze dat wat ik haar had verteld van zich afschudde, hoewel ze er, begrijpelijk, wel wat afgeleid uitzag. 'De stoelen worden weggehaald als er meer mensen in moeten, maar het komt maar zelden voor dat de hele gemeenschap tegelijk komt. Het wordt gebruikt voor van alles en nog wat, er wordt hier gestemd, het is een discussieplek voor de gekozen raad en de gemeenschap, een kunstgalerie, een plek voor debatten en zelfs een theater voor de zeldzame gelegenheden dat er een toneelstuk wordt opgevoerd. De lijst is eindeloos.'

'Wie zitten er in de gekozen raad?'

'Een vertegenwoordiger van elke natie in het dorp. We hebben alleen in ons dorp al meer dan honderd nationaliteiten en elk dorp heeft zijn eigen raad. Er zijn tientallen dorpen.'

'En wat gebeurt er tijdens raadsbijeenkomsten?' vroeg ik geamuseerd.

'Hetzelfde als in de rest van de wereld: alles wat besproken moet worden en waarover beslist moet worden, wordt besproken en beslist.'

'En hoe zit het met de misdaad?'

'Die komt bijna niet voor.'

'Hoe blijft dat zo? Op weg hiernaartoe heb ik de sterke arm niet over straat zien patrouilleren. Hoe blijft iedereen op het rechte pad?'

'Er is al honderden jaren een rechtssysteem. We hebben een rechtbank, een rehabilitatie-instelling en een veiligheidsraad, maar het is niet altijd makkelijk om elke natie dezelfde regels te laten volgen. In elk geval moedigt de raad praten en debatteren aan.'

'Dus dit is het huis der wijze mannen. Hebben ze ook daadwerkelijk macht?'

'De macht die we hun hebben toegekend. In het informatiepakket dat iedereen bij aankomst krijgt, zit dit.' Helena pakte een pamflet uit een houder aan de muur. 'Jij zult er ook een aantreffen, als je de moeite neemt je papieren door te kijken. Dat zijn de richtlijnen voor het stemmen.'

Ik las hardop voor van het pamflet: '"Stem op diegenen die in staat zijn te luisteren en namens de mensen beslissingen te nemen die eensgezindheid en het welzijn van iedereen weergeven."' Ik moest lachen. 'Wat wordt er nog meer voorgeschreven: twee benen goed, vier poten verkeerd?'

'Het is de basis van goed leiderschap.'

'En, heeft dit pamflet over hoe je een leider moet kiezen het gewenste effect?' zei ik, besmuikt lachend.

'Dat lijkt me wel.' Ze liep naar Joan toe, die aan de andere kant van de zaal stond. 'Aangezien Joseph in de raad zit.'

Mijn mond viel open terwijl ik toekeek hoe ze de zaal doorkruiste. 'Joseph?'

'Je ziet er verbaasd uit.'

'Ja, nou, ik ben ook verbaasd. Hij lijkt zo...' Ik zocht naar een juiste manier om het uit te leggen, zonder haar te beledigen. 'Het is een timmerman,' besloot ik uiteindelijk.

'De mensen in de raad zijn gewone mensen, met een gewone baan. Hij wordt alleen opgeroepen om beslissingen te verwoorden wanneer dat nodig is.'

Ik kon niet ophouden met glimlachen. 'Ik krijg gewoon het gevoel dat alles hier een beetje "vadertje en moedertje spelen" is, snap je? Het is moeilijk serieus te nemen,' zei ik lachend. 'Kom op. Ik bedoel, we zitten midden in niemandsland en er zijn raden en rechtbanken en wie weet wat nog meer.'

'Vind je dat grappig?'

'Ja! Overal waar ik kijk zijn mensen verkleed in andermans kleren. Hoe kan deze plek, waar die zich dan ook bevindt,' benadrukte ik, 'nou orde of regels hebben? Het bestaan ervan is volslagen onlogisch. Er is helemaal niets praktisch aan.'

Helena leek eerst beledigd, maar werd toen meelevend, waar ik een hekel aan heb. 'Dit is het leven, Sandy, het echte leven. Vroeg of laat zul je erachter komen dat niemand hier een spelletje speelt. We gaan allemaal gewoon door met ons leven en doen wat we kunnen om het zo normaal mogelijk te maken, net als iedereen, in elk ander land, in elke andere wereld.' Ze sprak Joan aan. 'Hoe staat het met Sandy's lijst?' vroeg ze, waarmee ze ons gesprek beëindigde.

Joan keek verbaasd op. 'O, hoi. Ik hoorde jullie niet aankomen. Je ziet er,' ze bekeek mijn jarentachtig-outfit geringschattend, 'anders uit.'

'Heb je iedereen op de lijst kunnen bereiken?' vroeg ik, haar misprijzende blik negerend.

'Nee, niet iedereen,' zei ze, op haar papier kijkend.

'Laat me eens kijken.' Ik pakte haar kladblok, mijn lichaam werd overspoeld door een plotselinge toevloed van adrenaline. Ik bekeek de lijst met dertig namen die ik haar had gegeven: naast minder dan de helft stond een vinkje. Joan bleef doorpraten terwijl ik zo snel de namen doorlas dat ik amper in staat was ze in me op te nemen. Mijn hart bonsde wild en sloeg een slag over, elke keer wanneer mijn oog op een naam viel en ik besefte dat diegene levend en wel was, en dat we elkaar al snel zouden ontmoeten.

'Zoals ik al zei,' zei Joan, boos dat ik op haar verhaal vooruitgelopen was, 'ik had niets aan Terence van de burgerlijke stand, omdat hij geen informatie kon verstrekken tenzij iemand van de raad een verzoek indiende of er een andere officiële reden was.' Ze keek Helena behoedzaam aan. 'Dus ik moest in het dorp gaan rondvragen. Maar het zal je plezieren, Sandy, dat de Ierse gemeenschap hier zo klein is dat iedereen elkaar toch wel kent.'

'Ga door,' spoorde Helena haar aan.

'Nou, ik heb met best veel mensen contact gehad, twaalf in totaal,' ging ze verder. 'Acht wilden graag auditie doen, de andere vier zeiden dat ze wel wilden deelnemen aan de productie, maar zeker niet op het podium. Maar ik heb niets kunnen vinden over...' Ze zette haar bril op en sloeg het blad om.

'Jenny-May Butler,' maakte ik de zin voor haar af, terwijl mijn hart richting mijn maag viel.

Helena keek me aan, en het was duidelijk dat ze de naam herkende van het moment waarop ik flauwgevallen was.

'Bobby Stanley,' las ik, terwijl mijn hoop verdween. Ik ging door: 'James Moore, Clare Steenson...' De lijst met onvindbare mensen ging maar door.

'Als ze niet hier zijn, hoeft dat niet te betekenen dat ze niet een dorpje verderop zitten,' probeerde Joan me gerust te stellen.

'Hoe groot is de kans daarop?' vroeg ik, terwijl ik me weer hoopvol voelde.

'Ik zal niet tegen je liegen, Sandy. De meerderheid van de Ieren woont in dit dorp,' legde Helena uit. 'Er komen elk jaar vijf tot vijftien mensen aan, en omdat we met zo weinig zijn blijven we bij elkaar.'

'Dus Jenny-May Butler moet hier zijn,' zei ik heftig. 'Dat moet gewoon.'

'En de anderen op die lijst dan?' vroeg Joan zachtjes.

Vluchtig keek ik de lijst door, Clare en Peter, Stephanie en Simon... Ik had tot 's avonds laat bij hun familieleden gezeten, door fotoalbums gekeken en tranen afgeveegd, die waren opgeweld door de belofte dat ik hun kind, broer, zus of vriend zou vinden. Als ze hier niet waren, dan kon ik alleen maar het ergste vrezen.

'Maar Jenny-May...' Ik begon in de feiten van de zaak te graven, die ik mijn hersens had opgeslagen. 'Er was niemand anders. Niemand heeft iets of iemand gezien.'

Joan keek verward, Helena verdrietig.

'Ze moet hier zijn. Tenzij ze zich verstopt, of in een ander land is, ik heb nog niet in het buitenland gezocht,' ratelde ik door tegen mezelf.

'Oké, Sandy, waarom ga je niet even zitten? Volgens mij ben je op,' onderbrak Helena me.

'Nee hoor.' Ik sloeg haar hand weg. 'Nee, ze verstopt zich niet en ze kan niet in het buitenland zijn. Ze is nu even oud als ik.' Ik keek naar Joan en toen was alles duidelijk. 'Je moet Jenny-May Butler vinden, zeg tegen iedereen dat ze even oud is als ik. Ze is vierendertig. Ze is hier al sinds haar tiende, dat weet ik zeker.'

Joan knikte snel, bijna bang om nee te zeggen. Helena stak haar handen naar me uit, bang om me aan te raken, maar ook bang om weg te lopen. Ik zag de gezichten van de twee vrouwen terwijl ze me aankeken. Bezorgd. Snel ging ik zitten en nam ik een paar slokken uit een glas water dat Helena me in mijn handen had geduwd.

'Gaat het wel met haar?' hoorde ik Joan aan Helena vragen terwijl ze wegliepen.

'Ja hoor,' zei Helena rustig. 'Maar ze wilde Jenny-May zo graag voor het toneelstuk. We moeten echt ons best doen om haar te vinden, oké?'

'Volgens mij is ze hier niet,' fluisterde Joan.

'Laten we toch maar gaan zoeken.'

'Mag ik vragen waarom ik die lijst heb gekregen met dertig mensen die ik moest vinden? Hoe weet Sandy dat ze kunnen acteren? Toen ik met hen in contact kwam, waren ze allemaal heel verbaasd. De meesten van hen hebben zelfs nog nooit aan amateurtoneel gedaan. En al die anderen die willen meedoen dan? Die mogen toch wel nog steeds auditie doen?'

'Natuurlijk mag iedereen auditie doen,' wuifde Helena haar weg. 'Maar de mensen op die lijst waren bijzonder, dat is alles.'

Van de tweeduizend mensen die elk jaar in Ierland als vermist worden opgegeven, zullen er tussen de vijf en vijftien nooit worden gevonden. De dertig mensen die ik had uitgekozen waren degenen die ik mijn hele arbeidzame leven geobsedeerd had geprobeerd te vinden. Anderen had ik wel gevonden, bij weer anderen kon ik het zoeken opgeven, omdat ik wist dat er iets duisters aan de hand was, dat hun helaas iets ergs was overkomen of dat ze uit zichzelf waren weggelopen. Maar de dertig op de lijst – dat waren degenen die zonder spoor en reden waren verdwenen. Dat waren de dertig die me achtervolgden, de dertig zonder plek van een misdaad om te onderzoeken of getuigen om te ondervragen.

Ik dacht aan al hun familieleden en dat ik hun had beloofd dat ik hun geliefden zou vinden. Ik dacht aan Jack Ruttle, wie ik de afgelopen week nog die belofte had gedaan. Ik dacht eraan dat ik niet was komen opdagen bij onze afspraak in Glin en dat ik weer eens een keer had gefaald.

Want volgens de lijst was Donal Ruttle niet hier.

HOOFDSTUK 24

Op dinsdagochtend, twee dagen na de ochtend waarop Sandy niet was komen opdagen, stapte Jack, die nog niet zo lang weer thuis was met Sandy's dossier over Donal, naar buiten in de frisse ochtendlucht van juli en deed de deur van de cottage stilletjes achter zich dicht. Door het hele stadje werden er voorbereidingen getroffen voor het komende Irish Coffee Zomerfestival. Er werden spandoeken naast telefoonpalen neergelegd, klaar om opgehangen te worden, en de klep van een vrachtwagen was neergelaten als een geïmproviseerd podium voor buitenoptredens van een jazzband. Nu was het echter rustig in het stadje, iedereen lag nog comfortabel in bed van andere werelden te dromen. Jack startte zijn motor, het geluid op het stille plein was hard genoeg om het hele stadje wakker te maken, en reed naar de stad Limerick waar hij hopelijk bij Donals vriend Andy thuis Sandy zou treffen. Ook wilde hij een bezoek brengen aan zijn zus Judith.

Met Judith was hij van al zijn broers en zussen het meest close. Ze was getrouwd en had vijf kinderen, en vanaf het moment dat ze gillend en trappelend ter wereld kwam was ze al een moedertje geweest. Ze was acht jaar ouder dan Jack, en ze had haar vaardigheden qua gehoorzaamheidstraining en koesteren op elke pop en ieder kind dat in de buurt woonde geoefend. Er werd vaak grappend gezegd dat er geen pop in de stad was die niet rechtop zat en zijn mond hield als Judith in de buurt was. Zodra Jack was geboren, richtte ze haar aandacht op hem, een echte baby over wie ze kon moederen en die ze vaak smoorde, vanaf zijn geboorte tot nu. Ze was degene naar wie hij toeging voor advies en ze maakte tussen het kinderen naar school brengen, luiers verwisselen en borstvoeding geven door altijd tijd om naar hem te luisteren.

Toen hij voor haar rijtjeshuis parkeerde, ging de voordeur open en zweefde er een ijselijk gegil naar buiten, dat bijna zijn haar door de war blies.

'Paaaa-paaaa,' klonk er.

De vader van degene van wie het gegil afkomstig was verscheen bij de deur in een crèmekleurig verkreukeld overhemd met het bovenste knoopje open en een losgemaakte das in een ongelijke knoop. In zijn ene hand hield hij een mok waar hij zich uit alle macht aan vastklampte en met uitpuilende ogen grote slokken uit dronk. In zijn andere hand had hij een versleten koffertje, terwijl een meisje met witblond haar, een Power Rangers-pyjama en Kermit de Kikker-slippers zich aan zijn been vastklemde.

'Ga nou niet weeee-eeeg,' brulde ze, terwijl ze haar ledematen om zijn been sloeg alsof haar leven ervan afhing.

'Ik moet wel gaan, schatje. Papa moet werken.'

'Neeeeee.'

Er verscheen een arm, die een stuk brood in Willies richting duwde. 'Eten,' zei Judith, boven nog meer geschreeuw uit een tweede bron uit.

Willie nam een hap, sloeg nog meer koffie achterover en schudde Katie zachtjes van zijn been. Zijn hoofd verdween uit de deuropening, hij kuste de eigenaresse van de arm, schreeuwde: 'Dag, kinderen!' en de voordeur sloeg dicht. Het gegil was nog steeds te horen, maar Willie bleef glimlachen. Het was acht uur 's ochtends en hij had al een uur of twee doorgemaakt van wat Jack pure marteling vond. En toch had hij een glimlach op zijn gezicht.

'Ha die Jack.' Zijn maanvormige gezicht straalde.

'Goedemorgen, Willie,' zei Jack, die opmerkte dat de knoopjes van zijn overhemd op zijn buik onder spanning stonden, er een koffievlek op de zak van zijn overhemd zat en tandpasta op zijn das met paisleymotief.

'Sorry. Ik kan niet praten. Ik probeer te ontsnappen,' zei hij grinnikend, en hij gaf Jack een klopje op zijn en rug en wurmde zich in zijn auto. Uit de uitlaat klonk een knal, en weg was hij.

Jack keek naar het blok dicht op elkaar gepakte, grijze huizen en zag dat zich op elke drempel een soortgelijk toneel afspeelde.

Aarzelend deed hij de deur open, hopend dat het gekkenhuis hem niet in zijn geheel zou verzwelgen. Hij ging naar binnen en zag Nathan, vijftien maanden oud, door de gang rennen, met een flesje in zijn mond en, afgezien van een uitpuilende luier, bloot. Jack liep achter hem aan. De vierjarige Katie, die zich een paar seconden geleden nog aan haar vader had vastgeklampt alsof het einde van de wereld nabij was, zat in kleermakerszit op dertig centimeter van de televisie op de vloer, terwijl ze ontbijtgranen morste op het tapijt dat al onder de vlekken zat. Ze werd volledig betoverd door dansende vliegen die een liedje over het regenwoud zongen.

'Nathan!' riep Judith vriendelijk vanuit de keuken. 'Ik moet je luier verschonen. Kun je even hier komen?'

Ze had het geduld van een heilige, terwijl om haar heen chaos heerste. Overal lag speelgoed, krabbels en tekeningen waren ofwel op de muur geprikt of er rechtstreeks op gemaakt. Er lagen manden vieze kleren, manden schone kleren, er stonden droogrekken met kleren langs de muren. De televisie stond te blèren, de baby krijste, er werd op potten en pannen geslagen. Het was een dierentuin vol mensen: drie meisjes en twee jongens, van tien, acht, vier, vijftien maanden en drie maanden, die allemaal herrie schopten en om aandacht vroegen, terwijl Judith aan de keukentafel zat, in haar ochtendjas vol vlekken, met woeste, ongewassen haren, omringd door rommel, en haar gezicht was het toonbeeld van sereniteit.

'Hoi, Jack.' Ze keek verbaasd op. 'Hoe ben je binnengekomen?'

'De deur stond open, ik ben gewoon achter de portier aangelopen.' Hij knikte naar Nathan, die op de grond was gaan zitten, met vuile luier en al, en met een houten lepel weer op pannen aan het slaan was. De drie maanden oude Rachel was van schrik stil geworden, ze sperde haar ogen open en haar lippen weken van elkaar, klaar om bellen te blazen. 'Blijf maar zitten.' Jack boog over Rachel in haar bedje heen en gaf Judith een kus.

'Nathan, lieverd, ik heb toch tegen je gezegd dat je de deur niet zomaar open mocht doen, zonder dat mama dat had gezegd?' vroeg Judith kalm. 'Hij blijft het slot maar opendraaien,' legde Judith uit aan Jack.

Nathan hield op met slaan en keek met grote blauwe ogen op, van zijn onderkin droop kwijl. 'Dada,' gorgelde hij als antwoord.

'Ja, je houdt van je papa,' antwoordde Judith, terwijl ze opstond. 'Wil je iets, Jack? Een kopje thee, koffie, toast, oordopjes?'

'Thee en toast, alsjeblieft. Ik heb al genoeg koffie gehad,' antwoordde Jack, en hij wreef vermoeid over zijn gezicht toen het getimmer op de steelpan bijna ondraaglijk werd.

'Nathan, ophouden,' zei Judith kordaat, terwijl ze water op zette. 'Kom, we gaan je luier verschonen.'

Ze tilde hem op een commode die in de keuken stond en ging aan de slag, terwijl ze Nathan haar huissleutels gaf om mee te spelen.

Jack wendde zijn blik af, hij had geen honger meer.

'Waarom ben je niet aan het werk?' vroeg Judith, die de twee mollige beentjes bij de enkeltjes vasthield alsof ze een kalkoen ging vullen.

'Ik heb een dagje vrij genomen.'

'Alweer?'

Hij gaf geen antwoord.

'Ik heb gisteren met Gloria gesproken. Ze zei dat je had vrijgenomen,' legde Judith uit.

'Hoe wist zij dat nou?'

Judith trok een billendoekje uit een houder. 'Nu lijkt het me toch niet het moment om ineens te gaan denken dat de slimme partner die je al acht jaar hebt dom is. Wat hoor ik?' Ze hield haar hand achter haar oor en keek in de verte. Nathan hield op met het heen en weer schudden van de sleutels en keek naar haar. 'O, nee, ik hoor het niet meer, maar eerder hoorde ik de bruiloftsmars al door de kerk galmen, en het getrippel van kleine voetjes.'

Nathan lachte en schudde weer met de sleutel. Judith zette hem weer op de vloer, en zijn voetjes kletsten op de grond als een eend die door een plas loopt.

'Jeetje, Jack, wat ben je stil,' zei ze sarcastisch, terwijl ze haar handen in de gootsteen waste boven, merkte hij op, een stapel vieze borden en kopjes.

'Dit is niet het goede moment,' zei Jack vermoeid, en hij pakte de houten lepel van Nathan af, die daarop begon te huilen, waardoor Rachel wakker werd, die begon te huilen, waarop Katie prompt het geluid van de televisie in de woonkamer harder zette. 'Trouwens, dit hier is voldoende anticonceptie voor mij.'

'Ach ja, wanneer je met een man trouwt die Willie heet, weet je wel ongeveer wat je krijgt.' In minder dan een minuut had Judith iedereen weer gekalmeerd, en had ze een kopje thee en een snee toast op tafel voor Jack gezet. Eindelijk ging ze zitten, haalde Rachel uit bed, deed haar ochtendjas opzij en begon Rachel de borst te geven, terwijl Rachels vingertjes zich openden en sloten alsof ze met haar ogen dicht een onzichtbare harp bespeelde.

'Ik heb een week vrij genomen,' legde Jack uit. 'Dat heb ik vanochtend onderweg hiernaartoe geregeld.'

'Wat?' Judith nam een slokje thee. 'Hebben ze je nog meer vrij gegeven?'

'Met een beetje overreding.'

'Dat is goed. Jij en Gloria moeten eens wat tijd samen doorbrengen.' Maar ze zag aan zijn gezicht dat dat niet de bedoeling was. 'Wat is er aan de hand, Jack?'

Hij zuchtte, want hij wilde haar het verhaal heel graag vertellen, maar durfde het niet goed.

'Zeg het maar,' zei ze vriendelijk.

'Ik heb contact met iemand,' begon hij. 'Een bureau.'

'Ja?' Haar stem klonk laag en vragend, net als toen hij vroeger thuiskwam uit school nadat hij in de problemen was gekomen en gedwongen werd dingen uit te leggen als waarom ze Tommy McGovern in zijn blootje aan de doelpaal op het schoolplein hadden vastgebonden.

'Het is een bureau voor vermiste personen.'

'O, Jack,' fluisterde ze, en ze sloeg haar hand voor haar mond.

'Wat is daar nou verkeerd aan, Jude? Wat is er zo erg aan dat er nog een keer iemand naar kijkt?'

'Dít is wat er erg aan is, Jack. Je neemt weer een week vrij en Gloria belt mij op om jou te zoeken.'

'Heeft ze jou gebeld?'

'Gisteravond om tien uur.'

'O.'

'Dus vertel me maar eens wat over dat bureau.'

'Nee.' Hij leunde achterover in zijn stoel, gefrustreerd. 'Nee, daar heb ik nu geen zin in.'

'Jack, doe niet zo kinderachtig en vertel het me.'

Hij wachtte even totdat hij was afgekoeld voordat hij weer iets zei. 'Ik zag een advertentie in de Gouden Gids en toen heb ik haar gebeld.'

'Wie?'

'Sandy Shortt. Ik heb de zaak aan haar uitgelegd en ze vertelde me dat ze al eerder zaken zoals deze heeft opgelost. We hebben vorige week tot diep in de nacht via de telefoon gepraat. Ze is politie-agente geweest en heeft een paar rapporten te pakken gekregen die wij nog nooit hebben gezien.'

Judith trok haar wenkbrauwen op.

'Ze heeft me niet om geld gevraagd, Judith, en ik geloofde haar. Ik geloofde dat ze wilde helpen en ik geloofde dat ze Donal kon vinden. Ze was geen oplichtster, daar twijfel ik geen seconde aan.'

'Waarom praat je over haar alsof ze dood is?' vroeg ze glimlachend, en toen zweeg ze geschrokken. 'Ze is toch niet dood hè?'

'Nee,' zei Jack, met zijn hoofd schuddend, 'maar ik weet niet waar ze is. We hadden zondagochtend een afspraak in Glin. We zijn elkaar bij een tankstation tegengekomen, maar ik wist pas later dat zij dat was.'

Judith fronste haar voorhoofd.

'We hadden elkaar alleen maar over de telefoon gesproken, snap je?'

'En hoe weet je dan dat zij het was?'

'Ik heb haar auto bij de riviermond aangetroffen.'

Judith zag er nog meer van haar stuk gebracht uit.

'Zie je, we hadden dus een afspraak en de avond ervoor had ze een voicemailbericht ingesproken waarin ze zei dat ze op weg was vanuit Dublin, maar ze is niet komen opdagen. Dus ik heb het stadje doorzocht, in alle B & B's naar haar gevraagd, en toen ik haar niet kon vinden, ging ik een stukje wandelen langs de riviermond. En toen vond ik de auto.'

'Hoe weet je dat het haar auto is?'

Jack deed de tas open die naast hem stond. 'Omdat dit op het dashboard lag.' Hij legde het dossier op de keukentafel. 'En dit,' hij legde haar agenda neer, 'en dit,' haar opgeladen mobiele telefoon. 'Ze labelt alles, echt alles. Ik heb haar tas doorzocht – op al haar kleren, al haar sokken zit een label. Het is net alsof ze bang is om dingen kwijt te raken.'

Judith was stil. 'Heb je haar tas doorzocht?' Ze schudde verward haar hoofd. 'Maar hoe heb je die uit de auto gekregen? Misschien was ze een wandelingetje aan het maken, Jack. Wat als ze terugkomt bij haar auto en al haar spullen zijn weg? Ben je gek om dit zomaar mee te nemen?'

'Dan moet ik mijn excuses aanbieden, maar het is al twee dagen geleden. Dat is een lange wandeling.'

Stilte, terwijl ze er allebei aan dachten hoe hun moeder zich wanhopig zorgen had gemaakt toen Donal twee dagen niets van zich had laten horen.

'Ik heb Graham Turner gebeld.'

'Wat zei hij?' Ze verborg haar gezicht in haar handen. Weer precies hetzelfde scenario.

'Hij zei dat hij, omdat ze nog maar ruim 24 uur weg is en omdat het in lijn lag met haar normale gedrag, geen reden zag om zich zorgen te maken.'

'Waarom, wat is haar normale gedrag dan?'

'Dat ze komt en gaat zoals het haar belieft, heel erg op haar privacy is gesteld en niemand vertelt waar ze naartoe gaat,' ratelde Jack vermoeid af.

'O.' Judith zag er opgelucht uit.

'Maar dat houdt niet in dat je je auto tussen de bomen bij de riviermond parkeert en hem twee dagen lang achterlaat. Dat is wel iets anders dan komen en gaan wanneer het je belieft.'

'Begrijp ik dus goed,' zei Judith langzaam, 'dat degene die op zoek gaat naar vermiste personen, vermist is?'

Stilte.

Judith liet die gedachte in haar hoofd rondgaan en zocht er een plekje voor. Ze keek nadenkend, terwijl ze haar kaak heen en weer bewoog.

Toen snoof ze en barstte in lachen uit.

Jack leunde weer achterover in zijn stoel en sloeg zijn armen over elkaar, beledigd doordat Judith oncontroleerbaar schudde van het lachen. Rachel hield op met zuigen en keek haar heftig heen en weer bewegende moeder aan, die nu de tranen uit haar ogen veegde. Nathan hield op met zijn blokken te spelen en ging staan om zijn moeder te bekijken. Zijn gezicht spleet uiteen in een glimlach waarbij veel tandvlees te zien was, en hij begon te lachen, klapte in zijn mollige handjes en boog en strekte zijn knietjes van plezier. Eindelijk voelde Jack zijn mondhoeken trekken en deed mee, uitgelaten lachend door het idiote van de situatie en heel erg opgelucht dat hij zich na zo'n lange tijd liet gaan, al was het maar tijdelijk. Toen ze weer gekalmeerd waren, begon Judith zachtjes over Rachels ruggetje te wrijven, wat zo rustgevend was dat Jack zijn oogleden zwaar voelde worden.

'Hoor eens, Judith, misschien heeft Graham gelijk. Misschien is ze gewoon weggegaan. Misschien dacht ze gewoon: donder maar op met alles, en heeft ze haar auto, telefoon, agenda en leven achtergelaten en het opgegeven. Misschien is ze een gestoorde vrouw die dit vaker doet, met de bedoeling om na een tijdje weer terug te komen. Misschien is ze wel helemaal weggelopen, maar ik ga haar vinden, zij gaat Donal vinden, en pas dan mag ze ermee ophouden. Dan laat ik haar weglopen.'

'Denk je echt dat die vrouw Donal zou kunnen vinden?' Judith dacht erover na.

'Zij dacht van wel.'

'En jij?'

Hij knikte.

'Dus als je haar vindt, help je mee om Donal te vinden.' Ze was diep in gedachten verzonken. 'Weet je, Willie en ik keken gisteravond samen met de kinderen in het fotoalbum en toen wees Katie Donal aan en vroeg wie dat was.' Haar ogen vulden zich met tranen. 'Katie en Nathan hebben geen herinnering aan hem – die zullen ze nooit hebben – en Rachel,' ze keek naar de baby in haar armen, 'die weet niet eens dat hij bestond. Het leven gaat verder zonder hem, en dat mist hij allemaal.' Ze schudde haar hoofd.

Jack wist niet wat hij moest zeggen, dacht niet dat er iets was wat hij kón zeggen. Diezelfde gedachten gingen voortdurend door zijn hoofd.

'Waarom ben je er zo zeker van dat een vrouw die je nog nooit hebt ontmoet, een vrouw van wie je niets weet, in staat is Donal te vinden?'

'Blind vertrouwen,' zei hij glimlachend.

'Sinds wanneer heb je dat?'

'Sinds ik met Sandy aan de telefoon heb gezeten,' antwoordde hij serieus.

'Er was toch niets...' ze zweeg even en besloot het toch te vragen, 'er was toch niets tussen jullie?'

'Er was iets, maar dat was niets.'

'Wanneer is iets ooit niets?'

Hij zuchtte en besloot de vraag te vermijden. 'Gloria weet niet van Sandy – niet dat er iets te weten valt – maar ik wil niet dat zij of de rest van de familie iets over dat bureau te weten komt.'

Judith zag er niet blij uit.

'Alsjeblieft, Jude.' Hij pakte haar hand. 'Ik wil niet dat iedereen dit weer moet doormaken. Ik wil het gewoon zelf proberen. Dat moet ik.'

'Oké, oké.' Ze trok haar hand los en hief hem verdedigend op. 'En wat ga je nu doen?'

'Dat is makkelijk.' Hij stopte het dossier, de agenda en telefoon terug in zijn tas. 'Ik ga naar haar op zoek.'

HOOFDSTUK 25

Ik was zestien jaar oud en bevond me in meneer Burtons kantoor. Ik zat op een van de kapotte fluwelen stoelen, dezelfde sinds de keer dat ik meer dan twee jaar geleden voor het eerst was gekomen, afgezien van het feit dat er meer schuim uitpuilde. Ik keek naar dezelfde posters op de muur van de bomvolle ruimte. De baksteen muren waren klungelig wit geschilderd, sommige gaten, waar de kwast niet was geweest, waren nog zwart en ergens anders zaten er bulten wit. Het was alles of niets in deze kamer, het was nooit gelijkmatig. Er hingen buddy's verspreid over de muren, en daaraan vast zaten nog hoekjes van oude posters. Ik stelde me voor dat ergens in de school een ruimte was vol met posters zonder hoekjes.

'Waar denk je aan?' Eindelijk zei meneer Burton iets.

'Posters zonder hoekjes,' antwoordde ik.

'Wat afgezaagd, zeg.' Hij knikte. 'Hoe was je week?'

'Klote.'

'Waarom klote?'

'Er is niets opwindends gebeurd.'

'Wat heb je gedaan?'

'Naar school, gegeten, geslapen, naar school, gegeten, geslapen, vermenigvuldigd met vijf en met nog een miljoen weken te vermenigvuldigen. Mijn toekomst ziet er deprimerend uit.'

'Ben je van het weekend nog uitgeweest? Je zei vorige week dat je door een groepje mensen mee uit was gevraagd.'

Hij wilde altijd dat ik vrienden maakte. 'Ja, ik ben uitgeweest.'

'En?'

'En dat was wel leuk. Er was een feestje bij iemand thuis. Johnny Nugents ouders waren weg, dus daar zijn we heen geweest.'

'Johnny Nugent?' Hij trok zijn wenkbrauwen op.

Ik gaf geen antwoord, maar mijn wangen werden rood.

'Kon je meneer Pobbs uit je hoofd zetten en lol maken?'

Hij vroeg het zo serieus dat ik weer naar de buddy's keek, lichtelijk gegeneerd. Ik had meneer Pobbs al sinds mijn babytijd – een grijze, wollige teddybeer met één oog, een blauw gestreepte pyjama aan, die elke avond in mijn bed sliep, en in elk ander bed waarin ik sliep. Mijn ouders en ik waren een tijdje eerder een weekje weggeweest en toen we terug waren gekomen had ik opnieuw gepakt om het weekend bij mijn opa en oma te logeren. Ergens tijdens het overhevelen van mijn kleren was ik meneer Pobbs kwijtgeraakt. Het had me de hele tijd dat ik bij mijn grootouders was heel erg dwars gezeten, en toen ik weer thuis was had ik twee dagen lang het huis doorzocht, tot groot ongenoegen van mijn ouders. Vorige week hadden we besproken dat ik dat weekend niet met Johnny Nugent uit wilde omdat ik liever meneer Pobbs wilde vinden, mijn vertrouwde vriend, hoe belachelijk dat ook klonk. Het was moeilijk geweest om die avond uit te gaan terwijl ik wist dat meneer Pobbs ergens in huis verborgen lag.

'Dus je bent met Johnny Nugent uitgeweest?' Meneer Burton ging weer terug naar de vraag.

'Ja.'

Hij glimlachte opgelaten. Hij had de geruchten blijkbaar ook gehoord. 'Is alles... ben je...?' Hij hield op met praten en maakte in plaats daarvan trompetgeluiden met zijn lippen terwijl hij erover nadacht hoe hij deze vraag zou omkleden. Hij was maar zelden opgelaten, hij leek altijd zo beheerst. In deze kamer, althans; behalve de kleine stukjes persoonlijke informatie die hij onopzettelijk losliet tijdens onze, bij vlagen, openhartige gesprekken, wist ik niets over zijn leven buiten deze vier muren. Ook wist ik wel beter dan vragen te stellen, omdat hij ze niet zou beantwoorden en omdat ik die antwoorden niet zou willen horen. Dingen niet weten, vragen stellen en van hem geen antwoorden krijgen herinnerden me eraan dat we op een bepaalde manier vreemden waren. Alleen in deze kamer waren we bekenden. We hadden onze eigen wereld gecreëerd, er waren regels die we opvolgden en er was een grens tussen ons waar we, hoewel hij niet kon worden overgestoken, op speelse dagen weleens op dansten.

Ik onderbrak hem om zijn trompetterende lippen te weerhouden een heel orkest van koperblazers te vormen. 'Meneer Burton, als u zich afvraagt hoe het met me gaat, maakt u zich daar maar geen zorgen over. Voor één keer in mijn leven ben ik iets kwijtgeraakt waar ik niet naar ga zoeken en waarvan ik ook niet verwacht dat het terugkomt. Volgens mij ben ik genezen.'

We lachten. En lachten. En toen er een oncomfortabele stilte viel terwijl ik erover fantaseerde dat hij me ook genas, lachten we weer.

'Zie je hem nog een keer? En daarmee bedoel ik, vond je het gezelschap van anderen prettig? Vond je het leuk om uit te gaan, heb je je kunnen ontspannen, heb je de dingen die kwijt zijn uit je hoofd kunnen zetten?' Hij begon weer te lachen. 'Hebben ze Scathachs eiland bereikt?'

Terwijl mijn hoofd tegen het hoofdeind van het bed van de ouders van Johnny Nugent bonkte, had ik een openbaring gehad. Ik had me herinnerd waar ik volgens mij meneer Pobbs had neergelegd toen ik mijn kleren inpakte. De dag erna had ik mijn oma gebeld en verwacht dat meneer Pobbs zou worden teruggevonden, liggend onder het bed, met één oog starend naar de gebroken springveren boven hem. Maar daar lag hij niet, en we hadden afgesproken dat ik het weekend erna in het huis van mijn grootouders zou komen zoeken. Ondanks het feit dat Johnny Nugent me mee uit had gevraagd. Ik stond op het punt dit allemaal te vertellen toen ik werd verrast. 'Wacht even, wat is Scathachs eiland?'

Meneer Burton lachte. 'Sorry, dat glipte er zo uit. Het is een slechte vergelijking.'

'Leg uit!' zei ik glimlachend, en ik zag dat zijn gezicht rood werd.

'Het was niet mijn bedoeling om het te zeggen. Het floepte er zo uit. Laat maar zitten, we gaan gewoon door.'

'Wacht eens even, daar zou ík niet mee wegkomen! Ik moet álles wat ik mompel herhalen,' zei ik lachend, terwijl ik hem voor de eerste keer in mijn leven zich in bochten zag wringen.

Hij beheerste zich. 'Het is een oud Keltisch verhaal, en het was een stomme vergelijking.'

Ik gebaarde dat hij meer moest vertellen.

Hij wreef over zijn gezicht. 'Ongelooflijk dat ik jou dit vertel. Scathach was een geweldige vrouwelijke krijger, die veel helden uit die tijd onderwees. Volgens de legende was het bijna onmogelijk om haar eiland te bereiken, dus iedereen die daarin slaagde was het waard om getraind te worden in de vechtkunst.'

Mijn mond viel open. 'Vergelijk je mij met een vrouwelijke krijger die mannen onderwijst in vechtkunst?'

Hij lachte weer. 'Het punt is dat ze een vrouw was die moeilijk te bereiken was.' Hij hield op met lachen toen hij mijn gezicht zag. Hij leunde naar voren en pakte mijn hand. 'Ik denk dat je dat verkeerd hebt opgevat.'

'Dat hoop ik,' zei ik, terwijl ik langzaam met mijn hoofd schudde.

Hij kreunde en dacht snel na. 'Het is zo dat alleen de sterkste, moedigste en aanzienlijkste mensen haar konden bereiken.'

Ik ontspande me een beetje, want dat sprak me wel aan. 'Hoe lukte dat hun dan?'

Hij ontspande zich ook een beetje. 'Eerst moesten ze de Vlakte der Tegenspoed oversteken, waar ze doorboord konden worden door vlijmscherpe grassprieten.' Hij zweeg even en keek naar mijn gezicht om te zien of hij moest doorgaan. Blij dat ik niet op het punt stond hem te slaan, ging hij verder: 'Dan zagen ze zich gesteld voor de Hachelijke Vallei, met mensenverslindende beesten. Hun laatste opdracht was de Klifbrug, die elke keer wanneer iemand er probeerde overheen te gaan omhoog ging.'

Ik stelde me de mensen voor in mijn leven die me probeerden te bereiken, die vrienden met me wilden worden, contact met me probeerden te maken. Ik zag voor me hoe ik hen afweerde.

'Alleen echte helden slaagden erin,' besloot hij.

Ik kreeg kippenvel. De haartjes op mijn huid stonden recht overeind en ik hoopte dat hij dat niet had opgemerkt.

Hij haalde zijn hand door zijn haar en schudde zijn hoofd. 'Dit maakt geen deel uit van mijn...' *werk*, zei hij bijna. 'Ik had het niet moeten zeggen. Sorry, Sandy.'

'Het is niet erg,' besloot ik, en hij keek opgelucht. 'Je moet me alleen wel nog vertellen waar jij je op deze reis bevindt.'

Die prachtige blauwe ogen boorden zich in de mijne. Hij hoefde er niet eens over na te denken, hoefde zijn blik niet af te wenden. 'Ik zou zeggen dat ik zojuist de Vlakte der Tegenspoed ben overgestoken.'

Daar dacht ik over na. 'Ik zal mijn verslindende beesten in bedwang houden als je belooft dat je het me laat weten wanneer je de brug over bent.'

'Dat zal je niet ontgaan,' zei hij glimlachend, en hij pakte mijn hand en gaf er een kneepje in. 'Dat zal je niet ontgaan.'

Jack parkeerde naast Alans flat en bladerde door Sandy's agenda. Ze had ook een afspraak gemaakt voor gisteren om één uur op een plek met een telefoonnummer uit Dublin, en hij moest weten of ze die was nagekomen. Hij hoopte dat wie ze daar ook zou treffen hem zou kunnen helpen. Hoewel Sandy die afspraak voor gisteren in Dublin had gemaakt, had ze toch ingepland dat ze vandaag Alan in Limerick zou opzoeken. De afspraak in Dublin moest erg belangrijk zijn geweest, dat ze daarvoor heen en weer zou hebben gereisd.

Met trillende handen belde hij het nummer in Dublin dat Sandy had opgeschreven. Er nam snel een vrouw op, die afgeleid klonk terwijl er op de achtergrond meer telefoons overgingen.

'Hallo, met het Scathach House.'

'Hallo, ik vroeg me af of u me kunt helpen,' zei Jack beleefd. 'Ik heb uw telefoonnummer in mijn agenda opgeschreven en ik weet niet meer waarom ik had opgeschreven dat ik u moest bellen.'

'Natuurlijk,' zei ze beleefd. 'Scathach House is het kantoor van dr. Gregory Burton. Wilde u misschien een afspraak maken?'

Ik werd wakker in mijn zit-slaapkamer in Dublin van het schrille geluid van de telefoon, die vlak bij mijn oor overging. Ik legde het kussen over mijn hoofd en bad dat het geluid zou ophouden. Ik had een afschuwelijke kater. Ik gluurde over de rand van mijn bed en ving een blik op van mijn politie-uniform dat verkreukeld op de grond lag. Ik had een late dienst gedraaid en was daarna wat gaan drinken. Dat waren duidelijk een paar drankjes te veel geweest, en ik wist absoluut niet meer hoe ik thuis was gekomen. Eindelijk hield het rinkelen op en ik slaakte een zucht van verlichting, hoewel het nog een paar seconden in mijn hoofd echode. En toen begon het opnieuw. Ik pakte de telefoon, die naast het bed stond, op en bracht hem onder het kussen naar mijn oor.

'Hallo,' zei ik met krakende stem.

'*Happy birthday to yooooou, happy birthday to yoooou, happy birtday, dear Sandeeeee, happy birthday to yoooou.*' Het was mijn moeder, die zo lieflijk zong alsof ze in een kerkkoor stond.

'Hiep, hiep...'

'Hoera!' Dat was mijn vader.

'Hiep, hiep...'

'Hoera!' Hij blies met een rolfluitje in de hoorn, die ik direct bij mijn oor weghaalde, waarna ik mijn arm uit bed liet hangen. Ik hoorde ze vanonder mijn kussen doorfeesten terwijl ik weer wegzakte.

'Gefeliciteerd met je eenentwintigste verjaardag, liefje,' zei mama trots. 'Liefje? Ben je er nog?'

Ik hield de telefoon weer aan mijn hoor. 'Dank je wel, mama,' mompelde ik.

'Ik zou willen dat je ons een feestje voor je liet organiseren,' zei ze weemoedig. 'Mijn meisje is per slot van rekening niet elke dag 21.'

'Eigenlijk wel,' zei ik moe. 'Ik ben nog 364 dagen 21, dus we hebben nog heel veel tijd om het te vieren.'

'Je weet dat dat niet hetzelfde is.'

'Je weet toch hoe ik ben met dat soort dingen,' zei ik, waarbij ik het had over een feestje.

'Ik weet het, ik weet het. Nou goed, maak er maar een gezellige dag van. Wil je er nog over nadenken of je hier komt eten? In het weekend misschien? Alleen je vader, jij en ik. Dan hebben we het er niet eens over dat je jarig bent,' probeerde ze.

Ik zweeg. 'Nee, ik kan dit weekend niet, sorry. Ik heb het heel druk op mijn werk,' loog ik.

'O, oké, en als ik dan een paar uurtjes naar Dublin kom? Ik blijf niet slapen, alleen voor een kopje koffie of zo. Eventjes bijkletsen en dan ben ik weer weg, beloofd.' Ze lachte nerveus. 'Ik wil deze dag op een of andere manier markeren. Ik wil je graag zien.'

'Dat gaat niet, mam, sorry.'

Het was stil. Veel te lang.

Pap kwam vrolijk aan de telefoon. 'Gefeliciteerd, schat. We begrijpen dat je het druk hebt, dus we laten je met rust, zodat je kunt doorgaan waar je mee bezig was.'

'Waar is mama?'

'Ze... ze moest de deur gaan opendoen.' Hij was even slecht in liegen als ik.

Ze huilde, ik wist het.

'Oké, nou, veel plezier, hè, schat? Ga maar iets leuks doen, oké?' voegde hij er zachtjes aan toe.

'Oké,' zei ik stilletjes, de telefoon klikte en de verbinding was verbroken.

Ik kreunde, legde de telefoon weer op mijn nachtkastje en gooide het kussen van mijn hoofd. Ik liet mijn ogen aan het felle licht wennen, dat mijn goedkope gordijnen niet konden buitensluiten. Het was maandagochtend tien uur en ik had eindelijk een dag vrij. Wat ik ermee ging doen wist ik absoluut niet. Ik had graag gewerkt op mijn verjaardag, hoewel ik me dan heel druk had gemaakt om een vermissingszaak die onlangs op een dood spoor was geraakt. Een meisje, Robin Geraghty, was verdwenen terwijl ze in haar voortuin aan het spelen was. Alle tekenen wezen erop dat de buurman van middelbare leeftijd betrokken was bij Robins verdwijning. Maar hoe hard we ook in deze zaak groeven, we stuitten niet op de schatkist. Ik was een tijdje geleden begonnen zulke zaken zelf verder te onderzoeken, omdat ik ze niet kon vergeten op het moment dat het dossier in een kast verdwenen was.

Ik draaide me op mijn rug en zag vanuit een ooghoek een bult naast me in bed. De bult lag op zijn zij, en er lag een toefje donkerbruin haar op het kussen. Ik sprong op, greep de lakens vast en trok ze strakker om me heen. De bult bewoog en keek me aan, met open ogen. Bloeddoorlopen, vermoeide ogen.

'Ik dacht dat je die telefoon nooit zou opnemen,' zei hij met een krakende stem.

'Wie ben je?' vroeg ik walgend, terwijl ik uit bed klom en de lakens meenam, waardoor hij met gespreide armen en benen naakt achterbleef. Hij glimlachte, legde zijn handen slaperig achter zijn hoofd en knipoogde.

Ik kreunde. Het had een stille kreun vanbinnen moeten zijn, maar hij ontworstelde zich aan mijn mond. 'Ik ga naar de badkamer en als ik terugkom ben jij weg.' Ik pakte wat naar ik aannam zijn kleren waren op en gooide ze op bed. Ik pakte mijn eigen kleren, die op een stoel lagen, hield ze dicht tegen me aan en sloeg de deur met een klap dicht. Ik kwam bijna onmiddellijk terug en pakte tot zijn afgrijzen mijn portemonnee. Ik was niet van plan die daar te laten liggen.

Niet na de laatste keer.

Ik bleef zo lang ik kon in de badkamer, totdat meneer Rankin van hiernaast op de deur begon te bonzen en mij en de rest van het gebouw liet weten dat hij op springen stond, waar ik niet al te veel over wilde nadenken. Ik deed de deur onmiddellijk open en ging terug naar mijn zit-slaapkamer, hopend dat de harige vreemdeling was verdwenen. Nee dus. Hij deed net de deur achter zich dicht.

Ik liep langzaam naar hem toe, niet wetend wat ik moest zeggen. Hij leek het ook niet te weten, maar dat maakte hem niet uit, hij had nog steeds die grijns op zijn gezicht.

'Hebben we...?' vroeg ik.

'Twee keer.' Hij knipoogde en mijn ingewanden verkrampten. 'Trouwens, voordat je me eruit gooit, er kwam een kerel langs toen je in de badkamer was. Ik zei dat hij kon wachten als hij wilde, maar dat je hem waarschijnlijk niet zou herkennen als je hem zag.' Hij grijnsde weer.

'Wat voor kerel?' Ik pijnigde mijn hersens.

'Zie je, ik zei al tegen hem dat je je hem niet zou herinneren.'

'Is hij binnen?' Ik keek naar de dichte deur.

'Nee, ik denk dat hij niet in een zit-slaapkamer wilde wachten met een naakte, behaarde man.'

'Heb je de deur in je nakie opengedaan?' vroeg ik boos.

'Ik dacht dat jij het was,' zei hij schouderophalend. 'Maar goed, hij heeft dit kaartje voor je achtergelaten.' Hij gaf me een visite-kaartje. 'Je hoeft zeker mijn telefoonnummer niet te hebben?'

Ik schudde van nee, en pakte het kaartje uit zijn hand. 'Dank je wel, eh...' begon ik zwakjes.

'Steve.' Hij stak zijn hand uit.

'Prettig kennis te maken,' zei ik glimlachend, en hij lachte. Hij was best leuk, maar toch zag ik erop toe dat hij de trap afliep.

'We hebben elkaar trouwens al eens eerder ontmoet,' riep hij omhoog, zonder zich om te draaien omdat hij de trap afliep.

Ik zweeg terwijl ik het me probeerde te herinneren.

'Op het kerstfeestje van Louise Drummond, vorig jaar?' Hij stopte en keek hoopvol omhoog.

Ik fronste mijn voorhoofd.

'Ach, het maakt ook niet uit.' Hij maakte een wegwerpgebaar met zijn hand. 'Je wist het toen de ochtend erna ook niet meer.' Hij glimlachte en was verdwenen.

Ik voelde me even schuldig, tot ik me herinnerde dat ik een visite-kaartje in mijn hand had, en toen verdween het nare gevoel. Ik stond niet meer al te vast op mijn benen toen ik de naam zag.

Het leek erop dat meneer Burton een praktijk had geopend in Dublin – Scathach House aan Leeson Street. Wacht eens even: dr. Burton, hij had toch zijn examens gehaald.

Ik deed opgewonden een dansje op mijn plek. Ik hoorde dat de wc werd doorgespoeld, meneer Rankin kwam de badkamer uit met een krant in zijn hand en zag me huppelen.

'Moet je alweer? Ik zou er nog even niet naar binnen gaan.' Hij wuifde met de krant.

Ik negeerde hem en ging mijn kamer binnen. Meneer Burton

was er. Hij had me gevonden, drie jaar nadat ik was verhuisd, en dat was het enige wat belangrijk was. Er was uiteindelijk toch een eenlingsok opgedoken.

HOOFDSTUK 26

'O, dokter Burton.' Jack ging rechtop in zijn autostoel zitten en drukte de telefoon dichter tegen zijn oor. 'Nu weet ik weer waarom ik er een aantekening over heb gemaakt. Het ging niet om mezelf. Het gaat om een vriendin van me die gisteren een afspraak had met dokter...' Hij zweeg, want hij was de achternaam al weer vergeten.

'Burton,' eindigde de secretaresse de zin voor hem, en hij hoorde hoe op de achtergrond een andere telefoon overging terwijl hij een of ander plan probeerde te verwoorden. Hij krabbelde de naam en het adres van dokter Gregory Burton in zijn notitieboek. Later zou hij dan door Sandy's gemiste oproepen, ontvangen oproepen en gebelde nummers gaan die haar telefoon de laatste paar dagen had opgeslagen en zou hij proberen uit te puzzelen waar ze naartoe was gegaan, zelfs als dat betekende dat hij iedereen in haar telefoonboek moest bellen.

De secretaresse kwam weer aan de lijn. 'Sorry, het is vandaag erg druk. Waarmee kan ik u van dienst zijn?'

'Ik vroeg me af of u me kon vertellen of mijn vriendin Sandy Shortt gisteren is komen opdagen voor haar afspraak?'

'Sorry, meneer...?'

Jack dacht snel na. 'Le Bon.' Niet snel genoeg. Le Bon?

'Het spijt me, meneer Le Bon, maar we kunnen geen informatie over onze patiënten verstrekken.'

'Natuurlijk kunt u dat niet, dat begrijp ik, maar ik hoef ook geen persoonlijke informatie te weten. Mijn vriendin is de afgelopen tijd erg ziek geweest, maar ze was bang om er iets mee te doen voor het geval het erger zou zijn dan ze dacht. Het is haar maag, die is al maanden niet in orde. Ik heb een afspraak voor haar gemaakt en ze zegt dat ze gisteren naar dokter Burton is geweest, maar ik ben bang dat ze tegen ons liegt. De familie is zo bezorgd. Zou u ons kunnen vertellen of ze die afspraak is nagekomen? Ik vraag niet om persoonlijke gegevens.'

'Gaat het om Sandy Shortt?'

Hij leunde opgelucht achterover. 'Ja, Sandy,' herhaalde hij blij. 'Ze had een afspraak om één uur.'

'Aha, nou, ik ben bang dat ik u niet kan helpen omdat dit geen medische praktijk is, meneer Le Bon. Het is een therapeutisch centrum, dus u kunt geen afspraak voor haar hebben gemaakt voor maagproblemen. Kan ik u nog ergens anders mee van dienst zijn?' Haar stem klonk vastberaden, kwaad zelfs.

'Eh,' Jacks gezicht was rood van schaamte, 'nee.'

'Dank u wel voor uw telefoontje.' Ze hing op.

Hij staarde gegeneerd naar de afspraak voor één uur, die in Sandy's agenda stond. Plotseling ging Sandy's mobiele telefoon over en de naam 'Gregory B' kwam op het scherm te staan. Jacks hart sloeg als een trommel. Hij negeerde de ringtone, opgelucht toen hij eindelijk ophield en er gepiep klonk ten teken dat er een bericht was. Hij pakte de telefoon op en belde de berichtenservice.

'Hoi, Sandy, met Gregory. Ik heb je een paar keer geprobeerd te bellen, maar er wordt niet opgenomen. Ik neem aan dat je weer ondergedoken bent. Ik belde alleen even om je te laten weten dat er een man...' hij sprak zijdelings, 'Carol, hoe heette hij ook alweer?'

Jack hoorde de stem van de secretaresse: 'Meneer Le Bon.'

'O ja.' Gregory kwam weer aan de telefoon. 'Een meneer Le Bon – ik vermoed dat dat niet zijn echte naam is,' hij lachte, 'naar kantoor heeft gebeld om je te zoeken. Hij vroeg zich af of je je afspraak voor gisteren had gemaakt voor een maagprobleem.' Zijn stem werd zachter. 'Wees voorzichtig, oké? Ik denk niet dat je al hebt overwogen een echte baan te nemen, als serveerster of zo. De kans is klein dat je dan door idioten zou worden achtervolgd. Je zou ook van deur tot deur bijbels kunnen verkopen; gisteravond nog kwam er een aardige vrouw, van top tot teen in tweed gekleed, bij me aan de deur, waardoor ik onmiddellijk aan jou moest denken, dus ik heb haar kaartje aangepakt. Ik denk erover haar te bellen. Het is een heel opbeurend kaartje, de Heer hangt er vreselijk bij aan het kruis. En het is van hergebruikt papier gemaakt, dus ze geeft echt om de wereld.' Hij lachte weer. 'Maar goed, als je denkt dat je niet tegen tweed kunt, neem dan een kantoorbaan. Ik weet niet of je er weleens van hebt gehoord, dat is iets wat mensen doen. Op die manier hebben ze ook nog een leven naast hun werk. "Leven", L-E-V-E-N; je kunt het opzoeken in het woordenboek als je de kans hebt. Hoe dan ook...' hij zuchtte en was even stil, alsof hij bedacht wat hij zou gaan zeggen, of eerder alsof hij precies wist wat hij wilde zeggen, maar afwoog of hij het wel of niet zou doen. Jack kende die stilte goed. 'Goed,' zijn stem klonk harder en zakelijker. 'Ik spreek je gauw weer.'

Er werd plotseling hard tegen het raam aan de passagierskant van de auto geklopt, waardoor Jack een onbeheerste beweging maakte en de telefoon liet vallen. Hij keek op en zag Alans moeder, een slonzige vrouw met een rond gezicht, door het raam kijken. Hij leunde opzij en deed het raam open.

'Hallo, mevrouw O'Connor.'

'Wie is dat?' Haar gezicht rimpelde en ze stak haar hoofd door het raam. Er staken haren uit haar kaak. Haar kunstgebit liet los van haar tandvlees en bewoog in haar mond als ze sprak. 'Ken ik u?' schreeuwde ze, en er belandde spuug op Jacks lip.

'Ja, mevrouw O'Connor.' Hij veegde zijn lip af en verhief zijn stem, want hij wist dat ze niet goed hoorde. 'Ik ben Jack Ruttle, Donals broer.'

'Hemeltjelief, Donals broer. Waarom zit je hier buiten? Stap eens uit, dan kan ik je goed bekijken.'

Ze schuifelde weg op haar kastanjebruine fluwelen pantoffels, haar kaak bewoog terwijl ze hem van boven tot onder in zich opnam, haar tanden soppend in haar mond. Ze had dezelfde kleren aan die ze al sinds de jaren veertig leek te dragen. 'Improviseren en repareren' was altijd het motto geweest van de O'Connors, textiel werd altijd hergebruikt om de twaalf kinderen te kunnen kleden die ze had opgevoed zonder hun vader, die maar voor één ding kwam en weer wegging als hij het had gekregen. Jack herinnerde zich dat Alan als kind een dagje mee uit was geweest met Donal, en dat hij een short droeg die was gemaakt van een kussensloop. Donal maalde er niet om en had zijn vriend nooit uitgelachen zoals andere kinderen wel deden. Niet dat Alan die pesterijen had ondergaan, in plaats daarvan sloeg hij degene die hem op de verkeerde manier aankeek tot moes. Maar hij beschermde Donal tegen iedereen, en de verdwijning van zijn vriend had hem veel gedaan.

'Kom eens hier, wat ben je groot geworden.' Ze wreef over Jacks handen en woelde door zijn haar, alsof hij net een puber was geworden. 'Je lijkt precies op je vader, God hebbe zijn ziel,' zei ze.

'Dank u wel, mevrouw O'Connor. U ziet er ook fantastisch uit,' loog hij.

'Ach, niet waar,' zei ze, met een wegwerpgebaar, en ze schuifelde terug naar haar woning op de begane grond van een hoog flatgebouw. Twee slaapkamers en twaalf kinderen, hij vroeg zich af hoe ze dat had gered. Het was geen wonder dat Alan zo vaak bij de Ruttles thuis was geweest, waar hij van Jacks moeder overvloedig te eten kreeg.

'Is Alan er ook? Ik ben gekomen om met hem te praten.'

'Nee, hij is er niet. Hij is eindelijk bij die jonge vrouw ingetrokken. In een huis, moet je nagaan. Hij is alleen maar bij haar vanwege dat huis, en zij heeft dat huis alleen maar omdat ze een kind heeft. Mooie huizen krijgen ze tegenwoordig, die alleenstaande moeders. Ik heb dat nooit gehad – niet dat ik alleenstaand was, maar wel zo goed als, en dat is maar goed ook,' vervolgde ze, terwijl ze naar de deur schuifelde.

Jack lachte. Alan was altijd in iets verwikkeld, maar hij kwam ook altijd weer op zijn pootjes terecht. Donal noemde hem 'De kat'.

'Ik zal u niet verder storen, mevrouw O'Connor. Ik ga wel naar Alans huis toe, als dat goed is.'

'Denk je dat hij iets verkeerds heeft gedaan?' Ze maakte zich zorgen.

'Hij heeft mij in elk geval niets gedaan,' zei Jack glimlachend, en ze knikte, de opluchting stond op haar verweerde gezicht geschreven.

Alan moest door zijn moeder zijn gebeld, want hij stond op de oprit te wachten. Hij zag er mager uit – magerder dan normaal – en zijn gezicht was bleek en afgetrokken, bleker en afgetrokkener dan normaal. Maar was dat niet bij iedereen zo, was niet iedereen en alles door Donals verdwijning beïnvloed? Het was net alsof hij, toen hij het fastfoodrestaurant verliet en met zijn dronken kop tegen de deurpost liep, de aarde uit zijn normale baan had gestoten, waardoor deze op topsnelheid in de verkeerde richting was gaan draaien. Het leek of alles van zijn plek was geraakt.

Ze omhelsden elkaar ter begroeting. Alan begon onmiddellijk te huilen, en Jack worstelde met de aandrang mee te doen. In plaats daarvan verstijfde hij, en liet de jonge man op zijn schouder huilen, terwijl hij de prop in zijn keel wegslikte, de tranen terugknipperde en zich probeerde te richten op alles om hem heen wat echt was en wat hij kon aanraken, alles behalve Donal.

Ze gingen in de woonkamer zitten. Alans handen trilden toen hij as van zijn sigaret aftikte in een van de lege bierblikjes die naast de bank stonden. Het was doodstil in de kamer, Jack wilde dat hij de televisie kon aanzetten als achtergrondgeluid.

'Ik ben gekomen om te vragen of er vandaag een vrouw is langs geweest. Ze helpt me met de zoektocht naar Donal.'

Alans gezicht klaarde op. 'Echt?'

'Ze wilde je een paar vragen stellen over die avond – je weet wel, nog een keer alles langsgaan.'

'Dat heb ik al duizenden keren met de politie besproken, en duizenden keren per dag met mezelf.' Alan inhaleerde diep en wreef vermoeid met zijn met nicotinevlekken overdekte vingers in zijn ogen.

'Dat weet ik, maar het kan geen kwaad als een fris oog en oor de zaak nog eens doornemen. Misschien hebben ze iets gemist.'

'Misschien,' zei hij zachtjes, maar Jack betwijfelde of hij dat geloofde. Hij betwijfelde of er een ogenblik van die avond was dat Alan niet had geanalyseerd, overgeanalyseerd, en dan nog eens had ontleed. Het moest wel een belediging zijn om tegen hem te zeggen dat hij misschien iets had gemist.

'Is ze niet langs geweest?'

Alan schudde zijn hoofd. 'Ik ben hier al de hele dag, gisteren ook, en ik ben er morgen ook,' zei hij boos.

'Hoe is het met je laatste baan afgelopen?'

Hij trok een gezicht, en Jack wist dat hij niet verder moest vragen.

'Wil je me een plezier doen?' Jack gaf Alan zijn telefoon. 'Wil je dit nummer bellen en een afspraak voor me maken bij dokter Burton? Ik wil niet dat hij mijn stem herkent.'

Omdat Alan Alan was, stelde hij geen vragen. 'Hallo, ik wil graag een afspraak maken bij dokter Burton,' zei hij, en hij maakte nog een blikje bier open.

Hij trok zijn wenkbrauwen op en keek naar Jack. 'Ja, voor een therapiesessie.'

Jack knikte.

'Voor wanneer ik die afspraak wil maken?' herhaalde hij de vraag van de secretaresse, terwijl hij naar Jack keek.

'Zo snel mogelijk,' fluisterde Jack.

'Zo snel mogelijk,' herhaalde Alan. Hij luisterde en keek naar Jack. 'Volgende maand?'

Jack schudde heftig zijn hoofd.

'Nee, dat moet eerder. Ik ben erg in de war, je weet maar nooit wat ik kan gaan doen.'

Jack sloeg zijn blik ten hemel.

Een paar seconden later hing hij op. 'Er was een afzegging, donderdagmiddag om twaalf uur.'

'Donderdag?' vroeg Jack, die uit de stoel opsprong alsof hij nu weg moest om daar dan op tijd te zijn.

'Nou, je zei zo snel mogelijk,' zei Alan, en hij gaf hem de telefoon terug. 'Heeft dit toevallig iets te maken met het zoeken naar Donal?'

Jack dacht erover na. 'Op een bepaalde manier wel, ja.'

'Ik hoop dat je hem vindt, Jack.' Er welden weer tranen op in zijn ogen. 'Ik blijf die avond keer op keer afspelen, wensend dat ik samen met hem was weggegaan. Ik dacht echt dat het in orde was dat hij een taxi die kant op nam, weet je?' Hij zag er gekweld uit en zijn hand trilde. Om zijn voeten op de vloer heen lag allemaal as, die hij voortdurend met zijn nicotinegele duim aftikte.

'Dat kon je niet weten,' stelde Jack hem gerust. 'Het is niet jouw schuld.'

'Ik hoop dat je hem vindt,' herhaalde Alan, die nog een blikje bier opentrok en het naar binnen goot.

Jack liet hem in de stilte van het lege huis achter, starend in de verte, en hij wist dat hij die avond weer overdacht en opnieuw be- leefde, op zoek naar het vitale bewijsstukje dat ze allemaal over het hoofd hadden gezien. Dat was alles wat ze konden doen.

HOOFDSTUK 27

Vermist persoon nummer een, Orla Keane, kwam de grote gemeenschapszaal binnen. Het licht dat door de open deur scheen, zette haar in de spotlights. Ze bleef bij de ingang staan om zich te oriënteren, en naast de enorme eiken deur leek ze net op Alice in Wonderland die net een 'Eet Mij'-koekje heeft gegeten. Ik schraapte nerveus mijn keel en het geluid ervan echode versterkt tegen de muren en het plafond en weer terug als een losgeslagen pingpongballetje. Ze wendde zich naar waar het geluid vandaan kwam en liep naar me toe, waarbij haar hoge hakken luid op de houten vloer weerklonken.

Joan en Helena hadden aan het ene eind van de zaal een tafel voor me neergezet waar ik achter kon zitten en waren, tot Joans teleurstelling, naar buiten gegaan om me wat privacy te geven. Toen Orla naar me toeliep, was ik volledig door haar gefascineerd. Ik kon niet geloven dat ze uit de 'vermist' foto was gestapt en nu een levend, ademend mens was dat naar me toekwam.

'Hallo,' zei ze glimlachend, en ondanks haar tijd hier was haar accent uit Cork nog erg sterk.

'Hallo.' Het kwam eruit als gefluister. Ik schraapte mijn keel en probeerde het nogmaals. Ik keek naar de lijst namen die voor me op tafel lag. Dit zou ik vandaag twaalf keer moeten doen, en dan nog een keer met Joan en Bernard. Door de gedachte dat ik al die mensen zou zien werd ik opgewonden, maar het idee dat ik zulke gevoelige onderwerpen zo subtiel moest aanpakken, putte me nu al uit. Ik had Helena eerder nogmaals gevraagd waarom ik het iedereen niet gewoon kon laten weten, zonder dat ik dit toneelstukje hoefde op te voeren.

'Sandy,' had ze zo ernstig gezegd dat ik niet eens meer een reden had hoeven horen. 'Wanneer mensen naar huis willen, worden ze wanhopig. Als ze erachter komen dat jij hier bent beland terwijl je naar hen op zoek was, zullen ze denken dat ze hier samen met jou weer weg kunnen. Het leven hier is niet de moeite waard als een paar honderd mensen voortdurend achter je aan lopen.'

Daar had ze een punt. En dus was ik hier en speelde de rol van castingagent, die op het punt staat een gesprek over alle familieleden en vrienden in een monoloog uit Hamlet te verwerken.

Ik had nog één vraag gehad voor Helena. 'Denk jij dat ik de mensen hier vandaan kan halen en naar huis kan brengen?' Ik had me afgevraagd of dat het doel was waarvoor ik hier was, omdat ik ervan overtuigd was dat ik hier niet zou blijven. De typische overtuiging van een slachtoffer: dit overkomt mij niet, niet nu juist mij.

Ze glimlachte verdrietig en weer had ik haar antwoord niet hoeven horen, omdat haar gezicht boekdelen sprak. 'Sorry, Mozes, maar dat denk ik niet.' Maar voordat ik helemaal instortte voegde ze er snel aan toe: 'Maar ik denk wel dat je hier met een bepaalde reden bent, en op dit moment is die reden: je verhalen vertellen aan iedereen, over hun familieleden praten en over hoe erg ze worden gemist. Dat is jouw manier om hen naar huis te brengen.'

Ik keek op naar Orla, die voor me zat en angstig op mijn volgende zet wachtte. Het was tijd om haar naar huis te brengen.

Ze was nu 26 en was amper veranderd. Er waren bijna zes jaar verstreken sinds haar verdwijning. Zes jaar waarin ik naar haar had gezocht. Ik wist dat haar ouders Clara en Jim heetten en dat ze twee jaar geleden waren gescheiden. Ik wist dat ze twee zussen had, Ruth en Loran, en een broer, James. Haar beste vriendinnen waren Laura en Rebecca, die ook wel 'Gulp' werd genoemd, omdat ze vaak vergat haar rits dicht te doen. Orla studeerde kunstgeschiedenis aan de universiteit van Cork toen ze verdween. De jurk die ze naar het de-

butantenbal droeg was paars, en het litteken boven haar linker-
wenkbrauw was van de keer dat ze op haar achtste op vakantie in
Bantry van haar fiets was gevallen. Ze was op haar vijftiende ont-
maagd, op een feestje, door Niall Kennedy, die bij de videotheek
werkte, en ze had de auto van haar ouders in de poeier gereden toen
die een weekje in Spanje waren, maar ze had hem op tijd laten repareren en tot de dag van vandaag wisten ze er niets van. Haar favoriete kleur is lila, ze is dol op popmuziek, speelde piano tot haar veer-
tiende, droomde er vanaf haar zesde in het geheim van om
balletdanseres te worden, maar ze had geen enkele balletles gevolgd,
en ze was hier al vijf driekwart jaar.

Ik keek naar haar en wist niet waar ik moest beginnen. 'Nou, Orla, vertel me maar eens iets over jezelf.'

Ik keek naar haar alsof ik in trance was, keek hoe de lippen die ik
alleen op foto's had gezien opengingen en sloten, haar gezicht ge-
animeerd, lévend, en ik luisterde naar haar woorden. Het zangerige
accent, de manier waarop haar lange blonde haar bewoog als ze
sprak. Ik was betoverd.

Toen ze toekwam aan haar studie, zag ik een kans om erop in te
haken. 'Kunstgeschiedenis aan de universiteit van Cork?' herhaalde
ik. 'Ik ken iemand die in hetzelfde jaar studeerde als jij.'

'Wie?' Ze sprong bijna van haar stoel.

'Rebecca Grey.'

Haar mond viel open. 'Ga weg! Rebecca Grey is een van mijn beste vriendinnen!'

'Echt waar?' Ik merkte op dat ze nog steeds in de tegenwoordige
tijd sprak. Rebecca was nog steeds haar beste vriendin.

'Ja! Maf zeg, hoe ken je haar?'

'Ik ben haar broer Enda een paar keer tegengekomen. Hij is bevriend met vrienden van me, je weet hoe dat gaat.'

'Wat doet hij nu?'

'De laatste keer dat ik hem heb gezien was op zijn trouwdag, een
paar maanden geleden. Volgens mij heb ik je vader en moeder daar
ook ontmoet.'

Ze zweeg even, en toen ze weer sprak trilde haar stem en sprak ze
heel zacht. 'Hoe ging het met hen?'

'Heel goed, ik heb met een van je zussen gepraat – Lorna, volgens mij.'

'Ja, Lorna!'

'Ze vertelde me dat ze verloofd was.'

'Met Steven?' Ze wipte op en neer op haar stoel, en klapte opgewonden in haar handen.

'Ja,' zei ik glimlachend, 'met Steven.'

'Ik wist wel dat ze hem zou terugnemen,' zei ze lachend, met tranen in haar ogen.

'Je oudere zus was er ook, met haar man. Ze was hoogzwanger, zag ik.'

'O.' Er viel een traan, die ze snel wegveegde. 'Wat nog meer? Wie heb je nog meer gezien? Zeiden mijn vader en moeder nog iets? Hoe zagen ze eruit?'

En ik bracht haar thuis.

Er was een halfuur voorbijgegaan en Joan kuchte nogal hard om me te laten weten dat er weer iemand was aangekomen die auditie wilde doen. We hadden niet eens gemerkt dat Joan de zaal was binnengekomen en ik keek op mijn pols om te zien hoe laat het was, vergetend dat mijn horloge nog steeds ergens op de weg het dorp uit lag. Het bekende gevoel van irritatie ging door mijn lijf terwijl ik bedacht dat het ergens lag maar ik het niet kon vinden. Ik keek op om te zien wie de volgende was die ik zou ontmoeten – Carol Dempsey, die nerveus in haar handen wreef terwijl ze naast Joan stond – en mijn irritatie verdween. Ik werd weer bang.

'Sorry, onze tijd is voorbij,' zei ik tegen Orla.

Haar gezicht betrok en ik wist dat ze plotseling van huis was weggesleurd en met een smak weer in de realiteit van waar ze zich nu bevond was beland.

'Maar ik heb nog niet eens auditie gedaan,' zei ze in paniek.

'Het is al goed, je hebt de rol,' fluisterde ik met een knipoog.

Haar gezicht stond weer vrolijk. Toen ze opstond, boog ze zich naar me toe en greep mijn hand in allebei haar handen. 'Dank je, heel erg bedankt.'

Ik zag haar weggaan met Helena, Orla's hoofd zat weer vol met duizenden nieuwe verhalen van thuis. Ze had nu zo veel om over na te denken: nieuwe gedachten en nieuwe herinneringen, die allemaal nieuwe vragen en een nieuw verlangen naar thuis opriepen.

Carol ging voor me zitten. Ze had drie kinderen, was huisvrouw, kwam uit Donegal, was 42 en lid van het plaatselijke koor, en ze was vier jaar geleden op weg naar huis van een koorrepetitie verdwenen. De week voor haar verdwijning had ze haar rijbewijs gehaald, haar man had de avond ervoor met zijn gezin zijn vijfenveertigste verjaardag gevierd en haar jongste dochter had de week erna een toneeluitvoering op school. Ik keek naar haar muizige gezicht, timide en verlegen, haar bruine, piekerige haar had ze achter haar roze oren gedaan, ze klemde de tas die op haar schoot stond met beide handen vast, en ik wilde haar direct naar huis brengen.

'En, Carol,' zei ik vriendelijk, 'waarom vertel je me niet eerst iets over jezelf?'

Later die dag zaten we allemaal in een kring in de grote gemeenschapszaal. Ik zat met mijn gezicht naar het toneel en de duizenden handdrukken die op het kleed erachter stonden. 'Kracht en hoop' herhaalde ik in mezelf. Kracht en hoop hadden me de dag door geholpen, ik was nog high van de ontmoetingen met mijn idolen, maar ik wist dat het niet lang zou duren voordat ik uitgeput zou zijn. Zoals gewoonlijk had ik, toen iedereen zijn plaats innam, ervoor gekozen afstand te houden en te observeren, van buiten de kring. Oude gewoonten slijten niet zo snel. Helena had me geroepen en een koor van vijftien stemmen was haar bijgevallen, en dwong me te gaan zitten. Dat deed ik, me ervan bewust dat ik me bij een groep aansloot, iets waarvoor ik mijn hele leven was weggelopen. Langzaam ging ik zitten, worstelend met mijn benen, die de deur uit wilden rennen, en mijn mond, die zich wilde excuseren.

Nadat ik met iedereen afzonderlijk had gesproken, had Helena het idee geopperd dat iedereen elkaar beter zou leren kennen door te vertellen waar en wanneer ze verdwenen waren. Ze noemde het een workshop teambuilding ten dienste van de productie, maar ik

wist dat ze het voor mij deed, om me te helpen bij mijn voortdurende zoektocht naar het begrijpen waar we zijn en hoe we hier terecht
zijn gekomen.

Een voor een legden de mensen uit hoe ze hier waren aangekomen. Het was een emotionele ervaring. Sommigen waren hier pas
een paar jaar, anderen meer dan een decennium, maar het besef dat
ze nooit meer naar huis zouden gaan was nog steeds rauw. Veel
mensen plengden tranen, zoals gewoonlijk, maar ik niet. Het was
net alsof mijn tranen, op het moment dat ze zich een weg van mijn
hart naar mijn ogen hadden gebaand, waren verdampt en in plaats
daarvan de lucht in zweefden als trieste dampen. Ik luisterde gefascineerd naar wat er was gebeurd nadat ze de plekken die ik zo vaak
had onderzocht hadden verlaten en hier waren aangekomen. Het
was zo eenvoudig. Ik had onnodige routes gevolgd, de verkeerde
mensen verdacht, elke centimeter van de weg waar ze het laatst waren gezien onderzocht. Het was nutteloos, omdat het enige wat ze
deden was hier naartoe afdwalen.

Hoewel het pijnlijk was voor de vermisten om te weten dat ze
niet meer naar huis zouden terugkeren, was het een stuk beter dan
het alternatief. Ik wenste dat Jenny-May Butler hier was, ik wenste
dat Donal Ruttle hier was, ik wenste dat de anderen op mijn lijst en
de duizenden andere mensen die elk jaar vermist raken hier waren.
Ik bad dat Jenny-May niets ernstigs was overkomen. Ik bad dat, als
dat wel zo was, het snel en pijnloos was geweest. Maar vooral bad ik
dat ze hier was.

Ik was betoverd toen ik al deze mensen bekeek. Ik was een
vreemde voor hen, maar zij waren mijn beste vrienden. Ik had zo
veel verhalen over hen die ik hun wilde vertellen, die ik kende en begreep, waarom ik had gelachen en waarin ik me kon verplaatsen. Ik
wilde vertellen over de mensen die ze kenden en die ik had ontmoet
en met wie ik had gelachen. Er waren situaties die ze hadden meegemaakt, waarvan ik wilde vertellen dat ik erover had gehoord. Het
volledige tegenbeeld van hoe ik in het leven was. Ik wilde meedoen,
verhalen uitwisselen en erbij horen.

Er viel een stilte en ik besefte dat alle ogen op mij waren gericht.

'Nou?' vroeg Helena, terwijl ze haar gele pashmina goed deed.

'Nou wat?' vroeg ik, terwijl ik verward rondkeek.

'Ga je ons nog vertellen hoe je hier bent beland?'

Ik wilde hun vertellen dat ik hier al lang voor hen was geweest. Maar dat deed ik niet. In plaats daarvan excuseerde ik me en verliet de zaal.

Later die avond zat ik met Helena en Joseph aan een rustig tafeltje in het eethuisje. Op elke tafel flakkerde een kaars en in een tinnen emmertje stonden paradijsvogelbloemen. We hadden net het voorgerecht van champignonsoep en gloeiend heet bruin brood op, en ik leunde achterover in mijn stoel, al verzadigd, en wachtte op het hoofdgerecht. Deze woensdagavond was het rustig in het eethuisje, mensen gingen vroeg naar bed om morgen weer aan het werk te gaan. Alle mensen die deelnamen aan de productie hadden vrij gekregen, omdat de raad vond dat deze kunstuiting ook werk was. We moesten de komende dagen de hele dag oefenen om de deadline van komende zondag te halen, want Helena had de cast en de gemeenschap al meegedeeld dat dan de generale repetitie zou zijn. Dit leek mij zeer ambitieus en volslagen onrealistisch, maar Helena verzekerde me dat de mensen hier zich op hun werk stortten en uiterst productief waren. Wat wist ik daar nou van?

Ik keek voor de zoveelste keer sinds ik mijn horloge was kwijtgeraakt op mijn pols en zuchtte gefrustreerd.

'Ik moet mijn horloge vinden.'

'Maak je daar maar niet druk om,' zei Helena glimlachend. 'Het is niet zoals thuis, Sandy, dingen raken hier niet zomaar kwijt.'

'Dat weet ik wel, je blijft het me maar vertellen, maar als dat zo is, waar is het dan?'

'Waar je het hebt laten vallen,' zei ze lachend, en ze schudde haar hoofd tegen me alsof ik een kind was.

Joseph, merkte ik op, glimlachte niet, maar veranderde gewoon van onderwerp. 'Wat voor toneelstuk gaan jullie doen?' vroeg hij met zijn diepe, geruststellende stem.

Ik lachte. 'We hebben geen idee. Helena leidde het gesprek telkens in andere banen als mensen vroegen welk stuk we zouden doen. Ik wil niet vervelend doen, maar volgens mij is het heel onwaarschijnlijk dat we binnen een week een toneelstuk kunnen instuderen en perfectioneren.'

'Het wordt een kort toneelstuk,' zei Helena verdedigend.

'En de scripts dan, en kostuums, en wat er nog meer nodig is?' vroeg ik, terwijl ik plotseling besefte wat we allemaal moesten doen.

'Breek daar je hoofd maar niet over, Sandy.' Ze wendde zich tot Joseph. 'Thuis wordt er altijd gezegd dat oude theaters behekst zijn omdat kostuums en make-up altijd kwijtraken of lijken kwijt te raken. Nou, dat klopt, ze verdwijnen ook, maar dat komt niet door geesten, niet door vingervlugge geesten in elk geval, want elke dag verschijnen hier de prachtigste kostuums. Bobby heeft alles wat we nodig hebben,' zei ze kalm.

'Ze heeft dit allemaal al uitgedacht.' Joseph glimlachte liefhebbend tegen zijn vrouw.

'Het denkwerk is al klaar, schat. Het is al besloten. We gaan *The Wizard of Oz* opvoeren,' zei Helena theatraal en trots, en met een zwierig gebaar nam ze een slok van haar rode wijn.

Ik begon te lachen.

'Waarom is dat zo grappig?' vroeg Joseph geamuseerd.

'*The Wizard of Oz*,' benadrukte ik. 'Dat is geen toneelstuk, dat is een musical! Dat doen kinderen op school. Ik dacht dat je met iets culturelers zou komen, een toneelstuk van Beckett of O'Casey,' betoogde ik. '*The Wizard of Oz...*?' Ik rimpelde mijn neus.

'Nou, nou, volgens mij hebben we hier te maken met een snob.' Helena probeerde niet te lachen.

'Ik ken *The Wizard of Oz* niet.' Joseph keek verward.

Ik snakte naar adem. 'Achtergesteld kind.'

'Het is niet echt iets wat ze in Watamu opvoerden,' herinnerde Helena me. 'En als je vandaag niet zo snel uit de repetities was weggelopen, Sandy, dan had je geweten dat het geen musicalversie wordt. Het is een bewerking die lang geleden door Dennis O'Shea is gemaakt, een goede Ierse toneelschrijver die hier al twee jaar is. Hij hoorde over wat we aan het doen waren en heeft me zijn bewerking vanochtend gebracht. Ik vond het perfect en de rollen zijn al gecast en de eerste paar scènes al uitgewerkt. Ik moest natuurlijk wel tegen hen zeggen dat jij dat had besloten.'

'Heb je hen voor *The Wizard of Oz* gecast?' zei ik, totaal niet onder de indruk.

'Waar gaat het over?' vroeg Joseph geïntrigeerd.

'Sandy, aan jou de eer,' zei Helena.

'Oké, nou, het is een kinderfilm,' benadrukte ik met een blik op Helena, 'uit de jaren dertig van de vorige eeuw, over een meisje dat Dorothy Gale heet. Ze wordt door een tornado opgepakt en meegezogen naar een magisch land. Als ze daar is, gaat ze op zoek naar de tovenaar, die haar kan helpen weer thuis te komen. Het is belachelijk om een groep volwassenen te vragen dit te doen,' zei ik lachend, maar ik besefte dat niemand met me meelachte.

'En die tovenaar, helpt die haar?'

'Ja,' zei ik langzaam, en ik vond het raar dat het verhaal zo serieus werd opgevat. 'De tovenaar helpt haar en ze komt erachter dat ze de hele tijd al naar huis had gekund, ze hoefde alleen maar de hakken van haar rode schoentjes tegen elkaar te klikken en te zeggen: "Het is nergens zo goed als thuis, het is nergens zo goed als thuis."'

Hij lachte nog steeds niet. 'Dus uiteindelijk komt ze weer thuis?'

Er viel een stilte en eindelijk snapte ik waarom. Ik knikte langzaam.

'En wat doet ze als ze in dat magische land is?'

'Ze helpt haar vrienden,' zei ik zachtjes.

'Het lijkt mij helemaal niet zo'n raar verhaal,' zei Joseph serieus. 'De mensen hier zullen dat graag willen zien.'

Daar dacht ik over na. Ik dacht er zelfs de hele avond over na, totdat ik over rode schoentjes en tornado's droomde, en over pratende leeuwen en huizen die op heksen vielen, totdat de zin 'Het is nergens zo goed als thuis' voortdurend zo hard door mijn hoofd klonk dat ik wakker werd terwijl ik hem hardop uitsprak, en ik niet meer durfde te gaan slapen.

HOOFDSTUK 28

Ik staarde omhoog naar het plafond, naar het punt recht boven mijn hoofd waar de witte verf gebubbeld en gebarsten was. De maan werd prachtig omlijst door het raam van de woonkamer waar ik sliep. Er viel blauw licht door het glas, waardoor er een precieze reflectie van het vierkante raam op de ruwhouten tafel viel. In het raam op de tafel bevond zich geen maan, zag ik, er was alleen een lichtblauwe, spookachtige weerspiegeling.

Ik was nu klaarwakker. Ik voelde aan mijn pols om te kijken hoe laat het was en herinnerde me weer dat mijn horloge weg was. Mijn hart begon te bonken, zoals het altijd deed wanneer iets van mij weg was; dan werd ik onmiddellijk rusteloos en kon niet wachten om te gaan zoeken. Mijn zoektochten waren net een verslaving, het gevoel vóór de zoektocht was net als het smachten naar het verslavende middel. Een deel van me was bezeten, en ik wilde niet rusten voordat mijn bezittingen werden gevonden. Er was maar weinig wat mensen konden doen wanneer ik me zo voelde, er was maar weinig wat gezegd of gedaan kon worden om me tegen te houden. De mensen om me heen zeiden altijd tegen me dat het zo eenzaam voor hen was als ik hen plotseling verliet. Iedereen met wie ik samen was, was altijd het slachtoffer; begrepen ze dan niet dat het voor mij ook eenzaam was?

'Maar het is niet die pén die je mist,' zei Gregory altijd tegen me.

'Jawel,' gromde ik dan, terwijl ik in mijn tas rommelde, met mijn neus bijna op de bodem.

'Nee hoor. Wanneer je iets zoekt, probeer je een gevoel te bevredigen. Of je de pen wel of niet hebt, is volkomen irrelevant, Sandy.'

'Dat is niet irrelevant,' schreeuwde ik dan terug. 'Als ik geen pen heb, hoe kan ik dan opschrijven wat je me zo gaat zeggen?'

Hij stak zijn hand in de binnenzak van zijn jasje en gaf me een pen. 'Hier.'

'Maar dat is mijn pen niet.'

Dan zuchtte hij en glimlachte hij zoals altijd. 'Dat idee om naar dingen te zoeken die kwijt zijn is een afleiding...'

'Afleiding, afleiding. Dit gaat niet over mij; jíj bent degene die obsessief dat woord zegt. Als jij het woord "afleiding" zegt is dat jouw afleiding van het zeggen van iets anders,' mopperde ik boos.

'Laat me eens uitpraten,' zij hij streng.

Ik hield direct op met rommelen en luisterde naar hem, belangstelling veinzend.

'Dat idee om naar dingen te zoeken die kwijt zijn is een aflei...' hij onderbrak zichzelf, 'is een manier om om te gaan met iets anders dat *binnen in jou* mist in je leven. Zullen we eens gaan zoeken wat dat is?'

'Aha!' riep ik glimlachend, terwijl ik de pen van de bodem van mijn tas opviste. 'Hebbes!'

Helaas voor Gregory stak het smachten nooit de kop op wanneer we probeerden in mij te zoeken.

Als er een drie meter hoge muur om het huis had gestaan, was ik daar overheen geklommen. Er waren geen grenzen aan de plekken waar ik zocht, het werden allemaal onzichtbare horden. Gregory had ook iets goeds te zeggen over mijn zoektochten, en dat was dat hij nog nooit eerder zulk uithoudingsvermogen en zulke vastberadenheid had gezien. En toen verpestte hij het compliment door te zeggen dat het jammer was dat ik die energie niet in andere aspecten van mijn leven stopte. Maar toch voelde ik ergens in zijn opmerking nog waardering.

Op de klok in de woonkamer zag ik dat het kwart voor vier was. In het doodstille huis gooide ik de dekens van me af en begon door Barbara Langleys tas met afgrijselijke jaren tachtig-kleding te zoeken. Ik besloot een zwart-wit topje in zeemansstijl aan te trekken, een zwarte strakke spijkerbroek en zwarte flatjes. Ik had alleen nog een arm vol armbanden en enorme oorringen nodig en hoefde alleen nog mijn haar naar achteren te kammen om het dansje 'The Time Warp' te kunnen doen. Maar eigenlijk deed ik dat al.

Joseph en Helena leken er heel zeker van te zijn dat mijn horloge niet weg was, ze geloofden rotsvast dat niets deze plek kon verlaten. Ik glipte stilletjes het huis uit om het gezin niet wakker te maken. Het was niet koud buiten. Het voelde net alsof ik in een speelgoed-dorpje in de besneeuwde Zwitserse bergen liep: kleine houten cha-lets met bloembakken en kaarsen achter de ramen om de weg te verlichten en nieuwe mensen te verwelkomen. Het was stil buiten. In het bos klonk het kraken van takken terwijl mensen voor de eer-ste keer naar het dorpje liepen. Mensen die zich daar waarschijnlijk ineens bevonden tijdens een onschuldig wandelingetje naar de winkel of op de terugweg vanuit de pub. Ik voelde me veilig in het dorp, beschermd door mensen die zich erop richtten het leven weer op te pikken vanaf het punt waar ze het hadden achtergelaten en door te gaan.

Ik liep het dorp uit over de stoffige weg die de velden in leidde. Boven de bomen in de verte kwam de zon op, hij wierp oranje tin-ten over het blauwe licht, als een enorme sinaasappel die zijn kleur-rijke sap over de dorpen, bomen, bergen en velden uitperste, en het vloeibare licht als een stroom over de paden liet lopen.

In de verte zag ik iemand midden op de weg omhoog komen en weer bukken. Hij stond weer op en aan de lengte en bouw zag ik dat het Joseph was. Zijn silhouet was pikzwart afgetekend tegen de op-komende zon, die grote sinaasappel die aan het eind van de weg lag, en eruitzag alsof hij zo naar ons toe kon rollen, alles op zijn weg ver-pletterend. Ik wilde net naar hem toelopen toen hij op handen en voeten ging zitten en de stoffige grond begon af te tasten. Ik sprong tussen de bomen en verborg me achter een boom, om hem te kun-nen bekijken. Hij was sneller geweest dan ik; ik besefte dat hij op zoek was naar mijn horloge.

Er flitste licht van een zaklamp tussen de bomen door. Snel dook ik weg, en vroeg me af waar dat in vredesnaam vandaan kwam. Joseph hield op met wat hij aan het doen was om naar het licht op te kijken. Het verdween, hij ging door met zoeken en ik bleef naar hem kijken, omdat ik wilde zien wat hij zou doen als hij het horloge zou vinden. Maar hij vond het niet. Na een uur vastberaden zoeken, ik denk dat Gregory dat ook zou vinden, ging Joseph eindelijk staan, zette zijn handen op zijn heupen, schudde zijn hoofd en zuchtte.

Er liep een rilling over mijn rug. Het was er niet, ik wist het wel.

Voordat Jack woensdagavond weer naar huis ging, keerde hij terug naar de riviermond om te zien of Sandy's auto in de afgelopen 24 uur was verdwenen.

Gloria was heel blij geweest toen ze hoorde dat hij van plan was een psychiater te bezoeken, hoewel ze op z'n zachtst gezegd niet goed snapte waarom hij voor een sessie naar Dublin moest. Maar toch, hij had haar lange tijd niet zo blij gezien, en daardoor begreep hij hoe erg hij de laatste tijd moest zijn geweest. Toen hij het haar vertelde, kon hij haar bijna horen denken en plannen horen maken over een bruiloft, baby's, doopfeesten en wie weet wat nog meer. Het klopte echter niet als ze dacht dat hij in therapie ging. Hij had niet de bedoeling of wil om genezen te worden van de drang om zijn broer te vinden. Voor hem was dat geen ziekte.

Het was donker buiten, pikzwart tussen de bomen bij de riviermond van de Shannon, waar uilen schreeuwden en er allerlei wezens door het kreupelhout bewogen. Hij pakte de zaklamp voor noodgevallen uit zijn auto, en toen hij hem aandeed zag hij allerlei geschrokken, opgloeiende ogen bevriezen en weer terug de bosjes in rennen. Sandy's Ford Fiesta stond nog steeds op zijn plek, onaangeroerd sinds hij hier voor het laatst was geweest. Hij scheen met de lamp tussen de bomen door, naar het pad dat verder langs de riviermond voerde. Een leuke wandeling voor vogelaars en natuurliefhebbers, of een pad voor Sandy om te joggen? Hij liep er naartoe, dieper het bos in, waar hij de laatste paar dagen al zo vaak had gezocht. Door zijn onervarenheid had hij gedacht dat voetafdrukken hem verder zouden helpen, dus daar had hij naar gezocht. Nu liep hij verder, en zag tot zijn plezier dieren uit het licht wegspringen, en hij scheen met de lamp in de bomen en keek hoe de lichtstraal zijn weg naar de hemel vond.

Aan zijn linkerhand verscheen een pad. Hij bleef staan en probeerde erachter te komen wat hem dwars zat. Hij had dat pad nog niet eerder gezien. Hij scheen met het licht over het pad: nog meer bomen, en duisternis aan het einde. Hij rilde en richtte de lamp ergens anders op; hij zou als het licht was terugkomen en het pad op gaan. Toen hij met de zaklantaarn in een andere richting scheen, ving zijn oog de glinstering van metaal op, die weer verdween. Snel zocht hij rond met het licht, bang dat wat het ook was, zou verdwijnen. Hij zag een zilveren horloge links tussen het lange gras naast het pad liggen. Hij boog zich en pakte het op, met zijn hart bonzend in zijn borst, terwijl er plotseling een beeld voor zijn geestesoog verscheen.

Het was de herinnering aan Sandy, die zich vooroverboog om haar horloge te pakken, een paar ochtenden geleden bij het tankstation.

HOOFDSTUK 29

'Hallo, ik hoop dat ik het goede nummer heb gebeld voor Mary Stanley.' Jack sprak een voicemailbericht in. 'Ik ben Jack Ruttle. U kent me niet, maar ik probeer in contact te komen met Sandy Shortt, van wie ik weet dat u die onlangs nog hebt gesproken. Ik weet dat dit een beetje vreemd telefoontje is, maar als u iets van haar hoort of een idee hebt over waar ze naartoe is, kunt u dan alstublieft contact met me opnemen op het volgende nummer...'

Jack zuchtte en probeerde een ander nummer. Op deze zonnige dag in Dublin lagen overal om hem heen mensen op het gras van St. Stephen's Green. Er waggelden eenden om zijn bankje heen, zoekend naar stukjes brood die mensen tijdens het voeren hadden laten vallen. Ze kwaakten, pikten en sprongen terug in het glinsterende water, wat hem eventjes afleidde. Nadat hij meer dan een uur door het eenrichtingsverkeer van het centrum van Dublin had gedwaald, waarna hij in een opstopping had vastgezeten, was hij er eindelijk in geslaagd een parkeerplekje bij St. Stephen's Green te vinden. Hij had nog een uur voor zijn sessie met dokter Burton, waar hij steeds nerveuzer over werd. Jack was er sowieso niet goed in om met iemand over zijn gevoelens te praten, laat staan dat hij een uur met een psychiater zijn geest moest doorzoeken op nepzorgen, alleen om informatie over Sandy Shortt te verzamelen. Hij was geen Columbo, en hij werd het zat dat hij op slinkse manieren antwoorden moest zoeken.

Hij had de hele ochtend nummers uit Sandy's telefoonboek gebeld, berichten achtergelaten bij iedereen die de laatste paar dagen contact met haar had opgenomen en bij degenen met wie ze de afgelopen weken een afspraak had gemaakt. Hij had niets bereikt. Tot nu toe had hij zes voicemailberichten achtergelaten, met twee mensen gesproken die extreem op hun hoede waren om informatie te geven, en had hij veel te lang naar haar razende huisbaas geluisterd, die er meer mee zat dat hij deze maand nog niet was betaald dan met de vraag waar Sandy was.

'Ik waarschuw je, jongeman, voordat ze je hart breekt,' had hij gegromd, 'als je niet dagenlang wilt rondhangen, op haar wachtend, dan kun je maar beter nu de banden met haar doorsnijden. Je bent niet de enige, dat kan ik je wel zeggen.' Hij had al te joviaal gelachen. 'Laat je door haar geen rad voor ogen draaien. Ze neemt voortdurend iemand mee, en ze denkt dat niemand van ons haar hoort. Ik woon recht boven haar, ik hoor haar komen en gaan, sorry voor het woordgrapje. Let op mijn woorden: over een paar dagen komt ze weer opdagen, zich afvragend waarom iedereen zich zo druk maakte, en dan denkt ze waarschijnlijk dat ze twee uur is weggeweest in plaats van twee weken. Dat doet ze de hele tijd. Maar als je haar voor die tijd ziet, zeg haar dan maar dat ze me zo snel mogelijk betaalt, anders vliegt ze eruit.'

Jack zuchtte. Als hij het wilde opgeven, was dit het moment. Maar hij kon het niet. Hij was hier in Dublin, het was nog maar een paar minuten tot de afspraak met iemand van wie hij dacht dat die meer zou weten over wat er in Sandy's hoofd omging dan wie dan ook. Hij wilde het niet opgeven en naar huis gaan, naar... een groot niets. Zijn idee over Sandy was aan het veranderen. Door hun gesprekken aan de telefoon had hij zich een beeld van haar gevormd: georganiseerd, zakelijk, dol op haar baan, praatgraag, knap. Hoe meer hij in haar leven groef, hoe meer dat beeld veranderde. Ze was dat nog steeds allemaal, maar ook nog meer. Ze werd concreter voor hem. Dit was geen spook waar hij jacht op maakte, ze was een echt, ingewikkeld, gelaagd persoon, niet alleen maar de behulpzame vreemdeling met wie hij aan de telefoon had gesproken. Misschien had Turner gelijk, misschien had ze er gewoon genoeg van en verschool ze zich een tijdje voor de wereld, maar dat was iets wat haar therapeut zeker zou weten.

Net toen hij nog een nummer wilde intoetsen, ging zijn telefoon.

'Is dit Jack?' vroeg een vrouw zachtjes.

'Ja,' antwoordde hij. 'Met wie spreek ik?'

'Met Mary Stanley. Je hebt een bericht ingesproken over Sandy Shortt.'

'O ja, Mary, hallo. Dank je wel dat je me terugbelt. Ik weet dat het een vreemd bericht was.'

'Ja...' Ze was op haar hoede, net als de anderen; onzeker over deze vreemde man die zonder goede reden op zoek was naar hun vriendin.

'Je kunt me vertrouwen, Mary. Ik wil Sandy geen kwaad doen. Ik weet niet hoe goed je haar kent, of je familie bent of een vriendin, maar ik zal eerst vertellen wie ik ben.' Hij vertelde het verhaal: dat hij contact met Sandy had opgenomen, een afspraak met haar had gemaakt, haar bij het benzinestation had gezien, en daarna geen contact meer met haar had gehad. Hij liet de reden voor hun afspraak achterwege, omdat hij wist dat dat niet van belang was. 'Ik wil geen groot alarm slaan,' ging hij verder, 'maar ik heb allerlei mensen gebeld met wie ze nauw in contact stond, om te zien of iemand onlangs nog iets van haar had gehoord.'

'Ik ben vanochtend gebeld door een politieagent, Graham Turner,' zei Mary, en Jack wist niet goed of het een vraag was of een verklaring. Waarschijnlijk was het beide.

'Ja, ik heb contact met hem opgenomen. Ik maak me zorgen om Sandy.' Jack had Turner die ochtend gebeld en hem verteld dat hij Sandy's horloge had gevonden, in de hoop dat hij daardoor iets zou gaan ondernemen. Blijkbaar wel.

'Ik maak me ook zorgen,' zei Mary, en Jack veerde op.

'Hoe wist hij dat hij jou moest bellen?' vroeg Jack, waarmee hij bedoelde: Wie ben je? Hoe ken je Sandy?

'Wie stond er nog meer op je lijst met te bellen personen?' vroeg ze, zijn vraag negerend, en ze klonk alsof ze in gedachten verzonken was.

Hij sloeg zijn kladblok open. 'Peter Dempsey, Clara Keane, Ailish O'Brien, Tony Watts – moet ik nog verdergaan?'

'Nee, dat is genoeg. Heb je een lijst van Sandy te pakken gekregen?'

'Ze heeft haar telefoon en agenda achtergelaten. Dat waren de enige hulpmiddelen om naar haar te zoeken.' Jack probeerde te klinken alsof hij zich niet schuldig voelde.

'Is een bekende van je verdwenen?' De klank van haar stem was niet zacht, maar ook niet hard. Hij was verbaasd door deze vraag, die zo direct werd gesteld, alsof mensen voortdurend vermist werden.

'Ja, mijn broer Donal.' Er kwam een brok in Jacks keel elke keer dat hij het over zijn broer had.

'Donal Ruttle – dat is waar ook. Daar heb ik iets over in de krant gelezen,' zei ze, en ze verzonk weer in gedachten. 'Van iedereen die je opnoemde wordt er een familielid vermist,' legde Mary uit, 'van mij ook. Mijn zoon, Bobby, wordt al vier jaar vermist.'

'Dat spijt me heel erg,' zei Jack zachtjes. Het was logisch dat iedereen met wie Sandy onlangs contact had gehad met haar werk te maken had; hij was nog geen vrienden tegengekomen.

'Dat hoeft niet hoor. Het is niet jouw schuld. Dus als ik het goed begrijp, hebben we allemaal Sandy ingeschakeld om onze familieleden te zoeken en nu schakel je ons in om Sandy te zoeken?'

Hoewel Jack aan de telefoon zat, moest hij toch blozen. 'Ja, eigenlijk wel.'

'Nou, of de anderen al gereageerd hebben of niet, maakt me niet uit. Ik zal voor hen spreken. Je kunt op ons rekenen. Sandy is voor ons allemaal heel bijzonder; we zullen alles doen wat in ons vermogen ligt om haar te vinden. Hoe sneller we haar vinden, hoe sneller ze mijn Bobby kan vinden.'

Dat was precies hoe hij erover dacht.

Ik viel niet meer in slaap, en dacht na over waar mijn horloge was. Het duizelde me van de mogelijkheden, want nu ik hier terecht was gekomen, waren er talloze plekken waar het horloge kon zijn. Ik stelde me een wereld voor waarin horloges aten, sliepen en met elkaar trouwden, met staande klokken als staatshoofd, zakhorloges als denkers, waterproof horloges die in het water leefden, diamanten horloges die de aristocratie vormden en digitale horloges als harde werkers, maar ik werd onderbroken toen Joseph het huis binnensloop. Ik had hem volgens mijn inschatting nog zeker een uur geobserveerd, terwijl hij over de weg heen en weer liep, met grote ogen rondkeek en erg gericht was op het vinden van mijn horloge. Ik wist nu hoe ik eruitzag tijdens mijn zoektochten: hij was volledig op één ding gericht en in trance, zich volslagen onbewust van het leven om hem heen, en al helemaal van iemand die zich niet ver van hem vandaan achter een boom verschool.

Een halfuur nadat ik weer in bed was gaan liggen, kwam Joseph stilletjes binnen, maar niet stil genoeg. Ik drukte mijn oor tegen de muur en probeerde het gemompel tussen hem en Helena in de kamer naast me te verstaan. Het hout was warm tegen mijn wang en ik deed even mijn ogen dicht, overspoeld door heimwee en een verlangen naar de warme, op en neer gaande borstkas waar ik in bed altijd met mijn hoofd op lag. Toen was het stil en omdat ik me net een gekooide leeuw voelde, besloot ik het huis uit te glippen voordat iemand zich weer bewoog.

Buiten werden de marktkraampjes opgezet voor weer een drukke dag handelen. Ik hoorde het kleurrijke geluid van mensen die elkaar plaagden, vermengd met vogelgezang, gelach en geschreeuw, terwijl er kratten en kisten werden uitgepakt en opgestapeld. Ik sloot mijn ogen en voelde voor de tweede keer een verlangen naar huis, en ik stelde mezelf voor als kind, terwijl ik hand in hand met mijn moeder langs de biologische boerenmarkt op het marktplein in Carrick-on-Shannon liep, waarbij de frisse geur van fruit en groenten, rijp en kleurrijk, iedereen verleidde om dingen aan te raken, te ruiken en te proeven. Ik opende mijn ogen en was weer hier.

Ik kwam bij de winkel met verloren voorwerpen en zag dat het houtsnijwerk op dit gebouw kleurrijker en speelser was: twee eenlingsokken, één geel met roze stippen en de ander oranje-paars gestreept. Ik dacht aan Gregory en mij, tijdens het laatste schoolbal, en moest lachen. Er verscheen een gezicht achter het raam, een heel bekend gezicht, en ik hield onmiddellijk op met lachen, het was net alsof ik een geest had gezien. Hij was jong – negentien nu, als ik het goed berekende. Hij wierp me een brutale grijns toe, zwaaide en verdween van het raam, waarna hij bij de nu geopende deur verscheen als de Cheshire Cat. Dus dit was de Bobby van de verloren voorwerpen over wie Helena en Wanda het hadden gehad.

'Hallo.' Hij leunde met zijn schouder tegen de deurpost, sloeg zijn benen over elkaar en stak twee handen uit. 'Welkom bij verloren voorwerpen.'

Ik lachte. 'Hallo, meneer Stanley.'

Zijn ogen vernauwden zich toen ik zijn naam noemde, maar zijn glimlach werd groter. 'En wie bent u?'

'Sandy.' Ik had gehoord dat hij een echte grappenmaker was. Ik had talloze homevideo's van hem gezien, waarin hij altijd optrad voor de camera, van zijn zesde tot zijn zestiende, vlak voordat hij verdween. 'Je stond op mijn lijstje,' legde ik uit, 'voor de audities gisteren, maar je kwam niet opdagen.'

'Ah!' Het drong tot hem door, maar hij bleef me nieuwsgierig aankijken. 'Ik heb over je gehoord.' Hij ging rechtop staan en liep nonchalant het trappetje af, handen in zijn zakken. Hij bleef recht voor me staan, vouwde zijn armen, legde een hand onder zijn kin en liep langzaam om me heen.

Ik lachte. 'Wat heb je over me gehoord?'

Hij bleef achter me staan en ik draaide mijn bovenlichaam naar hem om. 'Ze zeggen dat je dingen weet.'

'Echt waar?'

'Echt waar,' herhaalde hij, en hij liep weer verder. Toen hij het rondje had afgemaakt, bleef hij staan en vouwde zijn armen weer, met een sprankeling in zijn blauwe ogen. Hij was alles waar zijn moeder over had opgeschept. 'Ze zeggen dat je de waarzegger van Hier bent.'

'Wie zijn *ze*?' vroeg ik.

'De...' hij keek om zich heen om er zeker van te zijn dat niemand meeluisterde, hij dempte zijn stem tot een gefluister, 'mensen die auditie hebben gedaan.'

'Ah,' zei ik glimlachend. 'Zij.'

'Ja, zij. We hebben veel met elkaar gemeen,' zei hij geheimzinnig.

'Echt waar?'

'Echt waar,' herhaalde hij. 'Ze zeggen – en *ze* zijn,' hij keek naar links en rechts voordat hij fluisterde: 'de mensen die auditie hebben gedaan – dat jij degene bent naar wie je toe moet gaan als je dingen wilt weten.'

Ik haalde mijn schouders op. 'Misschien weet ik wel een paar dingen.'

'Nou, ik ben degene naar wie je toe moet als dingen wilt hebben.'

'Dat is precies waarom ik hier ben,' zei ik glimlachend.

Hij werd serieus. Denk ik. 'Waarom? Omdat je iets wilt hebben, of omdat je me iets wilt laten weten?'

Daar dacht ik over na, maar gaf er niet hardop antwoord op. 'Laat je me nog binnen?'

'Uiteraard,' hij glimlachte en liet zijn toneelspel varen. 'Ik ben Bobby,' hij stak zijn hand uit, 'maar dat wist je al.'

'Inderdaad,' zei ik glimlachend. 'Ik ben Sandy Shortt.' Ik pakte zijn hand en schudde hem. Hij voelde slap, en toen ik opkeek zag ik dat Bobby bleek was geworden.

'Sandy Shortt?' vroeg hij.

'Ja.' Mijn hart klopte zenuwachtig. 'Waarom, wat is daar mis mee?'

'Sandy Shortt uit Leitrim, Ierland?'

Ik liet zijn slappe hand los en slikte moeizaam. Ik gaf geen antwoord. Het leek erop dat dat ook niet hoefde. Bobby pakte me bij mijn arm en leidde me de winkel in. 'Ik verwachtte je al.' Hij keek nog een keer over zijn schouder om te zien of er niemand keek, voordat hij me naar binnen sleepte en de deur dichtdeed.

En toen sloot hij de winkel.

HOOFDSTUK 30

Vanaf St. Stephen's Green liep Leeson Street, een mooie straat in *georgian* stijl, grotendeels intact. In de gebouwen, eens majestueuze huizen waarin de aristocratie woonde, bevonden zich nu voornamelijk bedrijven: hotels en kantoren, en in de kelders huisde Dublins 'Strip', een keten florerende nacht- en stripclubs.

Op een koperen plaat naast de grote zwarte georgian deur stond 'Scathach House'. Jack liep de zeven betonnen treden naar de deur op en kwam oog in oog te staan met een koperen leeuwenkop met een ring tussen zijn tanden. Hij stond op het punt die te pakken en op de deur te kloppen toen hij rechts van de deur een reeks bellen zag: een lelijke moderne uitvinding vermengd met het verleden. Hij zocht dokter Burtons praktijk op; hij zat op de eerste verdieping. Op de begane grond zat een pr-bureau en bovenin een advocaten-kantoor. De zoemer ging en hij liep naar boven, waar hij in een lege receptie bleef wachten. De receptioniste glimlachte naar hem, en hij wilde roepen: 'Ik ben hier niet voor mezelf, er is niets mis met mij, ik ben bezig met een onderzoek!'

Maar in plaats daarvan glimlachte hij terug.

Op tafel lagen allerlei tijdschriften, van een paar maanden tot een jaar oud. Hij pakte er een op, bladerde er opgelaten doorheen en las een stuk over een lid van het koninklijk huis van een of ander ob-scuur landje dat over een bed, bank, keukentafel en piano gedra-

194

peerd lag, in de favoriete kamers van haar huis.

De deur naar dokter Burtons kantoor ging open en snel legde Jack het tijdschrift weg.

Dokter Burton was jonger dan Jack had gedacht: midden tot eind veertig. Hij had een kortgeknipte, lichtbruine baard met wat zilverkleurige haartjes. Hij had doordringende blauwe ogen, was 1,78 meter, dacht Jack, en had een spijkerbroek en een geelbruin corduroy jasje aan.

'Jack Ruttle?' vroeg hij, terwijl hij hem aankeek.

'Ja.' Jack stond op en ze begroetten elkaar met een handdruk.

Het kantoor was druk, de meubels en inrichting eclectisch, met een volle boekenkast, een bureau vol papier, een rij dossierkasten, een muur vol diploma's, niet bij elkaar passende tapijten, een stoel en een bank. Het had karakter. Het paste bij de man die voor hem in de stoel zijn persoonlijke gegevens opnam.

'Nou, Jack.' Dokter Burton vulde het laatste vakje in, sloeg zijn benen over elkaar en richtte zijn volledige aandacht op Jack. Jack vocht tegen de aandrang om het gebouw uit te rennen. 'Waarom ben je hier vandaag?'

Om Sandy Shortt te vinden, wilde hij zeggen, maar in plaats daarvan schudde hij zijn hoofd en schoof ongemakkelijk heen en weer in zijn stoel. Hij wilde dat dit voorbij was. Hoe zou hij in vredesnaam Sandy kunnen vinden door allerlei leugens over zichzelf te vertellen? Hij had dit niet goed doordacht, hij was ervan uitgegaan dat alles op zijn plek zou vallen zodra hij dokter Burtons kantoor in liep. Wat zeiden ze ook alweer in een film wanneer een psychiater iemand vragen stelde? Denk na, Jack, denk na. 'Ik sta onder grote druk,' zei hij beetje te overmoedig, blij dat hij de vraag kon beantwoorden.

'Wat voor soort druk?'

Wat voor soort? Waren er meer soorten dan? 'Gewoon, normale druk.' Hij haalde zijn schouders nogmaals op.

Dokter Burton fronste zijn voorhoofd en Jack was bang dat hij de vraag verkeerd had begrepen. 'Door het werk, of...'

'Ja,' onderbrak hij hem, 'door mijn werk. Dat geeft echt...' hij dacht na, 'veel spanning.'

'Oké.' Dokter Burton knikte. 'Wat doe je voor werk?'

'Ik ben stuwadoor bij de Shannon Foynes Port Company.'

'En wat brengt je hier naar Dublin?'

'U.'

'Ben je helemaal hiernaartoe gekomen voor mij?'

'Ik ben ook nog op bezoek geweest bij een vriend,' zei hij snel.

'O, oké.' Dokter Burton glimlachte. 'En wat vind je zo stressvol aan je werk? Vertel me er maar iets meer over.'

'Eh, de werktijden.' Jack trok een gestrest gezicht, dat hem overtuigend leek. 'De werktijden zijn zo lang.' Toen zweeg hij, en hij vouwde zijn handen in zijn schoot, knikte en keek de kamer rond.

'Hoeveel uur werk je per week?'

'Veertig.' Hij sprak zonder na te denken.

'Veertig uur is heel normaal, Jack. Waarom heb je het gevoel dat je dat niet aankunt?'

Jack werd rood.

'Het is niet erg dat je je zo voelt, Jack. Misschien kunnen we erachter komen waarom je werk je zo dwars zit, als het echt je werk is dat je dwars zit...'

Dokter Burton praatte verder terwijl Jack afdwaalde en de kamer rondkeek op zoek naar tekens van Sandy, alsof ze haar naam op de muur zou hebben geschreven voordat ze wegging. Jack besefte dat dokter Burton zwijgend naar hem keek.

'Ja, volgens mij is dat het,' zei Jack knikkend, en hij keek naar zijn handen, in de hoop dat hij iets passends had gezegd.

'En hoe heet ze?'

'Wie?'

'Je vriendin, degene thuis met wie je problemen hebt?'

'O, Gloria,' zei hij, en hij dacht aan haar, dat ze zo blij was dat hij hier vandaag was om zijn hart uit te storten, terwijl hij in werkelijkheid niet eens luisterde. Hoe meer hij erover nadacht, hoe bozer hij werd.

'Praat je met haar over je gevoelens van stress en druk?'

'O, nee,' zei Jack lachend. 'Ik praat met Gloria niet over dat soort dingen.'

'Waarom niet?'

'Omdat ze altijd een antwoord heeft, ze weet altijd wel hoe ze het voor me moet oplossen.'

'En dat wil je niet?'

'Nee,' hij schudde zijn hoofd. 'Voor mij hoeft er niets opgelost te worden.'

'Voor wie dan wel?'

Hij haalde zijn schouders op, hij wilde niet in dit gesprek worden meegezogen.

Dokter Burton liet een lange stilte vallen, en Jack voelde de drang om die te vullen. 'De dingen om ons heen moeten worden opgelost,' antwoordde hij uiteindelijk.

Dokter Burton wachtte tot er nog meer kwam.

'En...' zei hij talmend, 'dat is wat ik probeer te doen.'

'Je probeert de dingen om je heen op te lossen,' herhaalde dokter Burton.

'Dat zei ik net.'

'En daar is Gloria niet blij mee.'

Dokter Burton kreeg hier een buitensporige hoeveelheid geld voor, dacht Jack ongelovig. 'Nee,' hij schudde met zijn hoofd, 'ze vindt dat ik verder moet met mijn leven en het moet laten zitten.' Hij had dat allemaal niet willen zeggen, maar het was niet erg en hij had nog niets verraden.

'Wat wil ze dat je laat zitten?'

'Donal,' zei Jack langzaam, hij wist niet zeker of hij nu moest doorgaan of niet. Misschien zou dokter Burton het, als hij het hem uitlegde, met hem eens zijn en had hij dan eindelijk iemand aan zijn kant. 'De rest van de familie is precies hetzelfde. Ze willen hem vergeten, hem loslaten, hem achterlaten. Maar zo denk ik er niet over. Het is mijn broer. Gloria kijkt me aan alsof ik gek ben wanneer ik dat probeer uit te leggen.'

'Is je broer Donal overleden?'

'Nee, hij is niet dood,' zei Jack alsof dat belachelijk was, 'hoewel je zou denken van wel. Hij is alleen maar vermist. Alleen maar.' Hij lachte boos en wreef vermoeid over zijn gezicht. 'Soms denk ik dat het makkelijker zou zijn als ik wist dat hij dood was.'

Er viel een stilte en Jack voelde weer de behoefte om die te vullen. Hij sloeg met zijn vuist in zijn andere hand bij elk punt dat hij noemde. 'Hij is vorig jaar, op de avond van zijn vierentwintigste verjaardag, verdwenen.' Pats. 'Hij heeft die vrijdagnacht om acht over drie geld uit de pinautomaat op O'Connell Street gehaald.' Pats. 'Hij is om halfvier op Arthur's Quay gezien.' Pats. 'En daarna heeft niemand hem meer gezien. Hoe kun je dat nou laten gaan?' vroeg hij. 'Hoe kun je beslissen gewoon verder te gaan met je leven als je broer daar ergens is, maar je niet weet waar, misschien is hij wel gewond en heeft hij je nodig? Hoe moet alles in godsnaam weer normaal worden?' Nu werd hij boos. 'Hoe kan iemand nou ver-wachten dat je veertig uur per week zinloos werk doet, vracht op schepen laden? Ik stuur kisten waarvan ik niet eens weet wat erin zit naar plekken waar ik nooit ben geweest en ook nooit zal komen. Waarom is dat belangrijker dan mijn broer vinden? Hoe kun je níet in alle richtingen om je heen kijken, proberen hem te vinden elke keer dat je buiten bent? Waarom krijg ik elke keer dezelfde antwoor-den, waar ik ook naartoe ga en wie ik het ook vraag?'

Hij verhief zijn stem nog meer. 'Niemand heeft iets gezien, ge-hoord, niemand weet iets. Er zijn vijf miljoen mensen in dit land, 175.000 daarvan wonen in county Limerick, en in de stad Limerick wonen er 55.000. Hoe kan het dat niemand, niet één persoon, mijn broer ergens heeft gezien?' Buiten adem hield hij op met schreeu-wen, hij had pijn in zijn keel en zijn ogen stonden vol tranen die hij niet wilde vergieten.

Dokter Burton liet de stilte voortduren. Hij liet Jack tot zichzelf komen en overdenken wat hij er allemaal had uitgegooid. Hij ging naar de waterkoeler en kwam terug met een plastic bekertje voor Jack.

Jack nam een slokje water en dacht hardop. 'Ze slaapt veel, ziet u. Elke keer als ik haar nodig heb, slaapt ze.'

'Gloria?'

Jack knikte.

'Kun jij niet goed slapen?'

'Er gaat zo veel om in mijn hoofd, ik moet zo veel papieren door-kijken en rapporten doorlezen. Dingen die mensen hebben gezegd gaan steeds weer door mijn hoofd, en ik kan het gewoon niet uit-schakelen. Ik moet hem vinden. Het is een verslaving. Het vreet aan me.'

Dokter Burton knikte begrijpend – niet op de neerbuigende ma-nier die Jack had verwacht, maar alsof hij het écht begreep. Het was net alsof Jacks probleem nu hún probleem was, en dat ze het nu sa-men moesten uitzoeken.

'Je bent niet de enige die zo voelt en leeft, Jack. Dit is precies het soort gedrag dat je kunt verwachten na een trauma als het jouwe. Is je aangeraden om naar een therapeut te gaan nadat je broer was ver-dwenen?'

Jack sloeg zijn armen over elkaar. 'Ja, de politie heeft zoiets ge-zegd, en ik kreeg elke dag brochures en flyers op mijn deurmat over groepen met andere "slachtoffers", zoals ze genoemd werden.' Hij maakte een wegwerpgebaar. 'Geen interesse.'

'Het is niet alleen maar tijdverspilling, weet je. Je zou erachter ko-men dat veel mensen zich in jouw positie bevinden: die lijden aan dezelfde gevolgen van het verlies van iemand,' en hij voegde er, meer tegen zichzelf, aan toe: 'of lijden zelfs door het verlies van din-gen.'

Jack keek dokter Burton verward aan. 'Nee, nee, u begrijpt het niet: ik kan goed omgaan met dingen verliezen, dat gaat prima, ik heb moeilijkheden met vermiste familieleden. Mijn broers en zus-sen hebben ook een broer verloren en niet een van hen voelt zich zoals ik. Ik kan me niets erger voorstellen dan dat ik een groep zit en dezelfde gesprekken voer als thuis.'

'Gloria lijkt je te steunen – daar zou je blij mee moeten zijn. Ik weet zeker dat het voor haar ook moeilijk is geweest om Donal te verliezen, maar denk eraan dat ze niet alleen hem is kwijtgeraakt, maar jou ook. Laat haar merken dat je haar waardeert. Ik weet dat dat heel veel voor haar zou betekenen.' Er glipte echte emotie in dokter Burtons stem, en hij stond op en liep naar de andere kant van de kamer om een bekertje water te halen. Toen hij terugkwam had hij zich weer in bedwang.

'Hou je van haar?'

Jack zweeg, haalde toen zijn schouders op. Hij wist het niet meer.

'Mijn moeder zei altijd: luister naar wat je hart je zegt,' zei dokter Burton lachend, en de sfeer werd lichter.

'Was ze ook psychiater?' vroeg Jack glimlachend.

'Zo goed als. Weet je, je doet me aan iemand denken, Jack, iemand die ik heel goed ken.' Hij glimlachte een beetje, verdrietig, en kwam weer tot zichzelf. 'Dus, wat ga je doen?' Hij keek op zijn horloge. 'Als je bedenkt dat je nog maar een paar minuten hebt om het me te vertellen.'

'Ik ben al begonnen er iets aan te doen.' Jack herinnerde zich plotseling weer waarom hij hier was en zag een manier om erover te beginnen.

'Vertel het maar.' Dokter Burton leunde naar voren, met zijn ellebogen op zijn dijen rustend.

'Ik heb iemand in de Gouden Gids gevonden, een bureau, voor vermiste personen,' benadrukte hij.

Dokter Burton knipperde niet met zijn ogen. 'Ja?'

'Ik ben in contact gekomen met een vrouw en we hebben er lang over gepraat dat ze me zou helpen Donal te vinden. We hadden afgelopen zondag in Limerick afgesproken.'

'Ja?' Hij leunde achterover in zijn stoel, langzaam, met een pokergezicht.

'Het grappige is dat we elkaar onderweg zijn tegengekomen bij een benzinestation en toen is ze niet op de afspraak verschenen.' Hij schudde zijn hoofd. 'Ik dacht echt, en dat denk ik nog steeds, dat zij hem kan vinden.'

'Echt waar?' Dokter Burtons toon was droog.

'Ja, echt waar. Dus ik ben haar gaan zoeken.'

'Degene van de vermiste personen?' vroeg hij met een stalen gezicht.

'Ja.'

'En heb je haar gevonden?'

'Nee, maar ik heb haar auto gevonden en daar lagen mijn broers dossiers in, en haar telefoon, agenda, portemonnee en een tas met gelabelde kleren met haar naam erop. Ze labelt alles.'

Dokter Burton begon te draaien in zijn stoel.

'Ik maakte me zo'n zorgen over haar – dat doe ik nog steeds – want ik geloof dat zij echt in staat is mijn broer te vinden.'

'Dus nu richt je je obsessie op deze vrouw,' zei dokter Burton een beetje te koel.

Jack schudde zijn hoofd. 'Ze heeft een keer over de telefoon tegen me gezegd dat het enige wat nog frustrerender is dan iemand niet kunnen vinden, is niet gevonden kunnen worden. Ze wil dat iemand haar vindt.'

'Misschien is ze er gewoon een paar dagen vandoor.'

'De politieman met wie ik contact heb opgenomen zei precies hetzelfde.' Dokter Burtons wenkbrauwen gingen omhoog toen hij hoorde dat de politie erbij was betrokken. 'Ik heb contact opgenomen met een heleboel mensen die haar kennen en die zeiden hetzelfde.' Jack haalde zijn schouders op.

'Nou, dan moet je misschien naar die mensen luisteren. Laat het los, Jack. Probeer je te richten op de verwerking van je broers verdwijning voordat je je zorgen gaat maken om een andere verdwijning. Als ze een paar dagen weg is en nog geen contact heeft opgenomen, is daar misschien een reden voor.'

'Ik viel haar niet lastig, als u dat bedoelt. Er zijn nog meer mensen die bezorgd zijn, dus we hebben samen afgesproken en we gaan er iets aan doen.'

'Misschien doet ze dit wel vaker,' zei dokter Burton. 'Misschien is er niets met haar aan de hand en is ze een paar dagen in haar eentje weg.'

'Ja, misschien. Maar ik heb haar al vier dagen niet gezien, en anderen hebben haar al langer niet gezien, tenzij ik iemand vind die wat anders zegt. Als dat het geval is, trek ik me terug en ga ik weer verder met mijn eigen leven, maar volgens mij is ze niet aan het dwalen, zoals zo veel mensen hebben gezegd,' zei hij vriendelijk. 'Ik wil haar heel graag vinden, om haar te bedanken voor de aanmoediging die ze me heeft gegeven, voor de hoop die ze me heeft laten voelen dat we Donal zouden vinden. Door die hoop ben ik gaan beseffen dat ik haar ook zou kunnen vinden.'

'Waarom denk je dat ze vermist is?'

'Ik luister naar mijn hart.'

Dokter Burton grimlachte toen hij zijn eigen woorden terughoorde.

'En voor het geval dat mijn hart niet voldoende bewijs voor u is, heb ik ook dit nog.' Jack deed zijn hand in zijn zak, haalde Sandy's zilveren horloge eruit en legde het voorzichtig op tafel.

HOOFDSTUK 31

Ik had meneer Burton al drie jaar niet gezien. Van een afstandje zag ik dat hij mooi ouder was geworden. Van een afstandje leek het alsof we allebei niet ouder waren geworden. Van een afstandje was alles perfect en niets veranderd.

Ik had me zes keer verkleed voordat ik mijn zit-slaapkamer verliet. Ik was best tevreden met hoe ik eruitzag en was voor de vierde keer die maand naar Leeson Street gegaan. Ik had in de gang een dansje gedaan toen ik zijn visitekaartje had gekregen. Op maandagochtend was ik als een veertienjarige de trappen afgehuppeld, wetend wat en wie er die dag voor me lag. Ik was van Harold's Cross naar Leeson Street gerend, met twee treden tegelijk de trap naar de grootse georgian deur opgerend, en was toen stokstijf blijven staan, met mijn vinger zwevend boven het knopje van de intercom, waarna ik snel naar de andere kant van de straat was gegaan. Van dichtbij zag het er heel anders uit.

Ik was niet meer het schoolmeisje dat naar hem toe kwam voor hulp. Nu wist ik niet meer wie ik was, en rende ik van de hulp weg. Ik zat nog twee keer aan de overkant van de straat, niet in staat over te steken, maar in plaats daarvan keek ik toe hoe hij 's ochtends aankwam, 's avonds wegging en al het andere daartussenin.

Bij mijn vierde bezoek zat ik op de betonnen treden, met mijn ellebogen op mijn knieën, vuisten onder mijn kin, naar alle voeten en benen te kijken die zich op de stoep voorbij haastten. Er stak een paar geelbruine schoenen onder een lichtblauwe spijkerbroek de straat over. De schoenen liepen naar me toe. Ik verwachtte dat ze langs me heen zouden lopen en door de deur achter me zouden gaan, maar dat deden ze niet. Een trede, twee treden, drie treden op, toen stopten ze en zag ik dat degene naast me ging zitten.

'Hoi,' zei een stem zachtjes.

Ik was bang om op te kijken, maar deed het toch. Ik keek hem in zijn gezicht, met blauwe ogen even helder als op de dag dat ik hem voor het eerst had gezien.

'Meneer Burton,' zei ik glimlachend.

Hij schudde zijn hoofd. 'Hoe vaak moet ik je nog vertellen dat je me niet zo moet noemen?'

Ik stond op het punt hem Gregory te noemen toen hij zei: 'Het is nu dokter Burton.'

'Gefeliciteerd, dokter Burton,' zei ik glimlachend. Ik bestudeerde zijn gezicht, nam alles in me op.

'Denk je dat het je zou lukken deze week van de trap af te komen en het gebouw in te lopen? Ik werd het zat om je vanaf een afstandje te bekijken.'

'Grappig, ik bedacht net dat het soms makkelijker is om dingen vanaf een afstandje te bekijken.'

'Ja, maar dan hoor je niets.'

Ik moest lachen.

'Wat een mooie naam heeft het gebouw.' Ik keek naar de koperen plaat waarin 'Scathach House' stond gegraveerd.

'Ik zag in de krant dat het te huur stond. Ik vond het perfect. Misschien een geluksteken.'

'Misschien. Je bent alleen volgens mij niet dichter bij die Brug waar we het over hebben gehad.'

Hij glimlachte en keek onderzoekend naar mijn gezicht, nam me in zich op, en er liepen rillingen door mijn lijf.

'Als ik je mee uit lunchen mag nemen, kunnen we zien waar we staan. Als je vriendje dat niet erg vindt, natuurlijk.'

'Vriendje?' vroeg ik verward.

'Die nogal behaarde jongeman die een paar weken geleden de deur opendeed.'

'O, die.' Ik schudde mijn hoofd. 'Dat was...' Ik zweeg, omdat ik zijn naam niet meer wist. 'Thomas,' loog ik. 'We hebben niets samen.'

Meneer Burton lachte, stond op en stak zijn handen uit om mij te helpen bij het opstaan. 'Mijn lieve Sandy, volgens mij heette hij Steve, maar dat is niet erg. Hoe meer namen van mannen je vergeet, hoe beter voor mij.' Zachtjes legde hij zijn hand op mijn onderrug, en ik voelde een schok door mijn lichaam gaan. Hij leidde me de straat over. 'Kunnen we even mijn kantoor ingaan? Ik wil je eerst iets geven.'

Hij stelde me trots voor aan zijn receptioniste, Carol, en bracht me naar zijn kantoor. Het rook naar hem, leek op hem, alles ademde meneer Burton, meneer Burton, o, meneer Burton. Het leek net alsof ik in een gigantische omhelzing was gewikkeld, omhelsd werd door zijn armen toen ik naar binnen ging en op zijn bank ging zitten.

'Het is wel iets beter dan het kantoor dat we hadden, nietwaar?' zei hij glimlachend, en hij haalde iets uit een bureaula.

'Het is schitterend.' Ik keek rond en ademde zijn geur in.

Plotseling was hij nerveus. Hij ging tegenover me zitten. 'Ik had het je vorige maand willen geven toen ik bij je langskwam, voor je verjaardag. Ik hoop dat je het mooi vindt.' Hij schoof het doosje over de met kersenhout gefineerde tafel. Het was een lang doosje, van rood fluweel. Ik pakte het op alsof het het meest breekbare was wat ik ooit had vastgehouden, en aaide over het zachte, wollige fluweel. Ik keek hem aan; hij keek nerveus naar het doosje. Ik deed het langzaam open en hield mijn adem in. Binnenin glinsterde een zilveren horloge.

'O, meneer Bur...' begon ik, en hij pakte mijn hand en hield me tegen.

'Alsjeblieft, Sandy, het is nu Gregory, oké?'

Het is nu Gregory. Het is nu *Gregory*. Het is *nu* Gregory. Zo zong een engelenkoor in mijn oor.

Glimlachend knikte ik. Ik haalde het horloge uit zijn doosje en deed het om mijn linkerpols, friemelend met de sluiting, nog steeds stomverbaasd door het onverwachte cadeau.

'Op de achterkant is je naam gegraveerd.' Met trillende handen hielp hij het me om te draaien. Daar stond het: 'Sandy Shortt'. 'Dat het maar nooit kwijt mag raken.'

We glimlachten.

'Je moet het niet forceren,' waarschuwde hij, toen hij zag dat ik het probeerde dicht te doen. 'Hier, ik help je wel even,' zei hij, op het moment dat de sluiting een knappend geluid maakte tussen mijn vingers.

Ik verstijfde. 'Heb ik het kapotgemaakt?'

Hij ging op de bank naast me zitten, probeerde het te repareren, zijn huid gleed langs de mijne en alles, alles in me smolt.

'Het is niet kapot, maar de sluiting zit wat losser. Ik moet hem terugbrengen en laten repareren.' Hij probeerde de teleurstelling uit zijn stem te houden, maar mislukte jammerlijk.

'Nee!' Ik hield hem tegen toen hij het wilde pakken. 'Ik vind het prachtig, ik wil het om houden.'

'Het zit te los, Sandy. Misschien gaat het open en valt het eraf.'

'Nee, ik zal er goed op letten. Ik verlies het niet.'

Hij twijfelde.

'Laat het me in elk geval vandaag dragen.'

'Oké.' Hij friemelde er niet meer aan en eindelijk zaten we allebei stil en keken elkaar aan.

'Ik geef je dit zodat je de tijd in de gaten kunt houden. Er mogen niet weer drie jaar zonder contact voorbijgaan.'

Ik keek omlaag en draaide het horloge rond om mijn pols, bewonderde de schakels van het bandje, de paarlemoeren wijzerplaát. 'Dank je wel, Gregory,' zei ik glimlachend, genietend van hoe dat woord in mijn mond, op mijn tong aanvoelde toen ik het zei. 'Gregory, Gregory,' herhaalde ik nog een paar keer terwijl hij moest lachen, en ik genoot er volop van.

Ik liet me mee uit lunchen nemen en we zagen waar we stonden.

De lunch was nog net geen ramp. Hij gaf ons genoeg stof tot nadenken voor ons hele leven. Als een van ons de belachelijke gedachte had gehad dat dit het begin van iets speciaals kon zijn – en dat hadden we bijna zeker allebei – dan belandden we weer met beide benen op de grond door het besef dat we precies daar waren waar we waren geëindigd. Of misschien op het punt waarop Gregory over messcherpe grassprieten moest lopen. Ik was precies Scathach en mijn hart bevond zich op Scathachs onneembare eiland. Door de jaren heen was ik alleen maar erger geworden.

Maar toch deed ik nooit, nog geen dag, mijn horloge af. Soms viel het, maar dat doen we allemaal. Ik deed het terug om mijn pols, waar ik voelde en wist dat het hoorde. Dat horloge stond symbool voor heel veel dingen. De positieve kant van onze leerzame lunch was dat deze bevestigde dat we ons onontkoombaar met elkaar verbonden voelden, alsof er een onzichtbare navelstreng bestond, waardoor we ons aan elkaar konden voeden, we in ons groeiproces werden geholpen en we elkaar leven gaven.

Het was onvermijdelijk dat er ook een negatieve kant aan zat: dat we aan het koord konden trekken, het konden verdraaien en in de knoop leggen, en het niet heel erg vonden dat we elkaar door dat al draaien en knopen langzaam konden verstikken.

Vanaf een afstandje was alles geweldig, van dichtbij was het heel anders. We konden de gevolgen van de tijd niet bestrijden; dat die ons verandert, dat er elk jaar een nieuwe laag om ons heen komt, dat we elke dag iets meer zijn dan we waren. Helaas voor Gregory en mij was het heel duidelijk dat ik veel minder was dan ik ooit was.

HOOFDSTUK 32

Bobby sloot de deur van de winkel met verloren voorwerpen stilletjes achter ons, alsof door het geluid de marktlieden buiten stomverbaasd zouden stilvallen. Ik wist niet zeker of deze aanstellerij weer een van zijn toneelstukjes was, maar merkte toen met een lichte paniek dat dat niet zo was. Bobby liet mijn klamme hand los en haastte zich zonder een woord te zeggen een aangrenzende ruimte in en deed de deur achter zich dicht. Door de spleet zag ik zijn schaduw flakkeren terwijl hij, hevig rommelend, in het licht stommelde; hij verplaatste dozen, sleepte meubilair over de vloer, liet glazen rinkelen, maakte elk mogelijk geluid, waardoor er steeds nieuwe complottheorieën in mijn achterdochtige geest opkwamen. Eindelijk wendde ik mijn ogen van de deur af en keek de kamer rond.

Ik zag walnotenhouten planken, van de vloer tot aan het plafond, als in oude kruidenierswinkels van tientallen jaren geleden. Manden waren tot de rand gevuld met spulletjes: plakband, handschoenen, pennen, markeerstiften en aanstekers. Andere zaten vol met sokken, er hing een handgeschreven bordje waarop opgewonden de verkoop van daadwerkelijke *paren* stond vermeld. Aan één kant van de winkel stonden tientallen kledingrekken, met een aparte mannen- en vrouwenafdeling, alles op kleur en stijl gesorteerd en het tijdperk was aangegeven: de jaren vijftig, zestig, zeventig en verder. Er waren pakken, traditionele kleding en trouwjurken (wie raakt er nou een trouwjurk kwijt?). Tegen de tegenoverliggende muur stonden heel veel boeken, en daarvoor stond een toonbank met sieraden: achterkantjes van oorbellen, enkele oorbellen, een aantal paren dat Bobby had samengesteld ondanks het verschil in uiterlijk.

Er hing een muffe geur in de winkel; alles was tweedehands, gebruikt, had een verleden. Dunne t-shirts hadden diepte, er zaten verschillende laagjes op. Er hing een andere sfeer dan in een winkel vol gloednieuwe spullen. Niets was brandschoon en jong en onschuldig, klaar om van alles te leren. Er waren geen ongelezen boeken, geen ongedragen hoeden, geen niet-vastgehouden pennen. De handschoenen hadden de hand van de geliefde van de eigenaar ervan vastgehouden, de schoenen hadden al heel veel gelopen, sjaals waren omgeslagen, paraplu's hadden mensen beschermd. Deze objecten wisten dingen, wisten wat ze moesten doen. Ze hadden levenservaring en lagen in manden, opgevouwen op schappen en hingen aan rekken, klaar om diegene die ze droeg dingen te leren. Zoals de meeste mensen hier hadden deze objecten van het leven geproefd en het toen zien wegglippen. En net als de meeste mensen hier wachtten ze tot ze het weer konden proeven.

Ik kon niet anders dan me afvragen wie er nu naar die dingen zocht, wie zich de haren uit haar hoofd trok om haar favoriete oorbellen te vinden. Wie er in haar tas mopperend naar weer een verdwenen pen zocht. Wie er tijdens een rookpauze achterkwam dat zijn aansteker weg was. Wie al laat voor het werk was en de autosleutels niet kon vinden. Wie het voor haar echtgenoot verborgen probeerde te houden dat haar trouwring was verdwenen. Ze konden zoeken tot ze een ons wogen, maar ze zouden ze nooit vinden. Wat een moment om zo'n openbaring te hebben. Hier in Alladins grot vol verloren bezittingen, ver weg van thuis. *Het is nergens zo goed als thuis...* De zin kwelde me weer.

'Bobby,' riep ik, dichter naar de deur lopend, en de stem in mijn hoofd uitschakelend.

'Wacht even,' kwam zijn gedempte antwoord, gevolgd door een klap, waarna er werd gevloekt.

Ondanks mijn zenuwen moest ik glimlachen. Ik streek met een

vinger langs een open kast van walnotenhout, waarin je mooi zilverwerk en serviesgoed verwachtte. Hier stonden er honderden foto's in, met lachende gezichten van over de hele wereld, door de tijd heen. Ik pakte er een op van een stel dat voor de Niagara-watervallen stond en bekeek hem goed. Het leek erop dat hij in de jaren zeventig was genomen; hij had die gelige tint die alleen ontstond door het verloop van de tijd. Twee mensen van in de veertig in broeken met wijd uitlopende pijpen en regenjassen, een seconde uit een heel leven aan seconden vastgelegd en bewaard. Als ze nog leefden, zouden ze nu zelf in de zeventig zijn, met kleinkinderen die toekeken en geduldig afwachtten terwijl ze door hun fotoalbums bladerden, op zoek naar de foto om hun reis naar de Niagara op te halen. Stiekem vroegen ze zich af of ze het zich allemaal hadden verbeeld, of die seconde uit een heel leven aan seconden wel echt was gebeurd, terwijl ze tegen zichzelf mompelden: 'Ik weet zeker dat hij er moet zijn...'

'Leuk idee, vind je niet?'

Ik keek op en zag dat Bobby vanuit de deuropening naar me keek. Ondanks al zijn gerommel in de kamer ernaast had hij niets in zijn handen.

'Vorige week vond mevrouw Harper een trouwfoto van haar nicht Nadine, die ze in geen vijf jaar had gezien. Haar reactie toen ze die foto tegenkwam was ongelooflijk. Ze heeft hier de hele dag gezeten, ernaar starend. Het was een groepsfoto van iedereen die op de bruiloft was, zie je. Haar hele familie was er. Stel je voor dat je je familie vijf jaar niet ziet en dan plotseling een recente foto van hen vindt. Ze kwam hier alleen voor sokken.' Hij haalde zijn schouders op. 'Op dat soort momenten voel ik me heel nuttig hier.'

Ik zette de ingelijste foto van het stel neer. 'Je zei dat je me had verwacht.' Ik zei het bozer dan ik had bedoeld, maar ik was bang.

Hij deed zijn armen van elkaar en stopte zijn handen in zijn zakken. Ik dacht dat hij daar eindelijk iets uit zou halen en aan me zou geven, maar hij hield zijn handen er gewoon. 'Ik ben hier nu drie jaar.' Hij had hetzelfde gekwelde gezicht als iedereen, op het moment dat die de herinnering aan de aankomst hier ophaalde. 'Ik was zestien. Ik moest nog twee jaar naar school, ik had nog tien jaar voordat ik van mezelf volwassen hoefde te zijn. Ik had geen idee wat ik met mijn leven wilde. Ik ging ervan uit dat ik nog steeds thuis zou wonen en mijn moeder zou irriteren, tot ze me eruit zou zetten en me zou dwingen een fatsoenlijke baan te zoeken. Intussen vermaakte ik me prima als clown op school en was ik blij dat mijn boxers gewassen en gestreken werden. Ik nam niet zo veel dingen serieus.' Hij haalde zijn schouders op. 'Ik was nog maar zestien,' herhaalde hij.

Ik knikte, maar had geen idee waar dit naartoe ging. Ik vroeg me af waarom hij in vredesnaam had gezegd dat hij me had verwacht.

'Ik wist niet wat ik moest doen toen ik hier net was aangekomen. Het grootste deel van de tijd heb ik aan de andere kant van het bos doorgebracht, ik probeerde een uitweg te vinden. Mar die is er niet.' Hij haalde zijn handen uit zijn zakken en maakte een duidelijk gebaar. 'Ik zeg je dat nu vast, Sandy, er is géén uitweg en ik heb mensen gek zien worden door hun pogingen die wel te vinden.' Hij schudde zijn hoofd. 'Ik besefte al snel dat ik hier een leven moest beginnen. Ik moest voor één keer in mijn leven ook iets serieus gaan nemen.' Hij schuifelde ongemakkelijk heen en weer. 'Dat gebeurde toen ik kleren zocht. Ik rommelde door al die spullen buiten, en voelde me net een dakloze op een vuilnisbelt. Ik kwam een sok tegen, fel oranje, hij gloeide op vanonder een zakelijk dossier, waarvoor iemand die ochtend waarschijnlijk ontslagen is omdat hij het was kwijtgeraakt. Hij was zo felgekleurd dat ik me ging afvragen hoe iemand in vredesnaam zoiets lichtgevends kon kwijtraken, iets wat zo opviel. Maar hoe beter ik ernaar keek, hoe beter ik me voelde dat ik hier was opgedoken, want eerder had ik gedacht dat het mijn eigen schuld was. Ik dacht dat het door mijn zelfingenomenheid kwam dat ik hier terecht was gekomen. Ik dacht dat als ik op school beter had opgelet en niet zo veel had lopen klooien, ik had kunnen voorkomen dat ik hier belandde.'

Ik knikte. Ik kende het gevoel.

'Door die sok voelde ik me beter, want het was het felste voorwerp dat ik ooit had gezien,' zei hij lachend. 'Er zat zelfs een label op, en ik wist dat het gewoon pech was, niets meer, dat we hier terecht waren gekomen! Ik had niets kunnen doen om het te voorkomen, evenmin als die sok. Het speet me voor degene die er een label op had genaaid, haar adres erop had gezet, die eigenlijk alles had gedaan om te voorkomen dat hij kwijt zou raken. Dus ik hield hem, om mezelf aan dat gevoel te herinneren, aan die dag dat ik ermee ophield mezelf en ieder ander de schuld te geven. Ik voelde me beter door een sók.' Hij glimlachte. 'Kom maar mee.' Hij liep weer de naastgelegen kamer in.

Die ruimte was zo'n beetje hetzelfde als de winkel, met muren waaraan planken hingen, hoewel hij veel kleiner was en vol stond met stapels kartonnen dozen, die zo te zien als opslag werden gebruikt.

'Hier is de sok.' Hij gaf hem aan me en ik hield hem in mijn handen. Het was een kleine sok, die van een kind, en van badstof. Als Bobby dacht dat de sok hetzelfde effect op mij zou hebben als die op hem had gehad, had hij het mis. Ik wilde hier nog steeds weg en gaf mezelf en de rest van de wereld de schuld dat ik hier was beland.

'Toen ik hier een paar weken was, merkte ik dat ik nieuwkomers begon te helpen kleding te zoeken, en al het andere wat ze nodig hadden als ze hier aankwamen. Dus toen heb ik deze winkel geopend. Dit is de enige winkel in dit dorp waar je alles onder één dak kunt krijgen,' zei hij trots. Door mijn gebrek aan enthousiasme verdween zijn glimlach en hij vervolgde zijn verhaal. 'Maar goed, een deel van het runnen van deze winkel is dat ik elke dag buiten zo veel mogelijk nuttige dingen verzamel. Ik ben er trots op dat ik de enige ben die paren schoenen, sokken, bij elkaar passende kleding en dergelijke verkoop. Andere mensen verzamelen gewoon wat ze vinden en stellen dat tentoon. Ik zoek naar de andere helft, net als een koppelaar,' zei hij grinnikend.

'Ga verder,' spoor ik hem aan, terwijl ik op een oude, versleten stoel ging zitten die me aan mijn eerste sessie met meneer Burton herinnerde.

'Hoe dan ook, die oranje sok stelde helemaal niet zo veel voor, tot ik dit vond.' Hij leunde naar voren en pakte een t-shirt uit een doos naast hem. Weer leek het een kledingstuk van een kind te zijn. 'En zelfs dát stelde niet zo veel voor, totdat ik dit vond.' Hij legde nog een sok op de grond voor me en keek onderzoekend naar mijn gezicht.

'Ik snap het niet,' zei ik schouderophalend, en ik gooide de oranje sok op de vloer.

Hij bleef maar zwijgend spullen uit de kartonnen doos halen en legde ze voor me op de vloer, terwijl mijn geest overuren draaide om de code te ontcijferen.

'Ik dacht dat er nog meer in zat, maar goed, dit is het dus,' zei Bobby uiteindelijk.

De vloer was bijna helemaal overdekt met kledingstukken en accessoires en ik stond op het punt op te staan om tegen hem te zeggen dat hij eens wat duidelijker moest zijn toen ik eindelijk een T-shirt herkende. En toen herkende ik een sok, een doos potloden... en toen het handschrift op een stukje papier.

Bobby stond bij de lege doos, opwinding flitste in zijn ogen. 'Snap je het nu?'

Ik kreeg geen woord uit mijn mond.

'Alles heeft een label. Op elk ding dat je voor je ziet staat "Sandy Shortt" geschreven.'

Ik hield mijn adem in, en keek verwoed van het ene ding naar het andere.

'Dat is nog maar één doos. Die zijn ook allemaal van jou,' zei hij opgewonden, terwijl hij naar de hoek van de kamer wees, waar nog vijf dozen stonden opgestapeld. 'Elke keer dat ik je naam zag heb ik het voorwerp opgepakt en opgeslagen. Hoe meer van jouw dingen ik vond, hoe meer ik ervan overtuigd raakte dat het slechts een kwestie van tijd zou zijn voordat je de spullen zelf zou komen ophalen. En daar ben je dan.'

'Hier ben ik dan,' herhaalde ik, terwijl ik naar alle spullen op de vloer keek. Ik ging op mijn knieën zitten en streek over de oranje sok. Hoewel ik me de sok niet kon herinneren, kon ik me mijn panische zoektochten wel herinneren, terwijl mijn arme ouders toekeken. Dat was het begin van alles. Ik pakte mijn T-shirt op en zag dat mijn moeder mijn naam in het label had geschreven. Ik voelde met mijn vingertoppen aan de inkt, en hoopte dat ik op een of andere manier contact met haar maakte. Ik ging verder naar het stukje papier met mijn rommelige tienerhandschrift. Antwoorden op vragen over *Romeo en Julia*, voor school. Ik weet nog dat ik dat huiswerk had gemaakt, maar het de volgende dag in de klas niet meer kon vinden. De leraar had me niet geloofd toen ik het niet in mijn tas kon vinden. Hij had over me heen gebogen gestaan, in de stille klas, en toegekeken hoe ik mijn tas doorzocht, mijn frustratie duidelijk steeds groter wordend, maar omdat hij niet geloofde dat de frustratie echt was, moest ik strafwerk maken. Ik wilde het stukje papier pakken en terug naar Leitrim rennen, de klas van die leraar binnenstormen en roepen: 'Hier, ik zei toch dat ik het had gemaakt!'

Ik raakte elk ding op de vloer aan, de herinneringen dat ik de spullen had gedragen, ze was kwijtgeraakt en ernaar had gezocht kwamen weer terug. Nadat ik alle spullen uit de eerste doos had gezien, haastte ik me naar de volgende, die boven op de stapel in de hoek stond. Met trillende handen deed ik de doos open. Daar lag, naar me starend met zijn ene oog, mijn goede vriend meneer Pobbs.

Ik pakte hem uit de doos en hield hem stevig vast, inhaleerde zijn geur, probeerde de bekende geur van thuis te ruiken. Die was hij allang kwijt en hij rook muf, net als de rest van de spullen hier, maar ik klampte me aan hem vast en drukte hem stevig tegen me aan. Mijn naam en telefoonnummer stonden nog steeds in blauwe viltstift op het labeltje, hoewel mijn moeders handschrift nu was vervaagd.

'Ik zei toch dat ik je zou vinden, meneer Pobbs,' fluisterde ik, en ik hoorde hoe de deur achter me zachtjes dichtging toen Bobby wegging, en me alleen liet met een hoofd en een kamer vol herinneringen.

HOOFDSTUK 33

Ik weet niet hoe lang ik in de opslagruimte was geweest – ik had het besef van tijd helemaal verloren. Voor het eerst in uren keek ik uit het raam, met schele ogen van vermoeidheid doordat ik me zo lang op mijn bezittingen had geconcentreerd. Mijn *bezittingen*. Ik had echt bezittingen hier. Ze brachten me iets dichter bij huis, koppelden tijdelijk de twee werelden aan elkaar en vervaagden de grenzen, dus toen ik de dingen die ik ooit thuis, bij de mensen van wie ik hield, had vastgehouden, aanraakte en vasthield voelde ik me niet zo verloren. Vooral meneer Pobbs. Er was zo veel gebeurd sinds ik hem voor het laatst had gezien. Johnny Nugent en nog tientallen andere Johnny Nugents waren me overkomen. Het leek net alsof op de avond dat meneer Pobbs uit mijn bed was verdwenen, een heel team van verkeerde mannen zijn plaats had ingenomen.

Joseph liep voor het raam langs en ik leunde achterover en keek toe hoe hij vol zelfvertrouwen voorbijliep, in zijn witte linnen overhemd met tot net onder zijn ellebogen opgerolde mouwen en zijn broek die tot boven de enkels van zijn in sandalen gestoken voeten was opgerold. Hij viel me altijd op. Hij zag eruit als een belangrijk persoon, en straalde dominantie en macht uit. Hij zei weinig, maar als hij sprak, koos hij zijn woorden zorgvuldig. Als hij sprak, luisterden de mensen. Zijn woorden bestonden uit gefluister of gezang, niets ertussenin. Ondanks zijn krachtige fysieke optreden sprak hij zachtjes, waardoor hij nog superieurder was.

De bel van de winkeldeur ging weer. De deur piepte en ging dicht.

'Hallo, Joseph,' zei Bobby vrolijk. 'Wilde mijn Wanda me vandaag niet zien?'

Joseph lachte een beetje en ik wist dat Bobby wel grappig moest zijn, omdat hij hem aan het lachen had gemaakt. 'Dat meisje is zo verliefd op je. Denk je dat ze niet met me zou zijn meegegaan als ze wist dat ik hier naartoe ging?'

Bobby lachte. 'Hoe kan ik je van dienst zijn?'

Joseph ging zachter praten, alsof hij wist dat ik er was en ik drukte onmiddellijk mijn oor tegen de deur.

'Een horloge?' hoorde ik Bobby hard herhalen. 'Ik heb hier heel veel horloges.'

Joseph begon weer onverstaanbaar te praten en ik wist dat het heel belangrijk was, omdat hij zijn stem zo dempte. Hij had het over míjn horloge.

'Een zilveren horloge met een paarlemoeren wijzerplaat,' hoorde ik Bobby zeggen, en ik was blij met zijn gewoonte om mensen te herhalen. Hun voetstappen op de walnoten vloer werden luider en ik bereidde me voor om van de deur weg te lopen voor het geval die openging.

'En deze dan?' vroeg Bobby.

'Nee, het zou er eentje moeten zijn dat je gisteren of vanochtend had gevonden,' zei Joseph.

'Hoe weet je dat?'

'Omdat het gisteren is kwijtgeraakt.'

'Nou, ik weet niet hoe je dat zo zeker weet,' zei Bobby, niet op zijn gemak lachend. 'Tenzij je met iemand uit de andere wereld hebt gepraat, wat ik ernstig betwijfel.'

Er viel een stilte.

'Joseph, dit horloge is precies wat je hebt omschreven.' Ik hoorde de verwarring in Bobby's stem.

'Het is niet het horloge dat ik wil,' zei Joseph.

'Heb je het ergens gezien? Dat iemand het omhad? Misschien zou je diegene kunnen vragen om even bij me langs te komen, zodat ik een idee heb van wat je zoekt. Als ik het tegenkom, bewaar ik het voor je.'

'Iemand had het horloge om dat ik zoek.'

'Iemand uit Kenia? Jaren geleden?'

'Nee, iemand van Hier.'

'Hier?' herhaalde Bobby.

'Ja, Hier.'

'Heeft iemand van Hier het me gegeven?'

'Nee, het is kwijtgeraakt.'

Stilte.

'Dat kan niet. Diegene moet vergeten zijn waar hij het heeft neergelegd.'

'Ik weet het, maar ik heb het zelf gezien.'

'Heb je het zien verdwíjnen?'

'Ik heb het om haar pols gezien en zonder dat ze zich een millimeter had bewogen, zag ik dat het niet meer om haar pols zat.'

'Het moet er vanaf gevallen zijn.'

'Dat is ook zo.'

'Dan ligt het op de grond.'

'Dat is het grappige,' zei Joseph droogjes, en ik wist dat het helemaal niet grappig was.

'Maar het kan niet verdw...'

'Dat is het wel.'

'En dacht je dat het hier zou verschijnen?'

'Ik dacht dat je het misschien had gevonden.'

'Dat heb ik niet.'

'Dat zie ik. Dank je wel, Bobby. Spreek hier met niemand over,' waarschuwde hij, waardoor ik de rillingen over mijn rug voelde lopen. Ik hoorde dat de voetstappen zich verwijderden.

'Wacht even, wacht even, Joseph. Ga nog niet weg! Vertel eens wie het heeft verloren.'

'Je kent haar toch niet.'

'Waar is ze het kwijtgeraakt?'

'Halverwege Hier en het dorp verderop.'

'Nee,' fluisterde Bobby.

'Ja.'

'Ik zal het vinden,' zei Bobby vastbesloten. 'Het moet er zijn.'

'Het is er niet.' Joseph praatte op een normaal volume, maar voor hem was dat hard. Aan de manier waarop hij het zei, hoorde ik dat het er ook echt niet was.

'Oké, oké.' Bobby krabbelde terug, maar het klonk nog steeds niet of hij het geloofde. 'Weet degene die het heeft verloren dat het weg is? Misschien weet zij wel waar het is.'

'Ze is nieuw hier.' Dat zei alles. Dat betekende 'ze begrijpt niets', en hij had gelijk, dat deed ik ook niet, maar ik leerde snel.

'Is ze nieuw?' De klank van Bobby's stem was veranderd. Ik hoorde het en was er zeker van dat Joseph dat ook deed. 'Misschien kan ik met haar praten en de precieze omschrijving krijgen.'

'Ik heb je de precieze omschrijving gegeven.' Ja, het was hem opgevallen. Er gingen weer voetstappen naar de deur, die piepte, waarna de bel rinkelde.

'Stond er een naam op het horloge?' riep Bobby op het laatste moment, en het gepiep van de voordeur hield op, hij ging weer dicht, en de voetstappen werden weer luider toen ze me weer naderden.

'Waarom vraag je dat?' Josephs stem was vastberaden.

'Omdat mensen soms een naam, datum of boodschap achter op een horloge laten graveren.' Bobby klonk nerveus.

'Je vroeg me of er een naam op stond – waarom vroeg je specifiek naar een naam?'

'In sommige horloges staat een naam gegraveerd.' Zijn stem ging ter verdediging een octaaf omhoog. 'Dat zou ik toch moeten weten.' Hij tikte op glas, en ik nam aan dat dat het sieradenkastje was.

Er hing een vreemde sfeer buiten de kamer. Ik vond het niet prettig.

'Laat me maar weten of je het horloge vindt. Hou het stil, je weet hoe mensen zouden reageren als ze erachter kwamen dat dingen van Hier kwijtraakten.'

'Natuurlijk, ik begrijp dat dat hun hoop zou geven.'

'Bobby...' waarschuwde Joseph, en er liep weer een rilling over mijn rug.

'Ja, meneer,' zei Bobby wijsneuzerig.

De deur piepte, de bel rinkelde, en hij ging weer dicht. Ik wachtte eventjes om er zeker van te zijn dat Joseph niet weer binnenkwam. Buiten de kamer was Bobby stil. Ik stond op het punt op te staan toen Joseph weer langs het raam liep, dichterbij deze keer, terwijl hij achterdochtig naar het gebouw staarde. Snel dook ik neer en ging plat op de grond liggen, terwijl ik me afvroeg waarom ik me in vredesnaam ineens voor Joseph verborg.

Bobby deed de deur open en keek op me neer. 'Wat ben jij in hemelsnaam aan het doen?'

'Bobby Stanley,' ik ging zitten en veegde het stof van me af, 'je hebt me nog heel wat uit te leggen.'

Hij verraste me door zijn armen over elkaar te doen en koeltjes te zeggen: 'Jij ook. Wil je weten waarom ik niet op de auditie was? Omdat niemand me erover had verteld. Wil je weten waarom niet? Omdat iedereen me hier kent als Bobby Duke. Vanaf het moment dat ik hier ben aangekomen, heb ik niemand verteld dat ik Bobby Stanley heet. Hoe wist jij dat dan?'

HOOFDSTUK 34

'Meneer Le Bon, neem ik aan,' zei dokter Burton tegen Jack, met over elkaar geslagen armen achterover leunend in zijn stoel.

Jack werd rood, maar hij was vastbesloten niet terug te krabbelen of als een sufferd weggestuurd te worden. Hij leunde naar voren. 'Meneer Burton, er zijn heel veel mensen die Sandy proberen te vinden...'

'Ik hoef niets meer te horen.' Hij duwde zijn stoel naar achteren, pakte Jacks dossier van de koffietafel en ging staan. 'Onze tijd is om, meneer Ruttle. U kunt buiten bij Carol betalen.' Tijdens het praten liep hij, met zijn rug naar Jack, naar zijn bureau.

'Dokter...'

'Tot ziens, meneer Ruttle.' Hij verhief zijn stem.

Jack pakte het zilveren horloge op en ging staan. Hij sprak zachtjes en snel, nu hij de kans nog had. 'Ik wil alleen nog even zeggen dat een politieagent, Graham Turner, misschien contact...'

'Genoeg!' schreeuwde dokter Burton, die het dossier op zijn bureau gooide. Zijn gezicht werd rood en hij sperde zijn neusvleugels open. Jack verstijfde en hield onmiddellijk op met praten.

'Het is duidelijk dat je Sandy niet lang of intiem hebt gekend. Dat in overweging nemende, is het overduidelijk dat het absoluut niet jouw zaken zijn om in haar leven rond te gaan snuffelen.'

Jack deed zijn mond open om te protesteren, maar hem werd weer de pas afgesneden.

'Maar,' vervolgde dokter Burton, 'ik ben ervan overtuigd dat jij en je groepje oprecht zijn, dus ik zal je dit vertellen, voordat je de politie er nog meer bij betrekt.' Hij worstelde zichtbaar met zijn woede. 'Ik zal je zeggen wat de gardaí je zullen zeggen als ze een beetje rond gaan bellen. Ik zal je zeggen wat Sandy's eigen familie je zal zeggen.' Zijn woede borrelde weer op en hij knarste met zijn tanden. 'En wat iedereen die haar kent je zal zeggen en dat is dit: dat *dit*,' hij hief zijn handen hulpeloos omhoog, 'is wat Sandy doet.'

Jack probeerde weer iets te zeggen.

'De héle tijd,' schreeuwde hij. 'Ze zweeft naar binnen en naar buiten, laat dingen achter, soms haalt ze ze op, soms niet.' Hij zette zijn handen op zijn heupen, zijn borst ging woedend op en neer. 'Maar het punt is, ze komt wel weer terug. Ze komt altijd terug.'

Jack knikte en keek naar de grond. Hij begon door de kamer te lopen om weg te gaan.

'Je kunt haar spullen wel hier laten,' voegde dokter Burton eraan toe. 'Ik zal ervoor zorgen dat ze ze krijgt en je een bedankje stuurt als ze weer terug is.'

Langzaam liet Jack de rugzak met haar spulletjes op de grond bij de deur zakken en liep stilletjes naar buiten, als een schooljongen die een standje heeft gekregen, maar tegelijkertijd ook sympathie voelt voor de hoofdmeester die hem op zijn kop heeft gegeven. Gregory was niet boos op Jack, maar op de bries die komt en gaat, zo af en toe een vlaag warme en koude lucht door getuite lippen blaast, kussen die kietelden en lucht die zoet rook, maar het met een vingerknip allemaal in een keer weer terugnam. Het was Sandy op wie hij boos was. En op zichzelf, vanwege zijn eeuwige wachten.

Jack liet dokter Burton achter, met zijn handen op zijn heupen, starend uit het raam, malend met zijn kaken. Jack deed de deur zachtjes achter zich dicht, en sloot de sfeer binnen op. Die was te kostbaar om in de wachtruimte te laten sijpelen, zodat de wachtende mensen hem zouden voelen. Hij zou opgesloten blijven in het kantoor, rond dokter Burton blijven zweven terwijl hij de tijd nam om hem te verwerken, ermee om te gaan, hem te laten afkoelen, en hem dan uiteindelijk te laten vervagen.

De receptioniste, Carol, keek bezorgd naar Jack, niet zeker of ze nu bang voor hem moest zijn of medelijden met hem moest hebben vanwege het geschreeuw dat ze had gehoord. Jack legde zijn creditcard op de balie en een papiertje op haar bureau.

'Kunt u dokter Burton alstublieft zeggen dat als hij van gedachten mocht veranderen, dit mijn telefoonnummer is en dit het adres van de ontmoetingsplek later vandaag?'

Snel las ze het briefje en knikte, nog steeds haar baas verdedigend.

Hij toetste zijn pincode in en kreeg zijn creditcard terug. 'O, en geef hem dit alsjeblieft ook.' Hij legde het zilveren horloge op de balie. Haar ogen vernauwden zich toen hij wegliep.

'Meneer Le Bon?' hoorde hij haar vragen toen hij de deur bereikte. Een man die een autotijdschrift las keek op toen hij die vreemde naam hoorde.

Jack bleef staan en draaide zich toen langzaam om. 'Ja?'

'Ik weet zeker dat dokter Burton snel contact met u opneemt.'

Jack lachte zachtjes. 'Dat weet ik nog niet zo zeker.' Hij wilde weer weglopen en ze schraapte haar keel, om zijn aandacht te trekken. Hij liep terug naar de balie.

Ze leunde naar voren en begon zachtjes te praten. De man begreep de hint en ging verder met het lezen van zijn tijdschrift.

'Het duurt normaal gesproken elke keer een paar dagen. Het langste ooit was twee weken, maar dat was in het begin. Dit is veruit de langste periode in een hele tijd,' fluisterde ze. 'Als u haar vindt, wilt u dan tegen haar zeggen dat ze terug moet komen naar...' ze wierp een verdrietige blik op de deur van dokter Burtons kantoor, 'nou ja, zeg maar gewoon tegen haar dat ze terug moet komen.'

Even snel als ze had gesproken, hield ze er ook weer mee op, pakte het horloge van de balie, legde het in een la en ging verder met typen. 'Kenneth,' riep ze, Jack negerend. 'Jij bent aan de beurt. Ga maar naar binnen.'

Het is moeilijk een relatie te beginnen met iemand van wie je nooit iets mocht weten.

Tot nu toe was onze relatie op mij gebaseerd en ik vond het moeilijk om de overgang te maken naar een relatie die om ons allebei draaide. Elke week waren onze ontmoetingen erop gericht geweest hoe ík me voelde, wat ík die week had gedaan, wat ík dacht en wat ík had geleerd. Hij mocht mijn geest betreden wanneer hij maar wilde. Dat was de enige reden voor onze relatie; dat hij in mijn geest wroette en probeerde erachter te komen hoe ik in elkaar zat. En om te proberen me tegen te houden erachter te komen hoe hij in elkaar zat.

Een serieuzere relatie, een intíemere relatie, bleek het tegenovergestelde in te houden. Ik moest eraan denken hem ook dingen over hemzelf te vragen, en dat hij niet alles kon weten wat zich in mijn hoofd afspeelde. Sommige dingen moesten worden achtergehouden, uit zelfbehoud, en op een bepaalde manier raakte ik mijn vertrouwenspersoon kwijt. Hoe intiemer we werden, hoe minder hij van me wist en hoe meer ik over hem te weten kwam.

Het ene uur per week was geïntensiveerd en de rollen waren omgedraaid. Wie had er gedacht dat meneer Burton een leven had buiten de vier muren van die oude school? Hij kende mensen en deed dingen waar ik nooit iets van had geweten. Dingen die ik plotseling mocht weten, maar waarvan ik niet wist of ik dat wel wilde. Iemand die van oudsher niet in staat was om een bed én een hoofd te delen had uiteraard de behoefte daar hard vandaan te rennen. Natuurlijk ging ik dagen achtereen weg.

Nee, het leeftijdsverschil maakte niet uit, dat had nooit iets uitgemaakt. De jaren waren het probleem niet; het was de tijd die de schuldige was. Deze nieuwe relatie bestond zonder een tikkende klok. Er was geen grote wijzer die het einde van een gesprek aangaf; ik kon niet worden gered door de spreekwoordelijke bel. Hij had altijd toegang tot me. Natuurlijk vluchtte ik.

Er is een dunne scheidslijn tussen liefde en haat. Liefde bevrijdt een ziel en kan deze soms tegelijkertijd verstikken. Ik danste op dit koord met de gratie van een olifant, waarbij mijn hoofd me deed overhellen naar de haatkant, en mijn hart me naar de liefdeskant trok. Het was een hobbelige reis, en soms viel ik. Soms viel ik best een lange periode, maar nooit te lang.

Nooit zo lang als nu.

Ik vraag er niet om dat mensen me aardig vinden. Ik heb er nooit naar gesmacht aardig gevonden te worden, noch vraag ik erom dat mensen me begrijpen; ik ben ook nooit begrepen. Toen ik me zo gedroeg, toen ik zijn bed verliet, zijn hand losliet, de telefoon ophing en zijn deur achter me dichtdeed, vond ík het zelfs moeilijk mezelf aardig te vinden en te begrijpen. Maar zo was ik nu eenmaal.

Zo wás ik nu eenmaal.

HOOFDSTUK 35

Bobby stond bij de deur van de opslagruimte, met zijn armen over elkaar geslagen en zijn voorhoofd gefronst.

'Wat is er?' Ik krabbelde op en torende boven hem uit. Nu ik me tot mijn volle 1,85 meter had uitgestrekt had hij niet meer zo veel zelfvertrouwen. Hij liet zijn handen langs zijn zij vallen en keek naar me omhoog. 'Heet je niet Bobby Stanley?'

'Nee, volgens iedereen hier heet ik Bobby Duke,' zei hij verdedigend, beschuldigend, kinderachtig.

'Bobby Duke?' Ik wreef gefrustreerd over mijn gezicht. 'Wat?' herhaalde ik. 'Die kerel uit die cowboyfilms? Waarom?'

'Laat het waarom maar zitten.' Hij werd rood. 'Het punt is dat jij de enige bent die mijn echte naam kent. Hoe?'

'Ik ken je moeder, Bobby,' zei ik zachtjes. 'Het is geen groot mysterie. Zo eenvoudig is het.' De laatste paar dagen hadden bestaan uit geheimen, mysteries en leugentjes om bestwil. Het was tijd om daarmee op te houden, in elk geval voor nu. Alles wat ik wilde doen was de mensen ontmoeten naar wie ik had gezocht, hun alles vertellen wat ik wist en hen dan naar huis brengen. Dat zou ik gaan doen. Terwijl ik over dit alles nadacht merkte ik plotseling dat Bobby volkomen stil was geworden en er wat bleekjes uitzag.

'Bobby?' vroeg ik.

Hij zei niets, maar verwijderde zich iets van de deurpost.

'Bobby, gaat het?' vroeg ik iets aardiger.

'Ja, hoor,' zei hij, terwijl hij er helemaal niet goed uitzag.

'Echt waar?'

'Dat wist ik eigenlijk wel,' zei hij zachtjes.

'Wat?'

'Ik wist eigenlijk wel dat je mijn moeder kende. Niet toen ik vanochtend de winkel opendeed en je me meneer Stanley noemde, en niet toen iedereen die bij de auditie was geweest vertelde dat je zo veel wist, maar ik wist het al toen ik al jouw spullen bleef vinden.' Hij keek langs me heen naar mijn verloren leven dat over de grond verspreid lag. 'Wanneer je op jezelf bent aangewezen, zoek je naar tekens. Soms verzin je ze, soms zijn ze er echt, maar vaak weet je het verschil tussen die twee niet. Ik geloofde het meest in dit teken.'

Ik glimlachte. 'Je bent precies zoals ze zei.'

Zijn onderlip begon te trillen, en hij probeerde het tegen te houden. 'Hoe gaat het met haar?'

'Afgezien van het feit dat ze je vreselijk mist, gaat het goed.'

'Sinds mijn vader weg is, zijn we altijd met zijn tweetjes geweest. Nu is ze helemaal alleen. Ik vind het vreselijk dat ze alleen is.' Zijn stem ging omhoog en omlaag, hoewel hij hem onder controle probeerde te houden.

'Ze is nooit alleen, Bobby; ze heeft je ooms, tantes en grootouders. Ook neemt ze iedereen die wil luisteren mee naar huis en laat hem fotoalbums en video's van jou zien. Volgens mij is er niemand in Baldoyle die jou niet in de finale heeft zien scoren tegen St. Kevin's.'

Hij glimlachte. 'We hadden die wedstrijd kunnen winnen, als...' Zijn stem stierf weg.

Ik maakte de zin voor hem af: 'Als Gerald Fitzwilliam niet in de tweede helft geblesseerd was geraakt.'

Hij tilde zijn hoofd op en keek me aan, met lichtjes in zijn ogen. 'Het was de schuld van Adam McCabe,' zei hij hoofdschuddend.

'Hij had nooit in het middenveld gezet moeten worden,' zei ik, en hij lachte. Hij lachte die harde stripfiguurlach die ik zo vaak op de homevideo's had gehoord, de lach waar zijn familie zo veel over sprak. Het hoge, verslavend grappige geluid waardoor ik moest giechelen.

'Wauw,' zei hij, naar adem happend, 'je kende haar heel goed.'

'Bobby, neem maar van mij aan dat je je moeder niet goed hoeft te kennen om dat te weten.'

Jack zat bij Mary Stanley thuis een kop koffie te drinken en naar homevideo's van haar zoon Bobby te kijken.

'Moet je dat zien.' Mary leunde plotseling naar voren, waarbij ze koffie op haar blauwe spijkerbroek morste. 'Ah!' Ze wierp zich weer naar achteren en trok een gezicht, en Jack sprong op omdat hij dacht dat ze zich had gebrand. 'Daar ging het mis,' zei ze boos.

Jack besefte dat ze het nog steeds over de televisie had en ging weer op de bank zitten.

'Zie je hem?' Ze wees naar de tv, waarbij ze weer koffie morste.

'Voorzichtig,' waarschuwde Jack haar.

'Niks aan de hand.' Ze wreef zonder te kijken over haar been. 'Hier ging het allemaal mis. We hadden de wedstrijd gewonnen als hij er niet was geweest.' Ze wees weer. 'Gerald Fitzwilliam, die daar in de tweede helft geblesseerd raakte.'

'Mmm,' antwoordde Jack, terwijl hij van zijn koffie dronk en de amateurbeelden bekeek van de wedstrijd die op het scherm flikkerde. Het grootste deel van de tijd zag hij alleen maar een groen waas, gevolgd door close-ups van Bobby's hoofd.

'Het was de schuld van Adam McCabe,' zei ze hoofdschuddend. 'Hij had nooit in het middenveld gezet moeten worden.'

Bobby nam me mee een kleine draaitrap op, die naar zijn woonruimte boven de winkel leidde. In zijn woonkamer ging ik op een indrukwekkende leren bank zitten, waar iemand waarschijnlijk ongeduldig op had gewacht, langer dan de normale afleverperiode van vier tot zes weken. Hij bracht me een glas sinaasappelsap en een croissant, en mijn hongerige maag rommelde als dank.

'Ik dacht dat iedereen in het eethuis moest eten,' zei ik, terwijl ik een aanval deed op de verse croissant, die in mijn handen verkruimelde.

'Laten we het er maar op houden dat de kok me erg aardig vindt.

Ze heeft een zoon van mijn leeftijd, thuis in Tokio. Zo af en toe schuift ze me wat eten toe en soms plaag ik haar, doe ik haar walgen en doe andere zoonachtige dingen.'

'Leuk,' mompelde ik, met mijn gezicht onder de kruimels.

Bobby staarde me aan, zijn eten onaangeroerd op zijn bord.

'Wot isser?' vroeg ik met mijn mond vol eten. Hij bleef maar staren en ik slikte het snel door. 'Heb ik iets op mijn gezicht?' Ik voelde.

'Ik wil meer horen,' zei hij somber.

Ik keek spijtig naar het restje eten op mijn bord, ik wilde het zo graag opeten, maar ik zag aan de blik op Bobby's gezicht dat ik het zijn moeder verschuldigd was snel te beginnen met praten.

'Wil je dingen over je moeder weten?' Ik spoelde de kruimels weg met sinaasappelsap.

'Nee, ik wil meer over jou weten.' Hij maakte het zich makkelijk op de bank, terwijl ik hem, plotseling niet op mijn gemak, met open mond aankeek.

'Ik hoorde dat je een castingbureau voor acteurs hebt – ben je daardoor bevriend geraakt met mijn moeder?'

'Nee, niet echt.'

'Dat leek me al.'

'Wat bedoel je?'

'Je hebt helemaal geen castingbureau, of wel? Zo'n type lijk je me niet.'

Mijn mond viel open en ik was vreemd genoeg beledigd. 'Waarom, wat voor soort persoon heeft dan wel een castingbureau?'

'Mensen die niet zo zijn als jij,' zei hij glimlachend. 'Wat doe je echt?'

'Ik zoek,' zei ik glimlachend. 'Ik speur.'

'Naar talent?'

'Naar mensen.'

'Naar mensen met talent?'

'Ik vermoed dat iedereen die ik zoek wel een of ander talent heeft, hoewel ik dat van jou niet al te zeker weet.' Bobby keek verward, en ik besloot die lompe humor achterwege te laten en hem te vertrouwen. 'Ik heb een bureau voor vermiste personen, Bobby.'

Eerst zag hij er geschokt uit. Daarna, toen het tot hem doordrong, begon hij te glimlachen, de glimlach werd een grijns, de grijns groeide uit tot gelach, het gelach werd het verslavend grappige geluid dat ik zo goed kende, en toen was ik ook aan het lachen.

Plotseling hield hij op. 'Ben je hier om ons allemaal naar huis te brengen of ben je gewoon op bezoek?'

Ik keek naar zijn hoopvolle gezicht en voelde me op slag verdrietig. 'Geen van beide. Helaas zit ik hier ook vast.'

Op momenten waarop het leven op zijn ergst is kun je twee dingen doen: 1. instorten, alle hoop verliezen en niet verdergaan terwijl je op de grond ligt, met je vuisten te slaan en je benen te schoppen, of 2. lachen. Bobby en ik deden het tweede.

'Je moet dit aan niemand anders vertellen,' zei Bobby.

'Dat heb ik ook niet gedaan. Afgezien van Helena en Joseph weet niemand het.'

'Goed zo. Hen kunnen we wel vertrouwen. Was dat idee voor het toneelstuk van Helena?'

Ik knikte.

'Slim bedacht.' Zijn ogen glinsterden ondeugend. 'Sandy, je moet heel voorzichtig zijn. Mensen waren vanochtend in het eethuis al aan het praten.'

'Praten mensen daar normaal gesproken niet?' vroeg ik als grapje, terwijl ik het laatste deel van mijn croissant opat.

'Kom op, ik meen het. Ze hadden het over jou. Degenen die naar de auditie waren geweest moeten hun vrienden en familie hier hebben verteld over wat je tegen hen had gezegd, die dat natuurlijk op hun beurt weer aan een aantal mensen hebben verteld, en nu heeft iedereen het erover.'

'Is het echt zo erg dat ze het weten? Ik bedoel, zou het zo erg zijn als ze wisten dat ik vroeger zocht naar vermiste personen?'

Bobby sperde zijn ogen open. 'Ben je gek? De grote meerderheid van de mensen hier heeft een nieuw leven opgebouwd en ze zouden nog niet teruggaan al zou je ze betalen, en niet alleen maar omdat geld hier volslagen nutteloos is. Maar er zijn ook mensen – het soort mensen dat zo is als ik toen ik hier kwam. Die mensen hebben hun draai nog niet gevonden omdat ze nog steeds een uitweg proberen te vinden. Die mensen zullen als een klit aan je gaan hangen en dan zou je wensen dat je je mond nooit had opengedaan.'

'Helena zei precies hetzelfde tegen me. Is dat al eerder gebeurd?'

'Hoe bedoel je, is dat eerder gebeurd? Misschien niet precíes hetzelfde.' Hij maakte een wegwerpgebaar en liet zijn dramatische houding varen. 'Jaren geleden, voordat ik hier überhaupt was, zei een of andere oude man dat hij voortdurend dingen verloor. Als je het mij vraagt was het eerder zijn hoofd dan iets anders, maar goed. Toen de mensen dat hoorden, kon hij niet eens meer zonder gezelschap naar de wc. Hij werd echt óveral achtervolgd. Als hij naar het eethuis ging, stonden mensen om zijn tafel heen; ze volgden hem de winkels in en stonden hem zelfs buiten zijn huis op te wachten. Het was een gekkenhuis. Uiteindelijk moest hij zijn baan opgeven omdat hij door hele drommen mensen werd gevolgd.'

'Wat deed hij?'

'Hij was postbode.'

'Postbode? Hier?' Ik trok mijn gezicht in rimpels.

'Wat is daar zo gek aan? We hebben hier meer dan waar ook een postbode nodig. Mensen willen brieven, berichten en pakketjes naar anderen in omliggende dorpen versturen, want hoewel we telefoons, televisies en computers hebben, doen die het niet, ze geven alleen maar ruis. Maar goed, hij kon niet blijven rondfietsen met een hele stoet mensen achter zich aan. De dorpelingen werden er boos om, maar de mensen die hem volgden dachten dat hij op miraculeuze wijze een uitweg zou vinden.'

'En wat is er gebeurd?' vroeg ik, op het puntje van mijn stoel.

'Ze maakten hem gek, nog gekker dan hij al was. Hij had nergens meer privacy.'

'Waar is hij nu?'

'Weet ik niet.' Bobby leek plotseling verveeld door het verhaal. 'Hij is verdwenen. Hij woont waarschijnlijk een paar dorpen verderop of zo. Joseph zal het wel weten, want ze waren goede vrienden. Vraag het hem maar.'

Er ging een rilling door mijn lijf, en ik huiverde.

'Heb je het koud?' vroeg Bobby ongelovig. 'Het is altijd zo warm hier boven, vind ik. Ik zweet me kapot.' Hij pakte onze borden en glazen.

Hij deed dan wel cool, maar ik zag het wel. Ik zag vanuit mijn ooghoek dat hij me een intense blik toewierp voordat hij de kamer uitging. Hij wilde weten of het zaadje was geplant. Hij hoefde zich geen zorgen te maken. Dat was gebeurd.

HOOFDSTUK 36

'Kom op, we kunnen best tegelijkertijd wandelen en praten,' zei Bobby, die me bij mijn hand pakte om me omhoog te trekken.

'Waar gaan we heen?'

'Naar de repetitie natuurlijk. Nu moet je meer dan ooit dit toneelstukje volhouden. De mensen letten op je, of je het nu ziet of niet.'

Ik voelde weer een rilling en huiverde. Toen we beneden waren, begon Bobby kleren naar me toe te gooien.

'Wat doe je nou?'

'De mensen zullen je veel serieuzer nemen als je niet meer als Sinbad de Zeeman gekleed gaat.' Hij gaf me een grijze broek met krijtstreepjes en een blauwe blouse.

'Dat is de goede maat,' zei ik, terwijl ik naar de labels keek, onder de indruk.

'Ja, maar ik heb geen rekening gehouden met die enorm lange benen.' Hij beet op zijn lip terwijl hij naar me keek.

'De last van mijn leven.' Ik sloeg mijn ogen ten hemel en gaf de broek terug.

'Maakt niet uit, ik heb precies wat je nodig hebt!' Hij rende naar het andere eind van de winkel. 'Dit hele rek is voor mensen met lange benen.' Hij rommelde tussen de hangers, terwijl ik naar de kleding keek als een kind in een snoepwinkel. Nog nooit had ik zo luxueus gewinkeld.

'Mijn god, volgens mij word ik hier toch nog gelukkig.' Ik streek langs de kleren.

'Hier.' Hij gaf me iets wat op precies dezelfde broek leek, alleen dan langer. 'Doe hem maar snel aan. We mogen niet te laat komen op de repetitie.'

We stapten naar buiten, de heldere, zonnige dag in, en mijn ogen deden pijn doordat ze in het duister van het muffe gebouw van walnotenhout verborgen waren geweest. Het was lawaaiig, met al die handel om ons heen. Mensen schreeuwden, handelden, lachten en riepen in allerlei talen, die ik soms nog niet eerder had gehoord. Een groepje van vier vrouwen draaide zich om en staarde naar Bobby en mij toen hij de winkel op slot deed. Ik stond in mijn nieuwe kleren op de veranda en voelde me alsof ik tentoongesteld werd, terwijl ze naar elkaar fluisterden.

'Daar is ze,' hoorde ik een vrouw heel hard fluisteren, zo hard dat ik me afvroeg hoe ze in hemelsnaam kon denken dat ik haar niet zou horen. Eentje stootte een andere aan, en die werd naar voren geduwd en kwam aarzelend naar ons toe toen we het trapje af liepen.

'Hallo.' Ze stond voor ons.

Bobby wilde om haar heen lopen, maar ze stapte naar links en blokkeerde ons opnieuw.

'Hallo,' herhaalde ze, naar mij kijkend en Bobby negerend.

'Hallo,' antwoordde ik, me ervan bewust dat het groepje waaruit ze kwam toekeek.

'Ik heet Christine Taylor?'

Was dat een vraag?

'Hallo, Christine.'

Stilte.

'Ik ben Sandy.'

Haar ogen vernauwden zich terwijl ze mijn gezicht onderzoekend bekeek om te zien of ik haar herkende.

'Kan ik je ergens mee van dienst zijn?' vroeg ik beleefd.

'Ik ben hier nu tweeënhalf jaar?' vroeg ze weer.

'Aha. Dat is,' ik keek naar Bobby, die als antwoord zijn ogen ten hemel sloeg, 'nou, dat is best lang, nietwaar?'

Ze keek me weer onderzoekend aan. 'Ik woonde in Dublin?'

'Echt waar? Dat is een mooie stad.'

'Ik heb drie broers en een zus?' Ze probeerde mijn geheugen op te frissen. '*Andrew* Taylor?' Ogen bekeken onderzoekend mijn gezicht. '*Martin* Taylor?' Stilte. '*Gavin* Taylor?' Stilte. 'Mijn zus heet *Roisín* Taylor?' Weer die blik. 'Ze is verpleegkundige in het Beaumont-ziekenhuis?'

'Aha...'

'Ken je iemand van hen?' vroeg ze hoopvol.

'Nee, sorry.' Dat was echt zo. 'Maar aangenaam kennis gemaakt te hebben.' We wilden weer doorlopen toen ze me bij mijn arm greep.

'Hé!' gilde ik, en ik probeerde haar af te schudden. Haar greep werd vaster.

'Hé, laat haar los,' bemoeide Bobby zich ermee.

'Je kent ze wel, toch?' vroeg ze, en ze deed een stap naar me toe.

'Nee!' zei ik, ik deed een stap achteruit, en haar greep op mijn arm werd nog vaster.

'Mijn vader en moeder zijn Charles en Sandra Taylor.' Ze sprak nu sneller. 'Je kent hen waarschijnlijk ook. Vertel me alleen maar hoe...'

'Laat me los!' Ik trok mijn arm ruw terug, terwijl de menigte om ons heen stil werd en naar ons staarde.

Daardoor hield ze op met praten en ze draaide zich om naar haar vriendinnen, die terugstaarden en me opnamen.

'Het spijt me, maar we zijn al te laat voor de repetitie. We moeten nu echt gaan.' Bobby pakte me bij mijn pijnlijke arm en trok me weg. Van slag liet ik me door hem meetrekken, half rennend, half lopend door de menigte, terwijl ik voelde dat er naar me werd gestaard.

Uiteindelijk kwamen we bij de gemeenschapszaal aan, waar een kleine rij voor de deur stond.

'Sandy!' riep iemand. 'Daar is ze! Sandy!' Anderen begonnen ook te roepen en om me heen te zwermen. Ik voelde dat Bobby me weer meevoerde, ik werd naar achteren getrokken en de deur van de gemeenschapszaal sloeg achter me dicht. De mensen die meededen aan het toneelstuk, die in een kring zaten, draaiden zich om en staarden mij en Bobby aan, we stonden te hijgen, met onze ruggen tegen de deur.

'Nou,' zei ik, terwijl ik op adem probeerde te komen, en mijn stem echode door de ruimte heen, 'is dit het tweeduister of zo?'

Helena sprong op. 'Zei Dorothy toen ze in Oz belandde. Dank je wel, Sandy, dat je de eerste regel hebt voorgedragen,' zei ze snel, en van afschuw vertrokken gezichten werden begrijpende knikjes. 'Er wordt een moderne draai aan een oud verhaal gegeven,' legde Helena uit. 'Dank je wel, Sandy, voor die dramatische opvoering.'

Mary drukte eindelijk op stop toen het toneelstuk waarin Bobby meespeelde was afgelopen, en ze haalde de videoband, die Jack de laatste twee uur in gedachten had verbrand, uit de recorder. Hij sloeg het restje koude koffie achterover in een poging wakker te blijven.

'Mary, ik moet echt vanavond terug naar Limerick,' hintte hij, met een blik op zijn horloge. De hele tijd dat hij in haar gezelschap had doorgebracht, was Sandy maar één keer ter sprake gekomen. Hij merkte dat hij eerst werd ingewijd in Mary's leven voordat ze het over belangrijke dingen konden hebben. Overal om hem heen stonden op elk beschikbaar plekje ingelijste foto's. Bobby als pasgeboren baby, Bobby als peuter, Bobby op zijn eerste fiets, Bobby op zijn eerste schooldag, Bobby op de dag van zijn Heilige Communie, zijn Vormsel, het versieren van een kerstboom, Bobby toen hij op vakantie in een zwembad sprong. Van kaal naar witblond naar vaal bruin. Van tandeloos naar fietsenrek naar beugelbekkie. Er hingen geen klokken in deze kamer, de tijd was in elke foto gegrift en stopgezet alsof hij na de laatste foto, die van Bobby en Mary op zijn zestiende verjaardag, niet verder mocht verstrijken.

De achtendertigjarige Mary woonde in een appartement boven haar liefdadigheidswinkel, waarin ze kleding, schoenen, boeken, snuisterijen, spulletjes voor in huis verkocht en alles wat je je maar kunt voorstellen. In de winkel rook het muf door de tweede- of derdehands kleding, stoffige boeken die vaak waren doorgebladerd en oud speelgoed waar kinderen te oud voor waren geworden en dat ze goed hadden gebruikt. Boven bevond zich de ruimte die Mary met Bobby had gedeeld, al zijn zestien jaar.

Mary stond op. 'Nog wat koffie?'

'Graag.' Jack liep achter haar aan naar de keuken waar hij nog meer foto's aan de muur zag hangen en op de vensterbank zag staan. 'Komen de anderen die ik heb gebeld niet?' Jack had wel een aantal mensen verwacht.

'Ze konden niet op zo'n korte termijn. Peter woont in Donegal met zijn twee kleine kinderen en Clara en Jim wonen in Cork, hoewel ze net gescheiden zijn, dus de kans dat ze in één ruimte samenkomen is erg klein. Het is heel verdrietig. Hun dochter Orla wordt al zes jaar vermist. Ik denk dat ze daardoor uit elkaar zijn gegroeid.' Ze schonk nog meer koffie in. 'Zulk soort dingen, enorme, dramatische veranderingen in het leven hebben het effect van een magneet. Ze drijven mensen uit elkaar of brengen ze dichter bij elkaar. Helaas is in hun geval het eerste gebeurd.'

Jack moest onmiddellijk aan Gloria denken, en aan hoe deze gebeurtenis hen uit elkaar trok.

'Ongetwijfeld zal iedereen meehelpen, zodra we hen voor iets specifieks nodig hebben.'

'Hielp Sandy al die mensen?'

'Sandy hélpt, Jack. Ze is nog niet dood. Ze is een harde werker. Ik weet dat je haar niet in actie hebt gezien, maar ze heeft elke week contact met ons. Zelfs na al die jaren belt ze ons elke week op om ons te laten weten of er nieuws is. Meestal, en vooral de laatste tijd, zijn die telefoontjes bedoeld om te vragen hoe het met ons gaat.'

'Heeft iemand deze week nog iets van haar gehoord?'

'Niemand.'

'En is dat ongewoon?'

'Niet helemaal.'

'Een paar mensen hebben tegen me gezegd dat het niet ongewoon is dat ze het contact verliest en gewoon een tijdje verdwijnt.'

'Ze verdween voortdurend, maar ze belde ons dan nog wel vanuit haar schuilplek. Als Sandy ergens aan is toegewijd, dan is het wel aan haar werk.'

'Het klinkt alsof dat het enige is.'

'Tja, ik zou niet verbaasd zijn als dat zo was,' zei Mary knikkend. 'Sandy liet – laat –' ze corrigeerde zichzelf, 'maar weinig los. Ze is er heel goed in niet over zichzelf te praten. Ze heeft het nooit over familie of vrienden. Niet één keer, en ik ken haar al drie jaar.'

'Volgens mij heeft ze die niet,' zei Jack, die met een kop verse koffie aan de keukentafel zat.

'Nou, ze heeft ons.' Mary ging bij hem zitten. 'Heb je nog iets bereikt bij die politieagent, Turner?'

Jack schudde zijn hoofd. 'Ik heb vandaag met hem gesproken. Hij kan echt niets doen als verwanten en vrienden zeggen dat dit normaal gedrag is. Sandy is geen gevaar voor zichzelf of anderen, en er is niets verdachts aan haar verdwijning.'

'Is er niets verdachts aan een verlaten auto waarin al haar bezittingen lagen?' vroeg Mary verbaasd.

'Niet als ze dat voortdurend doet.'

'En dat horloge dan dat je hebt gevonden?'

'De sluiting was kapot. Blijkbaar valt het vaak van haar pols.'

Mary klakte met haar tong en schudde haar hoofd. 'Die arme meid wordt gestraft voor al haar eerdere vreemde gedrag.'

'Ik zou graag met haar ouders willen praten, om te zien wat zij van dit alles vinden. Ik vind het erg moeilijk te geloven dat je je geen zorgen maakt als je vijf dagen niets van een familielid hoort.' Jack wist van binnen dat dit heel goed mogelijk was. Hij was niet heel close geweest met Donal, noch met de rest van de familie, trouwens. Afgezien van Judith gingen er vaak weken voorbij waarin ze niets van elkaar hoorden. Het was zijn moeder die na drie dagen aan de bel trok.

'Ik heb hun adres, als je dat wilt hebben.' Mary stond op en rommelde in een keukenkastje. 'Sandy heeft me verbazingwekkend genoeg gevraagd om haar iets op dat adres te sturen.' Haar stem klonk gedempt vanuit het kastje. 'Volgens mij zat ze daar een keer met Kerstmis vast en zocht ze wanhopig naar werk om haar te redden,' zei ze lachend. 'Maar draait het daar niet altijd om met kerst? Hier is het.' Haar hoofd verscheen weer.

'Ik kan toch niet onaangekondigd binnenvallen?' zei Jack.

'Waarom niet? Het ergste wat ze kunnen doen is niet met je praten, maar het is het proberen waard.' Ze gaf hem het adres in Leitrim. 'Je kunt hier vannacht blijven, als je wilt. Het is veel te laat om naar Leitrim te gaan en dan ook nog naar Limerick.'

'Dank je wel, misschien blijf ik morgen zelfs nog iets langer in Dublin om te zien of Sandy naar een andere afspraak komt die ze had gemaakt.' Jack glimlachte, terwijl hij naar een foto keek van een jonge Bobby die voor Halloween als dinosaurus was verkleed. 'Wordt het makkelijker?'

Mary zuchtte. 'Niet makkelijker, maar misschien iets minder zwaar. Ik denk er altijd aan, elk moment dat ik wakker ben of slaap. De pijn begint te... niet echt te verdwijnen, maar het is alsof hij verdampt, zodat hij altijd in de lucht om me heen is, klaar om op me neer te regenen wanneer ik het het minst verwacht. En wanneer de pijn weggaat, neemt woede die plek in. Wanneer de woede minder wordt, neemt de eenzaamheid het over. Het is een eindeloze cirkel van emoties, elke emotie die verdwijnt wordt door een andere vervangen. Dat geldt helaas niet voor zoons,' zei ze, ironisch glimlachend. 'Ik was dol op de grote mysteries van het leven, de onzekerheden, het niet-weten. Ik dacht altijd dat het nodig was voor onze levensreis,' zei ze met een verdrietige glimlach. 'Ik ben er niet zo enthousiast meer over.'

Jack knikte en ze waren allebei een tijdje in gedachten verzonken.

'Maar goed, het is niet allemaal kommer en kwel.' Mary leefde weer op. 'Hopelijk doet Sandy wat ze altijd doet en is ze morgen weer thuis.'

'Met Bobby en Donal op sleeptouw,' voegde Jack eraan toe.

'Nou, op de hoop dan maar.' Mary hief haar kopje en klonk met Jack.

HOOFDSTUK 37

Jack sliep die avond in Bobby's kleine slaapkamer, omringd door posters van sportauto's en halfnaakte blondines. Op het plafond waren miniatuursterren en ruimteschepen geplakt, die eens helder in het donker hadden gegloeid, maar nu, net als Bobby's aanwezigheid, eerder een vage gloed uitstraalden. Er zaten stickers op de deur en het verkleurde behang was eraf gescheurd, zodat He-Man geen zwaard meer had, Bobby Duke geen cowboyhoed en Darth Vader geen helm. Op het marineblauwe dekbedovertrek stond het zonnestelsel van de aarde, elke zichtbare planeet en plek, behalve die waar Bobby zich bevond.

Op het bureau lagen stapels cd's, een cd-speler, een draadloze telefoon en tijdschriften met nog meer auto's en vrouwen. Er lagen een paar schoolboeken op een stapel in een hoekje, die waren duidelijk niet zo belangrijk. Boven het bureau waren planken volgeladen met nog meer cd's, dvd's, tijdschriften, en medailles en trofeeën voor football. Jack betwijfelde of er iets was veranderd sinds Bobby deze kamer had verlaten en niet meer was teruggekomen. Jack raakte zo weinig mogelijk aan en liep op zijn tenen over het tapijt, omdat hij geen afdruk van zichzelf wilde nalaten. Alles in deze kamer was kostbaar en bestond alleen als museum.

Tussen de posters van auto's en naakte glamourmodellen door piepte behang met Thomas de Stoomlocomotief erop. Net onder de oppervlakte lag zijn kindertijd, slechts een dun laagje scheidde die van de puberteit. Het was de kamer van iemand die niet langer een jongen was, maar ook nog geen man; van iemand op een plek tussen onschuld en besef, op het pad der ontdekkingen.

Jack voelde zich zoals hij zich eerder in het huis al had gevoeld. Hij voelde zich vastzitten in een tijd die niet mocht verdergaan. Het bordje op de deur met 'Bobby's kamer: VERBODEN TOEGANG!' was goed onderhouden en de deur was stevig dichtgedaan, zodat alles binnen kon blijven staan, alle kostbare spullen weggestopt alsof het kamertje een kluis was. Jack vroeg zich af of Bobby nu ergens anders was, zijn leven leidde, of hij zich had ontwikkeld vanaf het beeld waaraan Mary zich uit alle macht probeerde vast te houden of dat zijn reis ten einde was. Zou hij voor altijd in de tijd blijven bestaan als niet langer een jongen, maar ook nog geen man, op een tussenplek, als tussenpersoon die niets helemaal af had, niets volledig gerealiseerd?

Hij dacht aan zijn eigen weigering om Donal los te laten en aan wat dokter Burton tegen hem had gezegd over het vervangen van de ene zoektocht, die op een dood spoor was geraakt, door een andere. Hij nam aan dat hij dat theoretisch gezien deed, maar hij was er absoluut zeker van dat dit niet kwam doordat hij onwillig was en niet in staat om verder te gaan. Hij schudde de gedachte uit zijn hoofd dat hij op een of andere manier op Mary leek, vasthield aan herinneringen en voor eeuwig vastzat in een moment dat al lang was verstreken. Hij trok het dekbed over zijn hoofd en verborg zich voor de sterren op het plafond en de melkweg boven zich. Realistisch gezien zou hij door zijn zoektocht naar Sandy Donal niet vinden, maar iets in zijn hart, in zijn geest, dreef hem voort.

Morgen zou het vrijdag zijn en zou Sandy, als ze niet haar leven weer in kwam stommelen, zes dagen weg zijn. Hij moest nu de beslissing nemen of dit het moment was om zich terug te trekken, om de deur van zijn leven open te doen en de vastzittende tijd en herinneringen te laten ontsnappen, om verder te gaan en alles wat hij had gemist weer op te pakken. Of hij kon op volle kracht vooruit met deze zoektocht, hoe vreemd en buitengewoon die ook mocht zijn. Hij dacht na over Gloria thuis, het niets wat hij voor haar, zijn leven en hun toekomst voelde, en hij besloot dat hij, net als de Bobby die de kamer waarin hij lag nog steeds bewoonde, de ontdekkingsreis zou voortzetten. Hij hoorde dat Mary de televisie uitzette en de stekkers van apparaten in de keuken uit het stopcontact haalde. Door een kier tussen de gordijnen kwam er ineens licht de slaapkamer in: een streep geel licht viel op een poster van een rode Ferrari. Jack besefte dat het het licht op de veranda was. Hij werd omgeven door een vreemd soort kalmte, en hij keek naar het licht op de muur totdat zijn ogen zwaar werden.

Hij werd de volgende ochtend om kwart voor negen wakker doordat zijn telefoon ging.

'Hallo?' zei hij met een schorre stem, terwijl hij rondkeek en even dacht dat hij terug in de tijd was gegaan naar zijn tienerjaren en in het huis van zijn moeder was wakker geworden. Zijn moeder... hij voelde een steek van verlangen naar haar.

'Wat ben je in vredesnaam aan het doen?' vroeg zijn zus Judith boos. Op de achtergrond hoorde hij baby's huilen en honden blaffen.

Hij gromde: 'Wakker worden.'

'O, ja?' vroeg ze sarcastisch. 'Naast wie?'

Jack draaide zich om naar rechts en keek naar de blondine die niet meer dan een cowboyhoed en laarzen droeg. 'Candy uit Houston, Texas. Ze houdt van paardrijden, zelfgemaakte limonade en wandelen met haar hond Charlie.'

'Wat?' gilde ze, en de baby begon harder te huilen.

Jack begon te lachen. 'Rustig maar, Jude. Ik lig in de slaapkamer van een jongen van zestien. Je hoeft je geen zorgen te maken.'

'Wáár lig je?'

Hoorde hij pistoolschoten?

'JAMES, ZET DIE TELEVISIE ZACHTER!'

'Au.' Jack trok zijn hoofd terug van de telefoon.

'Sorry, vond je dat geluid dat van honderden kilometers afstand kwam zo vervelend?'

'Judith, waarom ben je vandaag zo prikkelbaar?'

Ze zuchtte. 'Ik dacht dat je alleen naar Dublin ging om die dokter een bezoekje te brengen.'

'Dat was ook zo, maar ik wilde nog wat rondvragen voordat ik weer naar huis ging.'

'Heeft dit nog steeds te maken met die vrouw van die vermiste personen?'

'Sandy Shortt, ja.'

'Wat ben je aan het doen, Jack?' vroeg ze zachtjes.

Hij liet zijn hoofd tegen de onderste regionen van Babs uit Australië rusten. 'Ik pak mijn leven weer op.'

'Nadat je het ondersteboven hebt gegooid?'

'Weet je nog dat we elke kerst die puzzel van Humpty Dumpty deden?'

'O jee, hij is gek geworden,' zei ze zangerig.

'Alsjeblieft. Weet je het nog?'

'Hoe kan ik dat ooit vergeten? Het eerste jaar duurde het tot maart voor we hem af hadden, omdat mama de eettafel in paniek opruimde toen pater Keogh een van zijn verrassingsbezoeken bracht.'

Ze moesten allebei lachen.

'Toen pater Keogh weg was, kwam papa ons helpen opnieuw te beginnen, weet je nog? Hij leerde ons dat we de stukjes moesten onderverdelen, ze allemaal eerst met het plaatje naar boven moesten leggen en ze daarna aan elkaar moesten passen.'

'En toen stond er: "All the king's horses and all the king's men",' zei ze zuchtend. 'Dus je bent alle stukjes aan het verzamelen.'

'Juist.'

'Mijn filosofische broertje. Wat is er gebeurd met de uitjes naar de pub en de grove moppen?'

Hij lachte. 'Die zitten nog ergens in me verstopt.'

Ze werd serieus. 'Ik begrijp wat je doormaakt en ik begrijp wat je aan het doen bent, maar moet je het echt allemaal in je eentje doen, zonder iemand iets te vertellen? Kun je niet in elk geval dit weekend voor het festival naar huis komen? Ik ga vanavond met Willie en de kinderen. Er speelt een bandje buiten en er zijn spelletjes voor de

kinderen, en zondagavond wordt er zoals gewoonlijk vuurwerk af-
gestoken. Je hebt het nog nooit gemist.'

'Ik zal proberen er te zijn,' loog Jack.

'Ik weet niet waar Gloria haar geduld vandaan haalt. Ze leek on-
aangedaan dat je wegbleef, maar je stelt haar wel op de proef. Probeer je haar met opzet van je af te duwen?'

Jack stond op het punt zich weer te verdedigen, maar hij hield
zich in en dacht er voor de verandering eens over na. 'Ik weet het
niet,' zei hij zuchtend. 'Misschien wel. Ik weet het niet.'

'Goedemorgen,' zong Mary, met een klop op de deur.

'Binnen,' riep Jack, die het beddengoed om zich heen sloeg.

Er klonk wat gerammel toen de klink naar beneden ging, en toen
deed Mary de deur open, met een dienblad vol ontbijt in haar handen.

'Wauw,' zei Jack, die hongerig naar het eten keek.

Mary zette het dienblad op het bureau. Ze verschoof geen tijdschriften of cd's, maar liet het dienblad gevaarlijk op de rand van
het bureau rusten. Er mocht niets worden aangeraakt. Jack was verbaasd dat ze hem überhaupt in het bed had laten slapen.

'Dank je wel, Mary, dat ziet er geweldig uit.'

'Graag gedaan. Ik vond het heerlijk om Bobby af en toe op ontbijt in bed te trakteren.' Ze keek de kamer rond en wrong haar handen. 'Heb je lekker geslapen?'

'Ja hoor, dank je wel,' antwoordde hij beleefd.

'Leugenaar,' zei Mary, terwijl ze naar de deur liep. 'Ik heb geen
nacht meer doorgeslapen sinds Bobby is verdwenen. Ik wed dat dat
bij jou ook zo is.'

Jack glimlachte, blij om te horen dat hij niet de enige was.

'Ik moet de winkel openen, maar doe maar rustig aan. Er ligt een
handdoek voor je in de badkamer.' Ze glimlachte, wierp nog een gekwelde blik door de kamer en was weg.

Jack was blij dat hij aantekeningen had gemaakt van al Sandy's
toekomstige afspraken voordat hij de agenda aan dokter Burton
had gegeven. Voor vandaag had ze opgeschreven: 'YMCA Aungier

Street. 12.00 uur – Zaal 4'. Er stond niet bij waarvoor de afspraak was, maar hij had gezien dat ze elke maand naar die afspraak ging, of er in elk geval een aantekening van had gemaakt. Hij besloot dat het het beste was om er niet naartoe te bellen, maar er gewoon naartoe te gaan.

Pas om tien over twaalf liep hij het gebouw in, dankzij het afschuwelijke Dublinse verkeer dat hij nog in zijn reistijd moest incalculeren. Er zat niemand achter de balie bij de receptie. Hij leunde over het bureau, keek naar links en rechts, en riep, zonder resultaat. Hij zag heel veel deuren en aanplakborden waarop fitnessles, kinderopvang, computerles, therapie en jeugdwerkprogramma's stonden vermeld. Hij dacht niet dat het weer om een therapiesessie zou gaan, maar wat het ook was, hij hoopte dat het geen fitnessles was. Hij hoopte dat het om computers ging; dingen leren over computers kon hij wel. Hij klopte zachtjes op de deur, op zoek naar aanwijzingen van wat er binnen gebeurde en hoopte heel erg dat Sandy er was.

De deur werd opengedaan door een vrouw met een vriendelijk gezicht.

'Hallo,' zei ze glimlachend, haar stem bijna gefluister.

'Sorry dat ik u stoor,' fluisterde Jack. Wat er ook achter de deur plaatsvond, het gebeurde in elk geval stilletjes. Yoga – hij hoopte dat het geen yoga was.

'Maakt niet uit, mensen zijn altijd welkom, ook als ze te laat zijn. Wilt u meedoen?'

'Eh... ja. Eigenlijk was ik op zoek naar Sandy Shortt.'

'Aha. Heeft ze u dit aangeraden?'

'Ja.' Hij knikte empathisch.

Ze deed de deur iets verder open en de mensen die in een kring zaten draaiden zich om en staarden hem aan. Geen matjes, dacht hij opgelucht, geen yoga. Zijn hart bonsde wild terwijl hij rondkeek of Sandy er was, en hij vroeg zich af of zij hem zou zien voordat hij haar kon ontdekken. En als ze nu naar hem keek, zou ze hem dan herkennen? Zou ze boos zijn dat hij haar had gevonden, weggedoken in haar holletje, of zou ze dankbaar zijn, opgelucht dat iemand haar afwezigheid had opgemerkt?

'Welkom, kom binnen en ga zitten.' De vrouw gebaarde naar de kring terwijl iemand aan de zijkant van de kleine ruimte een stoel van een stapel pakte en die naar de kring bracht. Jack liep naar hen toe, en zocht op elk gezicht naar een teken van Sandy. De kring leek steeds groter terwijl hij dichterbij kwam, de beweging was net een paraplu die langzaam werd geopend. Hij ging met angst en beven zitten. Sandy was er niet.

'Zoals u kunt zien, is Sandy er helaas vandaag niet.'

'Ja, ik zie het.' Hij knarste met zijn tanden en de bekende pijn in zijn mond begon weer te bonken.

'Ik ben Tracey,' zei de vrouw glimlachend.

'Hallo.' Jack schraapte nerveus zijn keel terwijl iedereen zijn hoofd omdraaide en hem aankeek, hem beoordeelde, bestudeerde, al zijn opgelaten bewegingen analyseerde. 'Ik ben Jack.'

'Hallo, Jack,' antwoordden ze eenstemmig en hij zweeg, met wijdopen ogen van verrassing door de hypnotische klank van hun stemmen. Er viel een lange stilte terwijl hij ongemakkelijk in zijn stoel heen en weer verschoof, onzeker over wat hier gebeurde.

'Jack, wil je liever dat de anderen deze week eerst iets zeggen, en dat je ons dan misschien volgende week jouw verhaal vertelt?'

Zijn verháál? Hij keek naar de rest; sommige mensen hadden een schrift en pen op hun schoot. Aan een kant van de ruimte stond een whiteboard waarop bovenaan de woorden 'Schriftelijke opdracht' stonden, omcirkeld. Vanuit die cirkel ontsproten de woorden 'Gevoelens', 'Gedachten', 'Zorgen', 'Ideeën', 'Taal', 'Gezichtsuitdrukking', 'Klank' tussen zo veel andere dat hij ze niet allemaal in zich kon opnemen, en uiteindelijk kwam hij tot de conclusie dat dit hoogstwaarschijnlijk een klas 'Creatief schrijven' was.

'Graag,' antwoordde hij opgelucht. 'Ik wil graag eerst naar de rest luisteren.'

'Oké. Richard, kun jij beginnen door ons te vertellen hoe het je deze maand is vergaan?'

'Hier, ik heb gemerkt dat dit me helpt,' fluisterde een vrouw naast Jack, en ze gaf hem een brochure.

'Dank je wel.' Hij liet hem op zijn schoot liggen en besloot te wachten totdat Richard zijn verhaal had afgemaakt voordat hij hem zou lezen. Richards verhaal was nogal absurd: het ging over een man tegen wie je meteen antipathie had en zijn voortdurende angst om zijn gewelddadige impulsen uit te leven. Hij bleef maar doorzeuren, en vertelde moeizaam en ellendig het verhaal hoe een even moeizame en ellendige man zich voortdurend oververantwoordelijk voelde voor de veiligheid van anderen, tot op het moment dat hij bang geworden was om te rijden, uit angst dat hij iemand met zijn auto zou overrijden. Zo af en toe schudde Jack zijn hoofd en lachte hardop, omdat hij dacht dat het een enigszins wrange komedie was, maar hij hield er snel mee op nadat hij talloze vreemde blikken uit de groep toegeworpen had gekregen.

Minuten, die aanvoelden als uren, later echode de kamer nog steeds van het aanhoudende gezeur van Richards verhaal, waarvan elk woord twee keer in Jacks oren klonk, die al verveeld waren geraakt toen ze het de eerste keer hadden gehoord. Toen het verhaal zich ontwikkelde tot simpelweg depressief, en de hoofdpersoon er door zijn gedrag voor zorgde dat hij zijn vrouw en kind kwijtraakte, luisterde Jack niet meer en begon de brochure te lezen die verfrommeld tussen zijn vochtige handen lag.

Zijn ontspannen lichaam verstijfde toen hij zich eindelijk concentreerde op de omslag van de dunne, glossy brochure. Er verspreidden zich hete golven kleur vanuit zijn nek tot boven op zijn rossige hoofd, terwijl hij las: 'Welkom bij de Anonieme Obsessief-Compulsieven'.

Jack zat rustig de rest van de bijeenkomst uit, opgelaten dat hij er was en gegeneerd door zijn eerdere gedrag tijdens Richards verhaal. Toen hij aan het eind van het uur de kamer uit liep, verborgen tussen de rest van de deelnemers, hield hij zijn hoofd naar beneden.

'Jack!' riep Tracey, en hij bleef als versteend staan. Hij liet de rest langs zich heen gaan, waarbij hij de gezichten bekeek terwijl de deelnemers zich erop voorbereidden hun vangnet te verlaten en de wereld en alle demonen in hun eentje te bevechten. Ook zag hij dokter Burton buiten de zaal staan wachten, met zijn armen over elkaar en een gezicht dat op onweer stond. Jack deed een paar stappen de zaal in, richting Tracey.

Tracey liep naar hem toe en stak haar hand uit om de zijne te schudden. 'Dank je wel dat je vandaag bent gekomen,' zei ze glimlachend. 'Je weet dat je door hier te komen de eerste stap hebt gezet om jezelf te genezen. Het is een moeilijke weg, het zal zwaar worden, maar weet alsjeblieft dat we er allemaal zijn om je erdoorheen te helpen.' Jack hoorde dokter Burton vreugdeloos lachen. 'De twaalf stappen die we eerder noemden, die afkomstig zijn van de Anonieme Alcoholisten en zijn aangepast voor de AOC, kunnen echt verlichting brengen. Ik heb gemerkt dat ze onze dwanggedachten en -handelingen echt kunnen verminderen, soms zelfs laten verdwijnen, dus kom volgende maand gewoon weer.' Tracey gaf een bemoedigend klopje op zijn arm.

'Dank je wel.' Opgelaten schraapte hij zijn keel, hij voelde zich een bedrieger.

'Ken je Sandy goed?' vroeg ze.

Hij kromp ineen, omdat hij het niet fijn vond dat die vraag in het gezelschap van dokter Burton werd gesteld. 'Zo'n beetje,' zei hij, niet op zijn gemak, en schraapte zijn keel.

'Als je haar ziet, zeg dan tegen haar dat ze bij ons terug moet komen. Het is heel ongewoon voor haar om een bijeenkomst te missen.'

Jack knikte weer en was nu blij dat dokter Burton binnen gehoorsafstand was. 'Ik doe mijn best.'

'Heb je dat gehoord?' vroeg hij aan dokter Burton toen Tracey hen niet meer kon horen. 'Ze zegt dat het ongewoon voor Sandy is dat ze er niet is. Ik vraag me af waar ze is.'

HOOFDSTUK 38

Ik ging elke maand naar de AOC-bijeenkomst. Ik ging omdat ik wist dat elke maand dat ik er naartoe ging weer een maand was waarin ik het verdiende om samen te zijn met Gregory.

'Sandy!' Ik hoorde dat Gregory me riep. Ik was beneden in zijn huis, halfnaakt om tien over twee 's nachts, mijn logeertas aan het doorzoeken die ik zoals gewoonlijk bij binnenkomst bij de voordeur had neergezet.

'Sandy!' riep hij nog een keer.

Er klonk een bons en de vloerdelen boven me kraakten toen hij uit bed kwam en door de slaapkamer liep. Mijn hartslag versnelde en mijn zoektocht werd haastiger. Ik voelde nu druk omdat Gregory naar me toe kwam, ik hield mijn tas ondersteboven en gooide de inhoud op de vloer. Ik pakte spullen op, gooide ze weg, schudde al mijn kleren uit, ging door zakken, legde ze plat op de vloer en 'streek' elke punt stevig met de palm van mijn hand, om te voelen of er geen bobbel in zat.

'Wat ben je aan het doen?' Zijn stem klonk ineens achter me en ik sprong op. Mijn hart bonkte en de adrenaline raasde door me heen omdat ik me betrapt voelde, alsof ik iets crimineels had gedaan als stelen, of iets immoreels als vreemdgaan. Ik vond het vreselijk dat hij me het gevoel gaf dat wat ik deed verkeerd was. Hij had dezelfde blik op zijn gezicht als ik op die van anderen had gezien, de blik die me, vreemd genoeg, nog niet van hem had verjaagd. Niet helemaal, in elk geval, hoewel ik wel al een paar keer was weggegaan.

De geur van de aftershave die ik elk van de zes Kerstmissen die we samen waren voor hem had gekocht, vulde de kamer. Ik antwoordde niet. Ik spreidde gewoon mijn blauwe politie-uniform uit op het tapijt en voelde of er ongewone bobbels in zaten.

'Hallo?' vroeg hij zangerig. 'Ik riep je.'

'Ik had je niet gehoord,' antwoordde ik.

'Wat ben je aan het doen?'

'Wat denk je?' antwoordde ik kalm, terwijl ik met mijn hand in de lengte over de marineblauwe nylon broekspijp ging.

'Ik denk dat je je kleren een dieptemassage aan het geven bent.' Ik voelde dat hij verder de kamer in kwam, en hij ging voor me op de bank zitten, in de badjas die ik deze kerst voor hem had gekocht, met geruite slippers aan die ik de vorige Kerstmis had gekocht. 'Ik ben best jaloers,' mompelde hij, toen hij zag hoe ik de zakken betastte.

'Ik zoek mijn tandenborstel,' legde ik uit, terwijl ik de inhoud van mijn waszak op de vloer leegde.

'Aha.' Hij keek naar me. Hij zat daar gewoon rustig naar me te kijken, maar toch voelde ik me hier ongemakkelijk onder. Door zijn afkeurende ogen kreeg ik het gevoel dat ik hier op de vloer drugs zat te nemen in plaats van simpelweg iets te zoeken. Er gingen een paar minuten voorbij, waarin ik zonder resultaten bleef speuren.

'Weet je dat je boven in de badkamer al een tandenborstel hebt?'

'Ik heb vandaag een nieuwe gekocht.'

'Is die oude niet goed meer?'

'De haren zijn te zacht.'

'Ik dacht dat je juist van zachte haren hield.' Hij haalde zijn hand door zijn kortgeknipte baard.

Ik glimlachte, om hem gerust te stellen.

Hij keek me nog wat langer aan.

'Ik ga een kopje thee maken, wil je ook?' Hij had dezelfde methode als mijn ouders; die bleven ook opgewekt praten om te doen alsof alles in orde was, om ervoor te zorgen dat ik geen negatieve vibraties opving en niet in paniek raakte omdat er iets weg was. Toen ik jonger was, dacht ik dat. Nu ik ouder was, had ik van Gregory geleerd dat hij de sfeer niet luchtiger maakte voor mij, maar voor zichzelf. Ik hield op met zoeken en zag hem in de aangrenzende keuken bewegen alsof hij elke nacht om twee uur een kopje thee zette. Ik keek hoe hij aan het redderen was en deed alsof zijn wel/niet/aan/uit-vriendin volslagen normaal was en gelijk had dat ze halfnaakt op het tapijt zat en haar tas leegde op zoek naar een tandenborstel, waarvan ze er boven al één in een beker had staan. Ik zag dat hij voor zichzelf deed alsof, glimlachend terwijl ik verliefd werd op een foutje waarvan ik nooit had geweten dat hij het had.

'Misschien is hij uit de auto gevallen,' zei ik, meer tegen mezelf.

'Het regent, Sandy. Je wilt nu toch niet naar buiten gaan?'

Hij had het niet hoeven vragen, hij wist al wat het antwoord was, maar hij speelde nog steeds mee met zijn eigen spelletje. Nu deed hij net alsof zijn fulltime, eeuwig trouwe vriendin het toch zou wagen zich de natte nacht in te begeven om iets te zoeken. Wat apart, wat vreselijk maf, wat aantrekkelijk geschift. Wat leuk, zeg.

Ik keek de woonkamer rond om te zien of er een jasje of deken lag die ik kon omslaan. Die lag er niet. In deze staat, hoewel ik aan de buitenkant kalm lijk, ben ik van binnen schreeuwend aan het rondrennen, gillend, overal zoekend, ik wil gaan, gaan, gaan. Het zou te veel tijd kosten om naar boven te rennen en kleren aan te trekken, dan zou het kostbare minuten langer duren voordat ik het vond. Ik keek naar Gregory, die kokend water goot in een mok met een grappige tekst die ik hem de afgelopen kerst had gegeven. Het was duidelijk dat hij het wanhopige zoeken in mijn ogen zag, het stille verlangen naar hulp. Hij bleef nonchalant, zoals gewoonlijk.

'Oké, oké,' hij hief zijn handen in overgave, 'je mag mijn badjas wel.'

Daar had ik nog niet eens aan gedacht.

'Dank je wel.' Ik stond op en liep naar de keuken.

Hij deed het koord om zijn middel los, schudde hem nonchalant van zijn schouders en gaf me hem aan, waardoor hij nu alleen gekleed was in de geruite sloffen en de zilveren ketting die ik hem vorig jaar voor zijn veertigste verjaardag had gegeven. Ik lachte en pakte hem aan, maar hij bleef hem stevig vasthouden. Hij werd serieus.

'Ga alsjeblieft niet naar buiten, Sandy.'

'Gregory, niet doen,' prevelde ik, en ik trok aan de badjas. Ik wilde deze discussie niet weer, wilde niet weer hetzelfde bespreken, erover ruziën, in kringetjes ronddraaien, niets oplossen en alleen maar met excuses komen voor de beledigingen die we tussen de hoofdzaken door op elkaar af vuurden.

Zijn gezicht vertrok. 'Alsjeblieft, Sandy, kunnen we alsjeblieft terug naar bed gaan? Ik moet over vier uur opstaan.'

Ik hield op met aan de badjas te trekken en keek hem aan, zoals hij naakt voor me stond, maar door de blik op zijn gezicht onthulde hij nog meer. Wat het ook was aan dat gezicht, hoe hij naar me keek, dat hij wilde dat ik niet bij hem wegging, hoe belangrijk het leek dat ik bij hem was in plaats van ergens anders, het zorgde ervoor dat ik ophield met worstelen.

Mijn greep op de badjas verslapte. 'Oké,' gaf ik toe. *Ik gaf toe.* 'Oké,' herhaalde ik, meer tegen mezelf deze keer, 'ik ga wel naar bed.'

Gregory keek verbaasd, opgelucht en verward tegelijk, maar hij ging er niet op in, vroeg er niet op door. Hij wilde het moment niet verpesten, de droom niet verstoren en me niet weer wegjagen. In plaats daarvan pakte hij me bij de hand en gingen we weer naar boven, naar bed, waarbij we mijn kleren en de was die over de vloer bij de deur lagen verspreid gewoon lieten liggen. Het was de eerste keer dat ik een dergelijke situatie de rug toekeerde en de andere kant op ging. Het was duidelijk dat Gregory me leidde.

In bed legde ik mijn hoofd op zijn warme, op en neer gaande borst, ik voelde zijn hartslag onder mijn wang en zijn adem boven op mijn hoofd. Ik voelde me geliefd en veilig, en dacht dat mijn leven niet perfecter en heerlijker kon zijn. Voordat hij in slaap viel, fluisterde hij tegen me dat ik me dat gevoel moest herinneren. Op dat moment dacht ik dat hij het had over het gevoel van ons samen, maar terwijl de nacht zich langzaam voor me uitstrekte en het geknaag terugkeerde, begreep ik dat hij het gevoel bedoelde toen ik wegliep, en de reden die tot die beslissing had geleid. Ik moest me daaraan vastklampen, het in mijn geheugen opslaan en oproepen wanneer zo'n moment zich weer voordeed.

Die nacht was ik rusteloos. Ik had alleen maar naar beneden willen gaan en mijn spullen opbergen. En toen ik dat had gedaan, had ik alleen maar buiten in de regen bij mijn auto willen gaan zoeken. Maar toen de tandenborstel er niet lag, vergat ik het gevoel waar ik me aan had proberen vast te klampen terwijl ik in Gregory's bed in zijn armen lag.

Die ochtend werd hij alleen wakker en het doet me verdriet om me voor te stellen wat hij dacht toen hij het bed bevoelde en zijn hand alleen koude lakens trof. Intussen, toen hij slapend in bed lag en in zijn dromen deed alsof ik naast hem lag, was ik teruggegaan naar mijn eigen koude zit-slaapkamer, waar ik de tandenborstel op tafel vond, nog steeds in de verpakking. Voor één keer bracht het vinden van iets me geen verlichting. Ik voelde me leger nadat ik de tandenborstel had gevonden dan daarvoor. Het leek erop dat hoe meer dingen ik vond als ik bij Gregory was, hoe meer ik van binnen verloor. Ik lag alleen in bed om vijf uur 's ochtends, nadat ik het warme bed had verlaten van de man van wie ik hield, en die van mij hield. Van de man die, als gevolg hiervan, mijn telefoontjes niet meer beantwoordde. Eén die het, nadat hij dertien jaar lang alles van me wilde weten wat er te weten viel, uiteindelijk had opgegeven en me niet langer wilde kennen.

Een tijdje gaf ik hem ook op, totdat ik te eenzaam werd, te moe, en mijn hart te veel pijn deed van doen alsof ik meer gaf om een hele reeks nietsen met niemanden dan om één enkel iets met iemand. Ik zei die ochtend tegen mezelf dat ik dat gevoel moest vasthouden, dat ik me moest blijven herinneren hoe dom het was om de warmte te verlaten om in mijn eentje door de kou te gaan, de belachelijke eenzaamheid door het iets verlaten voor niets.

Hij nam me terug, op één voorwaarde. Dat ik erkende dat ik een probleem had en maandelijks naar een bijeenkomst van de AOC zou gaan. Het eerste dat je bij de AOC leert, is dat je er voor niemand anders dan jezelf naartoe kunt gaan. Vanaf het begin was het één grote leugen. Elke extra maand dat ik naar die bijeenkomst ging, was weer een maand waarin ik bij Gregory kon blijven, een gelukkigere Gregory, die blij was dat ik stappen ondernam, twaalf om precies te zijn, om beter te worden. Hij deed weer alsof tegenover zichzelf, omdat het voor iedereen duidelijk was dat mijn gedrag niet was veranderd. Ik wist diep vanbinnen dat ik niet hetzelfde was als de anderen in de groep. Ik vond het absurd dat hij dacht dat ik hoorde bij degenen die zich tot bloedens toe wasten, elke avond voordat ze naar bed gingen en elke ochtend voordat ze naar hun werk gingen. Of de vrouw die met een mesje kleine sneetjes in haar arm maakte, of de man die alles wat op zijn pad kwam aanraakte, telde, netjes legde en verzamelde. Ik was anders. Mijn toewijding werd verward met een obsessie. Het was anders. Ík was anders.

Ik ging jarenlang naar die bijeenkomsten en ik was nog steeds dezelfde als toen ik 21 was en elke week op de betonnen trap tegenover het kantoor van dokter Burton zat, met mijn ellebogen op mijn knieën, kin op mijn handen, en toekeek hoe de wereld aan me voorbijtrok terwijl ik wachtte tot ik zou oversteken.

Elke keer stak Gregory over voor mij en trof me aan mijn kant. Ik besef nu dat ik hem volgens mij nooit halverwege heb getroffen. En ik heb er volgens mij ook nooit dank je wel voor gezegd.

Maar nu zeg ik sorry. Ik roep het tientallen keren per dag vanaf deze plek waarvandaan hij me niet kan horen. Ik zeg dank je wel en sorry, en ik roep het tussen de bomen door, over de bergen, giet mijn liefde in de meren en ik blaas kussen in de wind, hopend dat ze hem zullen bereiken.

Ik ging elke maand naar de bijeenkomsten van de AOC. Ik ging erheen omdat ik wist dat elke maand dat ik erheen ging, weer een maand was waarin ik het verdiende om bij Gregory te zijn.

Deze maand heb ik het gemist.

HOOFDSTUK 39

Toen Helena, Joseph, Bobby en ik terugkwamen van een repetitie in de gemeenschapszaal, gingen we om de houten tafel bij Helena en Joseph thuis zitten. Wanda zat tegenover me, haar hoofd met warrige zwarte krullen kwam net boven de tafel uit, en ze tilde met enorme inspanning haar armen op om haar handen te vouwen, om na te doen hoe ik zat. Joseph had net aangekondigd dat de gemeenteraad morgenavond een vergadering bijeen had geroepen, hetgeen om redenen die alleen de anderen aan tafel duidelijk waren, een reden was om stil te zijn en een sfeer van naderend onheil over ons te laten vallen.

Ik weet niet waarom, maar ik vond het grappig hoe de dagelijkse gang van zaken hier ging. Ik nam hun wereld en problemen niet serieus, en kon dat ook niet, hoe belangrijk ze ook waren. Ik verborg mijn glimlach achter mijn hand toen ik hen bezorgd naar elkaar zag kijken. Ik voelde me totaal niet betrokken bij het probleem, en was dankbaar dat wat er ook gebeurde, het hen betrof en niet mij. Het was net alsof hun problemen niet de mijne waren omdat ik een buitenstaander was, uit eigen keus, en ik zou mijn uiterste best doen om die positie te houden. Alles om te vermijden dat ik de harde realiteit onder ogen moest zien dat ik me hier moest gaan settelen. In die realiteit leek ik weinig te kiezen te hebben. Dus toen ik daar aan tafel zat, voelde ik dat ik hier te kort zou zijn om me zorgen te maken over wat hun wereld binnendrong. Hún wereld, niet de mijne.

Er had al een tijdje niemand iets gezegd, dus ik probeerde de ijzige sfeer te breken.

'Wat is er zo ernstig dat er een vergadering voor wordt bijeengeroepen?'

'Jij,' zei Wanda parmantig, en ik wist dat ze onder tafel met haar benen zat te wiebelen door de manier waarop haar schouders heen en weer gingen.

Er liep een rilling over mijn rug. Ik koos ervoor deze te negeren, geïrriteerd dat een kind zich met ons gesprek mocht bemoeien, geïrriteerd dat ze me uit de positie van buitenstaander, waarin ik me prettig voelde, had gehaald en me tot onderwerp had gemaakt. Ik keek naar de mensen om de tafel, die nog steeds bezorgd naar elkaar keken maar niets zeiden. Wanda was de enige die me in de ogen wilde kijken.

'Waarom zeg je dat?' ondervroeg ik de vijfjarige; ik had opgemerkt dat niemand haar had verbeterd, omdat ze dat hadden afgesproken, of omdat ze haar negeerden omdat ze niet goed snik was. Ik hoopte op het laatste.

'Omdat ik zag hoe iedereen naar je staarde toen we van de gemeenschapszaal hiernaartoe liepen.'

'Zo is het genoeg, lieverd,' zei Helena vriendelijk.

'Waarom?' Wanda keek op naar haar oma. 'Zag je niet dat ze allemaal ophielden met praten en voor haar aan de kant gingen? Het was net alsof ze een elfenprinses was.' Ze glimlachte, waarbij haar tandvlees te zien was. Ja hoor, niet goed snik.

'Oké.' Helena gaf haar een klopje op haar arm om haar te laten ophouden. Wanda zweeg en ik zag dat haar benen ook niet meer zwaaiden.

'De vergadering gaat over mij.' Ik nam dit in me op. 'Klopt dat, Joseph?' Ik werd zelden, of misschien wel nooit, ergens zenuwachtig voor en toen ik hier aan dacht was nieuwsgierigheid de enige emotie die in me opkwam. En toch was die vermengd met het vreemde gevoel dat ik het allemaal erg schattig en popperig vond. Een grappig gebeurtenisje in een grappig plaatsje.

'We weten niet zeker of het over jou gaat,' verdedigde Bobby me. Hij keek naar Joseph. 'Toch?'

'Mij is niets verteld.'

'Wordt er normaal gesproken een vergadering bijeengeroepen als er een nieuw iemand aankomt? Is dat normaal?' vroeg ik. Ik wilde het van Joseph weten, en het was net alsof ik water uit een steen probeerde te persen.

'Normaal.' Hij hief zijn handen omhoog. 'Hoe weten we wat normaal is? Hoe weten we in onze wereld en in de oude wereld, de wereld die denkt het allemaal te weten, echt wat normaal is?' Hij stond op en torende dreigend boven ons uit.

'Nou, moet ik me dan zorgen maken?' vroeg ik, hopend dat hij me in elk geval gerust kon stellen.

'Kipepeo, niemand hóeft zich ooit zorgen te maken.' Hij legde zijn hand op mijn hoofd, en ik voelde dat zijn warmte mijn bonkende hoofdpijn verzachtte. 'We zullen morgenavond om zeven uur in de gemeenschapsruimte zijn. Dan zullen we ons begrip van normaalheid testen.' Met een glimlachje verliet hij de kamer. Helena ging achter hem aan.

'Hoe noemde hij je net?' vroeg Bobby verward.

'Kipepeo,' zei Wanda zangerig, terwijl haar benen weer wild heen en weer zwaaiden.

Ik leunde naar voren en Wanda keek even geschrokken. 'Wat betekent dat?' vroeg ik nogal agressief, maar ik wilde het dan ook heel graag weten.

'Dat zeg ik niet,' zei ze mokkend en ze sloeg haar armen over elkaar. 'Omdat je me niet aardig vindt.'

'Doe niet zo raar. Natuurlijk vindt Sandy je aardig,' zei Bobby.

'Ze heeft zelf tegen me gezegd van niet.'

'Dat heb je vast verkeerd gehoord.'

'Nee hoor,' zei ik, 'dat heb ik inderdaad gezegd.' Bobby keek geschokt, dus ik probeerde het iets te verzachten. 'Als je me vertelt wat kipepeo betekent, ga ik je misschien wel aardig vinden.'

'Sandy!' riep Bobby uit.

Ik gebaarde dat hij stil moest zijn. Wanda dacht erover na. Langzaam maar zeker begon haar gezicht te rimpelen. Bobby schopte me tegen mijn been en ik leunde naar voren. 'Wanda, maak je er maar niet druk over.' Ik probeerde mijn toon zo veel mogelijk te verzachten. 'Het ligt niet aan jou dat ik je niet aardig vind.' Op de achtergrond klakte Bobby met zijn tong en zuchtte. 'Als je tien jaar ouder was, zou ik je heel goed aardig kunnen vinden.'

Haar ogen begonnen te stralen. Bobby schudde zijn hoofd. 'Hoe oud ben ik dan?' vroeg ze, terwijl ze opgewonden op haar knieën op de stoel ging zitten en met haar ellebogen op tafel naar voren leunde om dichter bij me te zijn.

'Dan ben je vijftien.'

'Bijna net zo oud als Bobby?' Ze was hoopvol.

'Bobby is negentien.'

'Wat vier jaar ouder is dan vijftien,' legde Bobby beleefd uit.

'Maar als jij vijftien bent, ben ik 29,' legde Bobby uit, en ik zag haar gezicht betrekken. 'Elke keer dat jij ouder wordt, word ik ook ouder,' zei hij lachend. Hij dacht dat haar betrokken gezicht betekende dat ze het niet begreep, en hij ging door: 'Ik blijf altijd veertien jaar ouder dan jij, snap je?' Toen ik aan haar gezicht zag dat ze het begreep, gebaarde ik tegen hem dat hij moest ophouden.

'O,' fluisterde ze.

Je hart kan op elke leeftijd breken. Volgens mij begon ik Wanda op dat moment aardig te vinden.

Ik vond het vreselijk om te gaan slapen op de plek die ze Hier noemden. Ik vond de geluiden die 's nachts vanaf thuis de atmosfeer in zweefden vreselijk. Ik vond het afschuwelijk om het lachen te horen, ik wilde mijn neus dichtknijpen zodat ik de geuren niet zou ruiken, mijn ogen sluiten voor de mensen die voor het eerst vanuit het bos hier aankwamen. Ik was bang dat elk geluid ikzelf zou zijn, ik was bang dat elk geluid een deel van mij zou zijn dat vergeten werd. Bobby en ik hadden dezelfde angst. We bleven elke avond laat op, en praatten over de wereld die hij had achtergelaten: muziek, sport, politiek en alles daartussenin, maar het meest praatten we over zijn moeder.

Jack keerde terug naar het huis van Mary Stanley nadat hij dokter Burton had achtergelaten bij de AOC-bijeenkomst. Opnieuw waren er harde woorden tussen hen gevallen, waarbij de arts dreigde dat hij een aanklacht zou indienen wegens hinderlijk volgen en alles wat hij maar kon bedenken om Jack van zijn zoektocht te laten afzien. Nadat hij de hele middag in Dublin had rondgewandeld, sprak hij Gloria's voicemail in: dat hij over een paar dagen naar huis zou komen, dat het ingewikkeld was, maar wel heel belangrijk. Hij wist dat ze het zou begrijpen. Hij had zijn reisje naar Leitrim om Sandy's ouders te bezoeken uitgesteld nadat hij door dokter Burton was geïntimideerd. In plaats daarvan wilde hij graag zijn gedachten en zorgen met Mary delen voordat hij zijn zoektocht zou vervolgen. Hij moest weten of hij door moest gaan of niet. Hij moest weten of hij zijn eigen schaduw achternazat, of het zinvol was om Sandy te zoeken als degenen die haar goed kenden zich geen zorgen maakten.

Mary had Jack uitgenodigd om nog een nacht bij haar te overnachten, en ze zaten in de woonkamer weer een video te kijken van Bobby die in het schooltoneelstuk *Oliver* meespeelde. Hij merkte op dat Bobby een ongewone lach had, een luid gegiechel dat van diep binnen in hem kwam, waardoor iedereen om hem heen, waaronder het publiek, moest glimlachen. Jack merkte dat hij een grijns op zijn gezicht had toen Mary de video uitdeed.

'Hij leek een vrolijke jongen,' merkte Jack op.

'O ja,' zei ze, met enthousiast hoofdgeknik, en ze nam een slokje van haar koffie. 'Dat was hij ook. Hij maakte altijd grapjes, hing in de klas altijd de clown uit en waar hij door zijn woorden in de problemen kwam, haalde zijn lach hem er weer uit. Mensen waren dol op hem.' Ze glimlachte. 'Die lach van hem...' Ze keek naar de foto op de schoorsteenmantel, Bobby's gezicht was een toonbeeld van vrolijkheid, zijn mond stond wijdopen, midden in een lach. 'Het was aanstekelijk, dat had zijn opa ook.'

Jack glimlachte, en ze bekeken de foto.

Mary's glimlach stierf weg. 'Maar ik moet je iets bekennen.'

Jack zweeg, niet zeker of hij het wilde horen.

'Ik hoor zijn lach niet meer.' Ze fluisterde bijna, alsof als ze het hardop zei, het waar zou worden. 'Normaal gesproken vulde zijn lach het huis, mijn hart en hoofd, de hele dag, elke dag. Hoe kan het dat ik hem niet meer hoor?'

Aan de afwezige blik in haar ogen zag Jack dat ze hem niet om antwoord vroeg.

'Ik weet nog hoe ik me erdoor voelde. Ik weet nog welke sfeer één zo'n lach opriep in een kamer. Ik weet de reacties van mensen nog. Ik hoor hem op video's wanneer ik die bekijk, ik zie hem op foto's, ik hoor versies ervan, denk ik, echo's in het lachen van andere mensen. Maar zonder al die dingen, zonder de foto's, video's en echo's, als ik 's avonds in bed lig, herinner ik me hem niet meer. Ik hoor hem niet en dan probeer ik het, maar in mijn hoofd wordt het dan een warboel van geluiden die ik heb verzonnen en geluiden die ik uit mijn geheugen opdiep. Maar hoe ik ook zoek, mijn herinnering eraan is weg...' Haar stem stierf weg. Ze keek weer naar de foto op de schoorsteenmantel, hield haar hoofd schuin alsof ze het geluid hoorde. Toen zakte haar lichaam in en gaf ze het op.

Bobby en ik lagen opgekruld op de bank bij Helena thuis. Iedereen was naar bed, behalve Wanda, die weer naar binnen was geslopen en zich achter de bank verstopte, opgewonden omdat Bobby bij haar thuis bleef slapen. We wisten dat ze er was, maar negeerden haar, hopend dat ze zich zou gaan vervelen en zou gaan slapen.

'Maak je je zorgen over de vergadering van morgenavond?' vroeg hij.

'Nee, ik weet niet eens waarom ik me zorgen zou moeten maken. Ik snap niet wat ik verkeerd zou kunnen hebben gedaan.'

'Je hebt niets verkeerd gedaan, maar je weet dingen – je weet zo veel over de families van mensen dat iedereen zich zorgen gaat maken. Ze zullen het hoe en waarom willen weten.'

'En ik zal ze vertellen dat ik heel sociaal ben. Ik kom in de Ierse kringen veel vrienden en familieleden van vermisten tegen,' zei ik droog. 'Kom nou, zeg, wat zouden ze met me doen? Me ervan beschuldigen dat ik een heks ben en me ter plekke verbranden?'

Bobby glimlachte licht. 'Nee, maar je zit er ook niet op te wachten dat je leven heel ingewikkeld wordt.'

'Ze zouden het onmogelijk nog ingewikkelder kunnen maken. Ik woon op een plek waar vermiste dingen naartoe gaan. Vreemder kan toch niet?' Ik wreef vermoeid over mijn gezicht en mompelde: 'Ik moet echt naar een therapeut als ik terug ben.'

Bobby schraapte zijn keel. 'Je gaat niet meer terug. Om te beginnen moet je dat uit je hoofd zetten. Als je dat op de vergadering zegt, dan vraag je om problemen.'

Ik wuifde het weg, ik wilde het niet meer horen.

'Misschien kun je weer in je dagboek gaan schrijven. Het leek alsof je dat heel prettig vond.'

'Hoe weet je dat ik een dagboek had?'

'Vanwege dat dagboek in een van de dozen in de winkel. Ik heb het bij de rivier gevonden, net achter de winkel. Het was vies en vochtig, maar toen ik jouw naam erop zag staan, heb ik het meegenomen naar de winkel en er heel wat tijd ingestoken om het te restaureren,' zei hij trots. Toen een reactie van mijn kant uitbleef, loog hij snel: 'Ik heb het niet gelezen, hoor.'

'Je moet iemand anders bedoelen.' Ik deed net alsof ik gaapte. 'Er lag daar helemaal geen dagboek.'

'Wel waar.' Hij ging zitten. 'Het was paars en...' Zijn stem stierf weg, hij probeerde het zich te herinneren.

Ik begon aan een draadje in de zoom van mijn broek te trekken.

Hij knipte met zijn vingers en ik sprong geschrokken op, en ik voelde dat Wanda achter de bank ook opsprong. 'Nou weet ik het weer! Het was van paars, suède-achtig materiaal, dat door het vocht helemaal verpest was, maar ik heb het zo goed mogelijk schoongemaakt. Zoals ik al zei, heb ik het niet gelezen, maar ik heb de eerste paar pagina's wel doorgebladerd en er stonden overal hartjes getekend.' Hij dacht weer even na. '"Sandy houdt van..."'

Ik trok harder aan de draad.

'Graham,' ging hij verder. 'Nee, dat was het niet.'

Ik trok het draadje strak om mijn pink, zag dat mijn huid erlangs puilde, dat mijn bloed werd tegengehouden.

'Gavin, Gareth... Kom op, Sandy, jij weet het toch wel. Het stond er zo vaak dat ik me niet kan voorstellen dat je je hem niet meer herinnert.' Hij bleef nadenken terwijl ik aan het draadje bleef trekken en het steeds strakker trok.

Hij knipte weer met zijn vingers. 'Gregory! Dat is het. "Sandy houdt van Gregory." Het stond overal. Nu moet je het toch wel weten.'

Ik zei zachtjes: 'Het lag niet in een van de dozen, Bobby.'

'Wel waar.'

Ik schudde mijn hoofd. 'Ik heb er uren in gestruind. Het lag er echt niet. Dat zou ik nog wel weten.'

Bobby keek verward en geïrriteerd. 'Het was er verdorie wel.'

Op dat moment snakte Wanda achter de bank naar adem en sprong op.

'Wat is er met jou aan de hand?' vroeg ik, toen ik haar hoofd tussen Bobby en mij zag verschijnen.

'Ben je nog iets kwijt?' fluisterde ze.

'Nee hoor,' ontkende ik, maar ik voelde weer een rilling.

'Ik zal het tegen niemand zeggen,' fluisterde ze, met haar ogen open gesperd. 'Dat beloof ik.'

Er viel een stilte. Ik richtte mijn blik op het zwarte draadje, dat steeds langer werd. Plotseling en volslagen ontoepasselijk hoorde ik Bobby hardop lachen, een van de mooiste, hardste lachen die ik tot nu toe van hem had gehoord.

'Zo grappig is het niet, hoor, Bobby.'

Bobby gaf geen antwoord.

'Bobby...' Wanda's kinderlijke gefluister deed me weer huiveren.

Ik keek naar Bobby en zag dat hij doodsbleek was, zijn mond hing open alsof de woorden die van zijn stembanden kwamen op het laatste moment niet meer durfden, weigerden te springen en in plaats daarvan doodsbang op zijn lippen bleven staan. Er sprongen tranen in zijn ogen, zijn onderlip trilde en ik besefte dat het lachen helemaal niet uit zijn mond was gekomen. Het was helemaal van daar naar Hier gezweefd, gedragen door de wind, over de toppen van de bomen naar deze plek toe, waarna het ergens bij ons in de buurt was geland. Toen ik dit probeerde te verwerken, werd de deur van de woonkamer opengeduwd en verscheen Helena, met slaperige ogen in haar ochtendjas, haar haar door de war en haar gezicht bezorgd. Ze bleef bij de deur staan terwijl ze naar Bobby keek, om te bevestigen dat ze het goed had gehoord. Zijn gezicht sprak boekdelen, en ze haastte zich naar hem toe, met haar armen uitgestrekt. Ze liet zich op de bank vallen, hield zijn hoofd tegen haar borst en wiegde hem alsof hij een baby was, terwijl hij huilde en door zijn tranen heen stamelde dat hij vergeten was.

Ik zat aan het andere eind van de bank en bleef aan het draadje trekken. Het bleef komen, elke minuut dat ik hier was raakte het verder los, niet in staat het loslaten van de naad tegen te gaan.

HOOFDSTUK 40

Ik ben erachter gekomen dat de grote onbalans in ons eigen leven over het algemeen een grote wereldlijke balans tot gevolg
heeft. Wat ik bedoel is dat, ongeacht hoe oneerlijk ik iets kan
vinden, ik alleen maar naar het grote plaatje hoef te kijken om te
zien dat het op een of andere manier toch klopt. Mijn vader had gelijk toen hij zei dat voor niets de zon opgaat: er is altijd iemand die
ergens voor betaalt, en meestal ben je dat zelf. Wanneer er iets is ver-
kregen, komt het van een andere plek. Wanneer er iets kwijtraakt,
komt het ergens anders terecht. Er zijn natuurlijk de filosofische
vragen: waarom overkomen goede mensen slechte dingen? In elk
slecht ding zie ik iets goeds, en in elk goed ding zie ik iets slechts,
hoe onmogelijk het ook is om het altijd te begrijpen of te zien. Als
mens zijn we de belichaming van het leven, in het leven is er altijd
balans. Leven en dood, man en vrouw, goed en slecht, mooi en le-
lijk, winnen en verliezen, liefde en haat. Verloren en gevonden.

Afgezien van de kerstkalkoen die mijn vader toen ik vijf jaar was
eens in de Leitrim Arms-pubquiz had gewonnen, had hij zijn hele
leven nooit icts gewonnen. De dag dat Jenny-May Butler verdween
was de dag dat hij vijfhonderd pond won bij de lotto. Misschien had
hij nog iets tegoed.

Het was een zomerse dag. Een week later moesten we weer naar
school en alleen al de gedachte daaraan joeg me angst aan, maar afgezien van de vrees voor de komende week had ik, doordat ik de af-

gelopen paar maanden niet elke ochtend hoefde op te staan om naar school te gaan, alle gevoel van tijd verloren. Weekdagen waren hetzelfde als het weekend. Een paar maanden per jaar waren de vreselijke zondagavonden hetzelfde als de vrijdag- en zaterdagavonden. Deze avond was een zondagavond, maar, ongewoon voor deze tijd van het jaar, ik vreesde hem. Het was halfzeven, nog steeds licht, in het doodlopende straatje speelden kinderen die net als ik niet wisten welke dag het was, maar welke dag het ook was, het was een fantastische dag, want morgen zou precies hetzelfde zijn. Mijn moeder zat in de voortuin met mijn opa en oma, om de laatste warme zonnestralen op te vangen. Ik wachtte aan de keukentafel vol vrees tot de bel zou gaan. Ik dronk een glaasje melk en keek naar de kleren die ronddraaiden in de wasmachine, en probeerde elk kledingstuk dat voorbijkwam te herkennen, gewoon om mijn geest bezig te houden.

Mijn vader keek behoedzaam naar me, elke keer als hij uit de woonkamer naar de keuken kwam om eten te pakken dat hij met zijn nieuwe dieet helemaal niet mocht hebben. Ik wist niet of hij hoogte van me probeerde te krijgen, of dat hij naar me keek om te zien of ik had opgemerkt dat hij eten stal. Hoe dan ook, hij had me al drie keer gevraagd wat er aan de hand was, maar ik haalde mijn schouders op en zei dat er niets was. Het was een van die dingen die niet beter worden door het iemand te vertellen. Hij bleef me zo nu en dan controleren, en zag hoe ik schrok toen de bel ging (het was mama maar, die was vergeten de deur op de klink te zetten). Hij trok een paar keer een raar gezicht naar me om me aan het lachen te maken, propte een paar biscuitjes tegelijkertijd in zijn mond en deed net alsof hij dat voor mij deed en niet voor zijn maag. Ik glimlachte om hem een plezier te doen, hij leek er tevreden mee te zijn en ging weer naar de woonkamer, deze keer met een koekje met sinaasappelvulling in zijn mouw.

Ik wachtte tot Jenny-May zou komen.

Ze had me uitgedaagd voor een spelletje Koning/Koningin. Het was een spelletje dat op straat werd gespeeld, met een tennisbal. Ieder kind stond in een vak dat met krijt op het asfalt stond getekend, en dan was het de bedoeling om de bal eerst in je eigen vak te laten stuiteren en daarna in iemand anders' vak. Die moest dan hetzelfde doen, en als dat mislukte, als de bal niet eerst in zijn eigen vak stuiterde of buiten de lijnen kwam, dan was hij af. Het was de bedoeling om het vak bovenaan te bereiken, het Koningsvak, waar Jenny-May tijdens het spelletje stond. Iedereen zei altijd hoe goed ze was in dit spelletje, hoe geweldig en fantastisch en getalenteerd en snel en precies en hoe kots, kots ze was. Mijn vriend Emer en ik bekeken het spelletje altijd vanaf onze muur. We mochten nooit meespelen van Jenny-May. Op een dag zei ik tegen Emer dat een van de redenen dat Jenny-May altijd won was dat ze altijd in het bovenste vak begon. Zo hoefde ze niet omhoog te werken, zoals de rest.

Iemand hoorde dat en vertelde Jenny-May wat ik had gezegd en de volgende dag, toen Emer en ik op de muur zaten, met onze hielen tegen de stenen schopten en lieveheersbeestjes van de pilaren tikten om te zien hoe ver ze zouden gaan, liep Jenny-May strijdlustig naar ons toe, met haar handen op haar heupen, omring door haar *posse*, en eiste dat ik het uitlegde, wat ik deed. Met een rood gezicht en ondersteboven door het feit dat ik iets terugzei, daagde ze me uit voor een spelletje Koning/Koningin. Zoals ik al zei, ik had het spelletje nog nooit gespeeld en ik wist maar al te goed dat Jenny-May er goed in was. Ik bedoelde alleen dat ze niet zo goed was als iedereen zei. Jenny-May had iets waardoor mensen meer in haar zagen dan er eigenlijk was. Ik ben in mijn leven een paar van dat soort mensen tegengekomen en ze doen me altijd aan haar denken.

Maar ze was slim. Ze zorgde ervoor dat iedereen wist dat als ik niet zou komen opdagen, ze automatisch zou winnen, en plotseling wenste ik dat mijn gevreesde bezoek aan tante Lila een dag eerder was geweest.

Het ging als een lopend vuurtje door de straat dat Jenny-May me had uitgedaagd. Ze zouden allemaal buiten op de stoep zitten kijken, ook Colin Fitzpatrick, die veel te cool was om bij ons op straat rond te hangen. Hij ging altijd met de kinderen van om de hoek skateboarden, en niemand van ons had de eer met hen te mogen omgaan. Er werd gezegd dat zelfs de skateboarders zouden komen kijken.

De nacht ervoor sliep ik amper. Ik kwam uit bed, deed mijn gymschoenen aan onder mijn nachthemd en ging buiten tegen de tuinmuur Koning/Koningin oefenen. Het hielp niet veel, want het oppervlak was oneffen, dus de bal stuiterde alle kanten op. En het was donker, dus ik kon hem ook bijna niet zien. Uiteindelijk deed de buurvrouw, mevrouw Smith, haar slaapkamerraam open en stak haar hoofd naar buiten, dat vol krulspelden zat, wat ik vreemd vond omdat de ochtend erna haar haar glad was, en ze vroeg me slaperig of ik wilde ophouden. Ik ging terug naar bed, maar sliep niet veel en toen ik wel in slaap viel, droomde ik dat de rest van de kinderen Jenny-May Butler op hun schouders hesen, met een kroontje op, terwijl Stephen Spencer, die op een skateboard was, met een vinger met een gelakte nagel naar me wees en lachte. O ja, en ik had geen kleren aan.

Het was deze uitdaging van Jenny-May Butler waardoor haar ouders merkten dat ze weg was. In de zomermaanden hadden we allemaal de volledige vrijheid. We speelden de hele dag samen buiten, gingen zelden naar binnen en aten tussen de middag soms bij iemand anders thuis. Dus ik neem het haar ouders niet kwalijk dat ze niet hadden gemerkt dat ze er niet meer was. Niemand gaf hun de schuld, omdat iedereen het begreep. Diep vanbinnen wisten ze allemaal dat het hun ook had kunnen overkomen, dat het hun kind had kunnen zijn van wie niemand had gemerkt dat het er al uren niet meer was.

Het huis van Jenny-May en dat van mij lagen recht tegenover elkaar. Mijn moeder en grootouders waren weer binnengekomen toen de zon eindelijk achter het huis van de Butlers was verdwenen. Ik wist dat iedereen zich op de stoep had verzameld om te wachten totdat Jenny-May en ik uit ons huis zouden komen en elkaar in het midden zouden treffen. Ik zag dat mijn vader door het raam aan de voorkant naar buiten keek en toen weer naar mij. Ik denk dat hij eindelijk begreep wat er aan de hand was, en hij wierp me een glimlachje toe. Toen legde hij biscuitjes op tafel en kwam bij me zitten, terwijl hij ze opat.

Uiteindelijk, toen het zeven uur was, begon iedereen die buiten was te roepen. Sommige stemmen riepen mij, maar die werden overstemd door geroep om Jenny-May. Misschien waren het er evenveel, maar ik hoorde alleen haar naam. Mijn hele leven heb ik haar naam luider gehoord dan de mijne. Plotseling klonk er luid gejuich en ik nam aan dat Jenny-May naar buiten was gekomen. Toen hield het gejuich op, er werd gekletst, het werd rustiger en toen was het stil. Mijn vader keek naar mij en ik haalde mijn schouders op. De bel ging. Deze keer sprong ik niet op, want er voelde iets niet goed. Papa gaf me een klopje op mijn hand. Ik hoorde dat mijn moeder de deur opendeed, haar stem zoals gewoonlijk vriendelijk en vrolijk. Toen hoorde ik de stem van mevrouw Butler, niet zo vriendelijk, geen zangerige klank. Papa hoorde het ook, hij stond op en ging naar hen toe. De stemmen klonken bezorgd.

Ik weet niet waarom, maar ik kon niet opstaan. Ik zat daar gewoon manieren te bedenken om onder de uitdaging uit te komen, maar tegelijkertijd had ik het rare gevoel dat ik geen excuus meer nodig had. De sfeer was veranderd, naar geworden, voelde ik, maar ik had precies hetzelfde opgeluchte gevoel dat je hebt als je op school aankomt en hoort dat de leraar ziek is, en je je geen seconde zorgen maakt om de leraar. Een paar minuten later ging de keukendeur open en kwamen mijn vader, moeder en mevrouw Butler binnen.

'Lieverd,' zei mijn moeder zachtjes, 'weet jij misschien waar Jenny-May is?'

Ik fronste mijn voorhoofd, ik was in de war door de vraag, hoewel die heel duidelijk was. Ik keek heen en weer naar alle gezichten. Papa keek me bezorgd aan, mama knikte me bemoedigend toe en mevrouw Butler keek alsof ze op het punt stond te gaan huilen. Ze keek alsof haar hele leven afhing van mijn antwoord. Ik denk dat dat in zekere zin ook zo was.

Toen ik niet meteen antwoord gaf, zei mevrouw Butler snel: 'De kinderen buiten hebben haar de hele dag niet gezien. Ik dacht dat ze misschien bij jou was.'

Ik wist dat het verkeerd was, maar ik voelde de plotselinge aandrang om te lachen bij het idee dat Jenny-May een dag bij mij was geweest. Ik schudde mijn hoofd. Mevrouw Butler ging naar alle buren om te vragen of ze haar dochter hadden gezien. Hoe meer deuren ze langsging, hoe meer ik haar gezicht zag veranderen van opgelatenheid naar harde vastberadenheid, naar angst.

Ik heb het gezicht van andere moeders gezien als ze zich in een winkelcentrum omdraaien en zien dat hun kind niet meer bij hen is. Ik heb hun gezichten heel intens bestudeerd, en werd er volledig door gefascineerd, omdat ik me niet herinner die blik ooit op mijn moeders gezicht te hebben gezien. Niet omdat ze niet van me hield, natuurlijk, maar omdat ik altijd zo lang was en zo opviel dat ze me met geen enkele mogelijkheid kon kwijtraken. Ik probeerde weleens kwijt te raken, gewoon om haar gezicht te zien. Dan deed ik mijn ogen dicht, draaide rondjes en liep een bepaalde richting in. Of in de supermarkt wachtte ik tot ze het volgende paadje in was geslagen. Dan stond ik bij de vriezer te bibberen en telde ik tot twintig, totdat ik dacht dat ze ver genoeg weg was, maar bijna altijd stond ze, als ik dan de hoek om kwam, op een pakje te kijken hoeveel calorieën erin zaten, en had ze niet eens gemerkt dat ik weg was. Als het haar ooit opviel dat mijn onzekere, slungelige lijf niet meer achter haar aan kwam, dan had ze me binnen vijf minuten gevonden. Ze hoefde alleen maar op te kijken en dan zag ze mijn hoofd boven de kledingrekken uit, of naar beneden te kijken om mijn gênant grote voeten achter een plank vandaan te zien komen.

Als ik andere moeders bekeek, zag ik hoe de eerste nonchalante blik over hun schouder in paniek veranderde, hoe hun bewegingen sneller werden, hun hoofd, ogen, lijf schoten overal heen, dan lieten ze hun karretje achter om te zoeken naar het enige wat hun ziel echt voedt. De angst, de paniek, de vrees, de gedrevenheid. Ze zeggen dat een moeder een auto kan optillen als ze daarmee haar kind kan redden. Ik denk dat mevrouw Butler die week een bus had kunnen optillen om Jenny-May te vinden. Na een maand leek het alsof ze haar ogen amper hoger dan de grond kon tillen. Jenny-May had ook een groot deel van haar meegenomen.

Het bleek dat ik een van de laatsten was geweest die haar had gezien. Toen oma en opa die dag om twaalf uur aankwamen, deed ik de deur voor hen open, en op dat moment fietste Jenny-May voorbij. Ze draaide zich naar me om en wierp me een blik toe. Een van die blikken waar ik zo'n hekel aan had. Een blik die je acuut deed verschrompelen, een blik die zei: ik ben beter dan jij en je gaat vandaag met Koning/Koningin verliezen en dan weet Stephen Spencer precies wat een stomme, slungelige idioot je bent. Ik keek over de schouder van mijn oma terwijl ik haar omhelsde en zag dat Jenny-May verder fietste, met haar hoofd hoog geheven, haar kin en neus in de lucht en haar blonde haar tot op haar middel. Ik deed wat iedereen in mijn situatie had gedaan. Ik wenste dat ze verdween.

Die dag won mijn vader vijfhonderd pond in de lotto. Hij was heel erg blij, dat merkte ik. Hij zat bij me in de keuken en probeerde niet te glimlachen, maar ik zag zijn mondhoeken omhoog krullen. We hoorden mevrouw Butler in de kamer naast ons bij mijn moeder zitten huilen. Hij legde zijn hand op de mijne en ik wist dat hij op dat moment vond dat hij heel erg veel geluk had, dat hij een gelukkige vader was omdat hij veel geld had gewonnen in de lotto en ook zijn dochter nog had, terwijl mensen als meneer en mevrouw Butler zo veel leden. Op mijn beurt was ik blij dat ik niet vermist werd, en dat ik, nu Jenny-May niet was komen opdagen, de onbetwiste winnaar van Koning/Koningin was. Ook kreeg ik er een paar vrienden bij nu Jenny-May er niet was om dat te verbieden. Voor ons gezin ging alles voorspoedig, terwijl het leven voor meneer en mevrouw Butler niet vreselijker kon zijn. Mijn ouders bleven die avonden lang op, pratend en God dankend dat ze zo gezegend waren.

Maar iets in me voelde anders. Jenny-Mays laatste blik had een deel van me met zich meegenomen. Die dag waren meneer en mevrouw Butler niet de enige ouders die een kind verloren.

Zoals ik al zei, er is altijd een balans.

HOOFDSTUK 41

Ondanks de bedreigingen en protesten van dokter Burton had Jack besloten zijn missie voort te zetten en toch naar Leitrim te gaan. Toen hij nog een nacht in Bobby's kamer had geslapen, was de aandrang om Donal te vinden weer ontwaakt – niet dat hij hard wakker geschud hoefde te worden. Het was het deel van hem dat voortdurend alert was, zocht naar antwoorden, aanwijzingen en zinnigheid, met elke hartslag. Hij klampte zich nog steeds vast aan het idee dat als hij Sandy vond, zij de problemen zou oplossen. Zij was het medicijn dat zijn overwerkte brein nodig had om te kunnen rusten. Waarom precies wist hij niet, maar hij had maar zelden in zijn leven zo sterk een gevoel over iets gehad. Hij was net een blinde, die werd geleid door zijn verhoogde gevoeligheid voor geuren; door zijn tastvermogen kon hij zich oriënteren, door zijn gehoor kon hij naar zijn hart luisteren. Toen Jack Donal had verloren, had hij zijn zicht verloren, maar hij had een nieuw richtingsgevoel in zijn leven gekregen.

Hij wist niet wat hij tegen Sandy's ouders zou zeggen als hij hen zag, als ze überhaupt thuis waren, en of ze hem een kans zouden geven iets te zeggen. Hij bleef gewoon het onzichtbare interne kompas volgen dat in de plaats van Donal was gekomen. Om twaalf uur 's middags zat hij in zijn auto om de hoek van waar ze woonden, en haalde diep adem. Het was zaterdag, maar het was rustig in het doodlopende straatje. Hij stapte uit de auto en liep naar het huis.

Hij probeerde er onopvallend uit te zien, maar hij voelde en wist dat hij op de stille weg volledig uit de toon viel, als het enige bewegende stuk op een schaakbord.

Hij hield halt bij nummer vier, waar een kleine, zilverkleurige, glimmende tweedeursauto op de oprit stond. De voortuin was onberispelijk en er fladderden heel wat bijen en vogels rond. De zomerbloemen stonden in volle bloei, met kleuren van elke tint en zoete honinggeuren, jasmijn en lavendel. Het gras was overal precies twee centimeter lang, de randjes waren als door een scheermes geschoren, en het leek alsof ze elk blaadje dat durfde te vallen zo zouden afsnijden. Naast de verandadeur hing een hangmand waar de petunia's en geraniums overheen bloeiden. Binnen stond een paraplustandaard, met groene laarzen en een visuitrusting ernaast. Bij de ingang, onder een wilg, verborg zich een kabouter, die een bordje met 'Welkom' erop omhoog hield. Jack ontspande zich enigszins. In zijn ergste dromen had hij dichtgetimmerde ramen, blaffende honden en uitgebrande auto's gezien, maar die waren hier niet.

Hij deed het citroengele hek open, dat bij de voordeur en kozijnen paste, het was net een snoephuisje. Er klonk geen gekraak, zoals hij al had verwacht. Hij liep over het effen pad van siertegels, waartussen geen onkruidje omhoog piepte. Hij schraapte zijn keel en drukte op de bel, en dat tinkelende geluid was ook al niet bedreigend. Hij hoorde voetstappen, zag een schaduw door het matglas. Ondanks de vriendelijke verschijning van de vrouw van wie hij aannam dat ze Sandy's moeder was, deed ze de schuifdeur van de veranda niet open voor de onbekende man die zomaar op haar stoep stond.

'Mevrouw Shortt?' vroeg Jack glimlachend, waarbij hij haar zijn minst bedreigende blik toewierp.

Ze leek zich iets te ontspannen en stapte de veranda op, waarbij de schuifdeur nog steeds een barrière vormde. 'Ja?'

'Ik ben Jack Ruttle, sorry dat ik u thuis stoor, maar ik vroeg me af of Sandy hier is?'

Haar ogen bewogen vluchtig over hem heen, bekeken snel de

man die op zoek was naar haar dochter, en toen schoof ze de verandadeur open. 'Ben je een vriend van Sandy?'

Als hij nee zei, werd de deur waarschijnlijk weer dichtgedaan. 'Ja,'
zei hij glimlachend. 'Is ze er?'

Ze glimlachte terug. 'Het spijt me, meneer... Hoe zei u ook alweer
dat u heette?'

'Jack Ruttle, maar noem me maar gewoon Jack.'

'Jack,' zei ze, met een vriendelijke glimlach. 'Ze is er niet. Kan ik je
ergens mee van dienst zijn?'

'U kunt me zeker niet vertellen waar ze is?' Hij bleef glimlachen,
omdat hij wist dat het heel gênant kon worden, een volkomen onbekende die een moeder ondervraagt over waar haar kind is.

'Waar ze is?' herhaalde ze bedachtzaam. 'Ik weet het niet, Jack.
Zou ze willen dat ik je vertelde waar ze was?'

Ze moesten allebei lachen, en Jack schuifelde ongemakkelijk
heen en weer. 'Nou, ik weet niet hoe ik u daarvan zou kunnen overtuigen.' Hij hield zijn handen op, en gaf toe dat hij verslagen was.
'Kijk, ik weet niet wat ik verwachtte toen ik hier aankwam, maar ik
dacht dat ik gewoon een gokje moest wagen. Het spijt me dat ik u
heb gestoord. Kan ik een boodschap voor haar achterlaten? Kunt u
haar vertellen dat ik naar haar op zoek ben en dat,' hij zweeg en probeerde iets te bedenken om Sandy over te halen uit haar schuilplek
te komen als ze nu in dat huis naar hem aan het luisteren was, 'kunt
u haar zeggen dat ik dit niet zonder haar kan? Dan weet ze wel waar
ik het over heb.'

Sandy's moeder knikte, terwijl ze hem de hele tijd bleef bestuderen. 'Ik zal de boodschap doorgeven.'

'Dank u wel.' Er hing een stilte, en Jack wilde het gaan afronden.

'Je komt niet uit Leitrim, zo te horen.'

Hij glimlachte. 'Limerick.'

Daar moest ze even over nadenken. 'Wilde ze je vorige week bezoeken?'

'Ja.'

'Het enige wat ik over mijn dochter weet, is dat ze me op weg
naar Glin belde.' Haar glimlach vervaagde snel. 'Was ze op zoek naar
iemand die je kende?'

Jack knikte, hij voelde zich net een tiener tegenover een uitsmijter en hoopte dat hij door zijn zwijgen naar binnen mocht.

Mevrouw Shortt zweeg terwijl ze overdacht wat ze moest doen. Ze keek de weg af. Een buurvrouw aan de overkant stak een hand in een tuinhandschoen naar haar op en ze zwaaide terug. Misschien voelde ze zich minder bedreigd, want ze nam een beslissing. 'Kom binnen,' gebaarde ze hem, en ze liep weg van de deur, de gang in.

Jack keek de weg af. De buurvrouw zag dat hij aarzelend het huis binnen stapte. Hij glimlachte opgelaten. Hij hoorde mevrouw Shortt in de keuken met kopjes en borden rommelen. Hij hoorde dat er water werd opgezet. In huis was het net zo smetteloos als buiten. De voordeur kwam direct uit in de woonkamer. Het rook er naar meubelwas en frisse lucht, alsof alle ramen open waren gelaten zodat de geuren uit de tuin naar binnen konden. Er lag nergens troep. Het tapijt was gezogen, het zilver- en koperwerk glansde, het hout glom.

'Ik ben hier, Jack,' riep mevrouw Shortt alsof ze al hun leven lang bevriend waren.

Hij liep verder, naar de, niet verrassend, glanzende keuken. De wasmachine stond aan. Op de achtergrond stond de radio op een praatprogramma, en de ketel floot. Vanuit de keuken leidden openslaande deuren naar de achtertuin, die even goed was onderhouden als de voortuin, met een groot vogelhuis, waarin op dit moment een begerig uitziend roodborstje woonde, dat floot tussen elk pikje naar de zaden door.

'U hebt een prachtig huis, mevrouw Shortt,' zei Jack, die aan de keukentafel ging zitten. 'Dank u wel voor de vriendelijke uitnodiging.'

'Noem me maar Susan, en graag gedaan.' Ze vulde de theepot met kokend water, zette er een theemuts overheen en wachtte. Jack had nooit meer op die manier thee gehad sinds hij uit huis was. Ondanks het feit dat Susan hem had uitgenodigd, was ze nog steeds op haar hoede, ze stond bij het aanrecht met een hand op de theemuts, met de andere hand frummelde ze aan een theezakje. 'Je bent de eerste vriend van Sandy die hier langskomt sinds ze een tiener was.' Ze leek diep in gedachten verzonken.

Jack wist niet wat hij daarop moest zeggen.

'Iedereen daarna wist wel beter,' zei ze glimlachend. 'Hoe goed ken je Sandy?'

'Niet goed genoeg.'

'Nee,' zei ze, eerder tegen zichzelf. 'Dat dacht ik al.'

'Elke dag dat ik naar haar zoek, kom ik iets meer van haar te weten,' voegde hij eraan toe.

'Ben je op zoek naar haar?' Ze trok haar wenkbrauwen op.

'Daarom ben ik hier, mevrouw Shortt...'

'Susan, alsjeblieft.' Ze keek gepijnigd. 'Elke keer als ik die naam hoor, verwacht ik Harolds moeder te zien en de geur van kool te ruiken. Bij die vrouw draaide alles om kool, kool, kool.' Ze moest lachen bij die herinnering.

'Susan,' zei hij glimlachend, 'ik ben hier niet naartoe gekomen om je van slag te maken, maar ik zou Sandy vorige week ontmoeten, zoals je al zei. Ze kwam niet, en sinds die tijd heb ik alles geprobeerd om in contact met haar te komen.' Met opzet vermeldde hij niet dat hij haar auto en telefoon had gevonden. 'Ik weet zeker dat er niets met haar is gebeurd,' benadrukte hij, 'maar ik wil haar echt,' hij begon opnieuw, 'ik móét haar echt vinden.' Hij wilde Sandy's moeder absoluut niet in paniek brengen, en hij hield zijn adem in en wachtte op haar antwoord. Hij was opgelucht, zo niet enigszins geschokt toen hij zag dat er een vermoeide glimlach over haar gezicht kroop, die het opgaf en een trieste grimas werd voordat hij haar ogen bereikte.

'Je hebt gelijk, Jack, je kent onze Sandy inderdaad niet goed genoeg.' Ze draaide hem de rug toe om thee in te schenken. 'Ik zal je nog iets over mijn dochter vertellen. Ik hou heel veel van haar, maar ze kan zich even goed verstoppen als een sok in een wasmachine. Niemand weet waar die sok heengaat, net zoals niemand weet waar zij heengaat, maar als ze besluit om terug te komen, zitten we hier in elk geval allemaal op haar te wachten.'

'Dat heb ik afgelopen week al van iedereen gehoord.'

Ze draaide zich met een ruk om. 'Met wie heb je dan nog meer gesproken?'

'Haar huurbaas, haar klanten, haar arts...' Zijn stem stierf schuldig weg. 'Ik had je hier echt niet mee willen lastigvallen.'

'Haar arts?' vroeg Susan, onverschillig voor het feit dat zij pas als laatste aan de beurt was. Ze was meer geïnteresseerd in de arts van haar dochter.

'Ja, dokter Burton,' zei Jack langzaam, niet zeker of hij privé-informatie over Sandy aan haar moeder moest doorgeven.

'O!' Susan probeerde een glimlach te verbergen.

'Ken je hem?'

'Weet je misschien of hij Gregory heet?' Ze probeerde haar opwinding te verbergen, maar slaagde daar absoluut niet in.

'Dat is hem, maar hij is niet echt dol op me, voor het geval je hem nog spreekt.'

'Inderdaad,' zei Susan bedachtzaam, ze had niet gehoord wat hij zei. 'Inderdaad,' herhaalde ze, met stralende ogen, een vraag beantwoordend waarin Jack niet was ingewijd. Het was duidelijk dat ze opgetogen was, maar toen ze eraan dacht dat Jack in de kamer was, herstelde ze zich, en nieuwsgierigheid nam de plaats in van moederlijke opwinding. 'Waarom wil je Sandy zo graag vinden?'

'Ik maakte me zorgen om haar toen ze niet op onze afspraak in Glin kwam, en toen kon ik geen contact meer met haar leggen, waardoor ik me zelfs nog meer zorgen begon te maken.' Het was deels waar, maar het klonk nietszeggend, en dat wist hij zelf ook.

Susan leek het ook te weten. Ze trok haar wenkbrauwen op en zei verveeld: 'Ik ben al drie weken aan het wachten tot Barney de loodgieter mijn gootsteen komt repareren, maar ik ben nog niet van plan zijn moeder op te zoeken.'

Jack keek afwezig naar de gootsteen. 'Nou, Sandy is op zoek naar mijn broer. Ik heb zelfs contact opgenomen met een politieman in Limerick.' Hij voelde dat hij rood werd toen Susan een kreet van verrassing slaakte. 'Graham Turner heet hij, mocht hij bellen.'

Susan glimlachte. 'In het begin hebben we drie keer de politie gebeld, maar dat doen we niet meer. Als Turner gaat rondvragen, weet hij dat hij zijn onderzoek niet hoeft door te zetten.'

'Dat heeft hij al gedaan,' zei Jack grimmig en toen fronste hij zijn wenkbrauwen. 'Ik begrijp het niet goed, Susan. Ik snap niet waar ze naartoe is. Ik kan me niet voorstellen dat ze zo goed kan verdwijnen dat niemand weet waar ze is, dat niemand hoeft te weten waar ze is.'

'We hebben allemaal onze schuilplek, en we accepteren de rare trekjes van de mensen van wie we houden.' Ze liet haar hoofd op haar hand steunen en leek hem te bestuderen.

Hij zuchtte. 'En dat is het dan?'

'Hoe bedoel je?'

'Dat is dat? Mensen kunnen gewoon verdwijnen? Er worden geen vragen meer gesteld? Je kunt komen en gaan naar believen? Naar binnen en buiten fladderen? Verdwijnen, weer komen opdagen en weer verdwijnen? Geen probleem!' zei hij, boos lachend. 'Niemand hoeft zich zorgen te maken! Maak je maar niet druk over de mensen thuis die van je houden en die zich vreselijke zorgen om je maken.'

Er viel een stilte.

'Hou je van Sandy?'

'Wat?'

'Je zei...' Haar stem stierf weg. 'Laat maar.' Ze nam een slokje thee.

'Ik heb alleen over de telefoon met Sandy gesproken,' zei Jack langzaam. 'We hadden geen... relatie.'

'Dus door mijn dochter te vinden, wil je je broer vinden?' Hij had geen tijd om de vraag te beantwoorden. 'Denk je dat de schuilplek van je broer dezelfde is als die van Sandy?' vroeg ze brutaal.

Daar had je het. Uitgesproken door een volslagen onbekende, iemand die hij nog geen tien minuten daarvoor had ontmoet, werd de belachelijke opvatting achter zijn panische zoektocht in één vraag verwoord. Susan liet een paar ogenblikken voorbijgaan voordat ze zei: 'Ik weet natuurlijk niet onder welke omstandigheden je broer is verdwenen, Jack, maar ik weet zeker dat hij niet op dezelfde plek is als Sandy. Er is nog een les,' zei ze zachtjes, 'een les die Harold en ik door de jaren heen hebben geleerd. Niemand vindt de andere sok in de wasmachine, niet door actief te zoeken in elk geval.' Ze maakte een wegwerpgebaar met haar hand. 'Dingen komen gewoon weer terug. Je kunt jezelf gek maken door te proberen ze te vinden. Het maakt niet uit hoe netjes en opgeruimd je je leven probeert te houden, het maakt niet uit hoe georganiseerd dingen zijn.' Ze zweeg en lachte triest. 'Ik ben een hypocriet. Ik doe net alsof Sandy vaker zal thuiskomen als het huis is opgeruimd. Ik denk dat als ze alles kan zien, als ze ziet dat alles op orde is en op zijn plek ligt, ze zich geen zorgen hoeft te maken dat er iets kwijt raakt.' Ze keek de smetteloze keuken rond. 'Maar goed, het maakt niet uit hoe veel, hoe vaak of hoe goed je dingen in de gaten houdt, je kunt er geen controle over uitoefenen. Soms gaan dingen en mensen weg,' ze zwaaide haar hand door de lucht, 'gewoon zomaar.' Toen legde ze troostend een hand over de zijne. 'Maak jezelf niet kapot door te proberen uit te vinden waarheen.'

Ze namen afscheid bij de deur en Susan, die probeerde haar opgelatenheid te verbergen, zei: 'Nu we het toch hebben over dingen die weer terugkomen, als je Sandy tegenkomt voordat wij dat doen, zeg dan tegen haar dat ik haar paarse dagboek met de vlinders heb gevonden. Hij lag in haar oude slaapkamer. Heel vreemd, ik heb die kast tientallen keren schoongemaakt en ben het nooit tegengekomen,' zei ze, met gefronste wenkbrauwen. 'Maar goed, dat wil ze zeker weten.'

Ze keek op en zwaaide weer naar de overkant, en toen Jack zich omdraaide zag hij een vrouw die ongeveer even oud was als Susan. 'Dat is mevrouw Butler,' zei ze, hoewel dat Jack niets zei. 'Haar dochter Jenny-May is op haar tiende verdwenen, ze was even oud als Sandy. Het was zo'n leuk meisje, iedereen zei dat ze een engeltje was.'

Jack, plotseling geïnteresseerd, keek wat beter naar de vrouw. 'Hebben ze haar gevonden?'

'Nee,' zei Susan verdrietig, 'ze is nooit gevonden, maar mevrouw Butler doet elke avond het licht op haar veranda aan, al 24 jaar, in de hoop dat ze thuiskomt. Ze gaat bijna nooit op vakantie, zo bang is ze dat ze haar zal mislopen.'

Jack liep langzaam terug naar zijn auto, en hij voelde zich vreemd, anders, alsof hij van lichaam had gewisseld met de man die pas een uur geleden het huishouden van de Shortts was binnengekomen. Hij bleef staan, keek naar de lucht en overdacht alles wat hij van Sandy's moeder te weten was gekomen. Hij glimlachte. En hij huilde toen de opluchting over hem heen spoelde als een waterval. Omdat hij voor het eerst in een jaar het gevoel had dat hij eindelijk kon ophouden.

En weer kon gaan leven.

HOOFDSTUK 42

Bobby was niet in de stemming om erover te praten dat de vorige avond zijn lach door de atmosfeer had gezweefd, maar hij hoefde geen woord te zeggen, want het was duidelijk dat de lucht uit zijn eens zo grote levenslust was gelopen en dat er alleen maar een leeggelopen omhulsel over was. Het brak mijn hart om hem zo te zien, om een vogel die eens zo hoog had gevlogen nu verslagen op de grond te zien liggen, gestuit in de vlucht door een gebroken vleugel. Hoe meer ik probeerde het onderwerp aan te snijden, hoe stiller hij lag. Hij gaf geen kik, hij huilde niet; zijn zwijgen schreeuwde de woorden uit die hij niet kon of wilde uiten. Het leek erop dat hij zich op mijn problemen concentreerde totdat hij zich in staat voelde de zijne te tackelen – voor mij geen onbekende manier om met het leven om te gaan.

'Waarom laat je je tas altijd bij de deur staan?' Toen we de winkel inkwamen, zei Bobby voor het eerst iets.

Ik volgde Bobby's blik en zag mijn tas, of liever gezegd, Barbara Langleys tas, die ik achteloos bij de deur had neergezet. Als een cowboy in een western die zijn paard bij de deur van de saloon stalt, deed ik dit om snel uit elke situatie weg te kunnen. Om het gevoel van claustrofobie te verzachten dat ik in kamers en gezelschap had waarbij ik me niet helemaal op mijn gemak voelde, inclusief mijn ouders, inclusief Gregory. Inclusief mijn eigen huis. Er waren maar weinig plekken waar ik mijn tas bij me hield. Als ik naar de deur keek en mijn tas zag, voelde ik me veilig omdat ik wist dat er een uit- weg was en daar, als bewijs, lagen mijn spullen, niet ver van die uit- gang naar de vrijheid.

Ik haalde mijn schouders op. 'Gewoonte.' Hoe alle complicaties in mijn leven en ingewikkelde eigenaardigheden konden worden gereduceerd tot een schouderophalen en een woord. Wat kon een woord toch onbetekenend zijn.

Bobby was niet in de stemming om me verder te ondervragen en we gingen weer naar de opslagruimte waarin mijn dozen met spul- len stonden.

'Tja.' Ik verbrak de stilte en keek naar Bobby, die verloren keek, alsof hij deze kamer nog nooit eerder had gezien. 'Wat doen we hier?' vroeg ik.

'We gaan je dozen legen.'

'Waarom?'

Hij gaf geen antwoord, niet omdat hij me negeerde, maar vol- gens mij omdat hij me niet hoorde. Hij hoorde nu zo veel meer. Hij begon de bovenste doos leeg te halen, waarbij hij meneer Pobbs heel zorgvuldig op de vloer neerzette. Hij legde elk ding in een rij van muur tot muur, ging toen naar de volgende doos en deed hetzelfde. Ik hielp hem, hoewel ik niet begreep waarom. Na twintig minuten lagen mijn spullen in Hier netjes in zes rijen op de walnoten vloer. Ik keek naar elk ding en moest glimlachen. Elk voorwerp, van de onpersoonlijke nietmachine tot de persoonlijke meneer Pobbs opende een deur naar weggestopte herinneringen.

Bobby keek me aan.

'Wat is er?'

'Valt je iets op?'

Ik keek weer naar de vloer, en liet mijn ogen langs de rijen gaan. Meneer Pobbs, nietmachine, T-shirt, twintig eenlingsokken, gegra- veerde pen, dossier van het werk waardoor ik in de problemen was geraakt toen ik het kwijt was... Wat zag ik over het hoofd? Ik draaide me vragend naar hem om.

'Waar is je paspoort?' vroeg hij lusteloos.

Ik keek weer naar de vloer, ik had al een glimlach op mijn gezicht.

Toen ik vijftien was, zouden we naar Oostenrijk op wandelvakantie gaan, maar de avond voordat we weg zouden gaan, was mijn paspoort nergens te vinden. Ik had helemaal niet willen gaan. Ik had al maanden over de reis lopen zeuren. Als ik een week weg was, zou ik twee sessies met meneer Burton missen, maar niet alleen dat, elke angst, elke irrationele fobie heeft invloed op het dagelijks leven. Ik wilde niet meer weg omdat ik bang was dingen te verliezen, en als ik iets kwijtraakte in Oostenrijk, een plek waar ik nooit was geweest, een plek waar ik waarschijnlijk nooit meer zou komen, hoe moest ik dat dan ooit nog vinden? De avond waarop ik mijn paspoort kwijtraakte veranderde ik ineens van mening. De twee sessies met meneer Burton waren vergeten – plotseling wilde ik het paspoort vinden en op vakantie gaan. Alles om maar te voorkomen dat ik weer iets kwijt zou zijn.

De vakantie werd afgezegd aangezien het te laat was om nog een vervangend of tijdelijk paspoort te krijgen, maar voor één keer waren mijn ouders net zo perplex als ik, en hadden ze net zo verwoed gezocht als ik. Het was een ongelooflijk moment geweest toen ik het hier na al die jaren tegenkwam, verfomfaaid en versleten, met de foto van de slungelige elfjarige er nog in. Maar toen ik op de vloer keek, verdween de glimlach van mijn gezicht. Het was er niet meer.

Ik stapte over de rijen spullen heen, waarbij ik er in mijn haast om bij de kartonnen dozen te komen om ze haastig te doorzoeken een paar weg schopte. Bobby ging de kamer uit om me de ruimte te geven, dat dacht ik in elk geval, maar hij kwam terug met een Polaroidcamera. Hij gebaarde dat ik opzij moest, wat ik zonder vragen te stellen deed. Hij richtte de camera op de grond, nam een foto, pakte de vierkante foto uit het apparaat, wapperde hem heen en weer, bekeek hem en stopte hem toen in een plastic hoesje.

'Ik heb deze camera jaren geleden gevonden,' legde hij uit, verdriet klonk in zijn woorden. 'Het is moeilijk om de vullingen die erbij horen te vinden. Ik weet niet eens of ze nog wel worden gemaakt, maar nu en dan vind ik nog wel een doosje. Ik moet zorgvuldig zijn met het nemen van foto's, ik kan ze niet verspillen. Ik vind het niet erg om zorgvuldig te zijn, maar het is moeilijk te bepalen welke seconde uit een leven aan secondes speciaal genoeg is. Vaak is het, als je beseft hoe kostbaar die seconden zijn, te laat om ze vast te leggen omdat ze al voorbij zijn. We beseffen het te laat.' Hij zweeg even, verzonken in gedachten, stokstijf staand alsof zijn batterijen leeg waren. Ik raakte zijn arm aan en hij keek op, verrast dat ik bij hem in de kamer was. Hij keek naar de camera in zijn handen, ook verrast om die te zien. Toen herstelde hij zich weer, het licht in zijn ogen begon weer te schijnen en hij ging verder: 'Zo vul je hem. Neem vanaf nu elke ochtend een foto van de spullen op de vloer.' Hij gaf hem aan me en voegde eraan toe, voordat hij wegliep: 'En dan stel ik voor dat je de andere foto's gaat nemen.'

'Welke andere foto's?'

Hij bleef in de deuropening staan en zag er plotseling nog jonger uit dan negentien, zo was hij net een verloren jongetje. 'Ik weet niet veel van wat er hier gebeurt, Sandy. Ik weet niet waarom we hier zijn, hoe we hier zijn gekomen of zelfs maar wat we hier moeten doen. Ik wist dat ook niet toen ik nog thuis bij mijn moeder woonde,' zei hij glimlachend. 'Maar voor zover ik weet, ben je je spullen achterna gekomen, en nu verdwijnen er elke dag spullen. Ik weet niet waar ze naartoe gaan, maar waar dat ook is, het lijkt me wel handig dat als jij daar ook terechtkomt, je bewijs hebt dat je ooit hier bent geweest. Bewijs van ons.' Zijn glimlach kwam weer terug. 'Nu ben ik moe, Sandy. Ik ga naar bed. Ik zie je om zeven uur bij de vergadering van de gemeenteraad.'

HOOFDSTUK 43

Barbara Langley had niet zo veel kleren die geschikt waren voor officiële gebeurtenissen, waarschijnlijk omdat de gedoemde vakantie naar New York, waarbij ze meer dan twintig jaar geleden haar bagage was kwijtgeraakt, niet vroeg om kleding die je kon dragen als je door een hele gemeenschap werd gedaagd. Maar ja, je kon nooit weten.

Ik koos ervoor om niet naar de repetities in de gemeenschapszaal te gaan, omdat ik wist dat mijn aanwezigheid later al voldoende zou zijn en dat Helena het toneelstuk, waarbij ik toch al niet betrokken wilde zijn, onder controle had. Ik bracht de dag door met op de winkel passen voor Bobby, die, heel begrijpelijk, de hele dag in bed bleef liggen. Ik hield mezelf bezig; ik vermaakte me zelfs door in de afdeling met kleding voor mensen met lange benen te struinen en in de manden met aanbiedingen te duiken met de felheid van een beer die op een picknick was gestuit. Opgewonden trok ik outfits tevoorschijn waar ik thuis van gedroomd had. Er ontsnapten kreetjes van opwinding aan mijn lippen toen ik blouses probeerde met mouwen die tot aan mijn polsen kwamen, T-shirts die mijn navel bedekten en broeken waarvan de zoom tot op de grond viel. Er ging een siddering door mijn lijf, elke keer als de stof een stukje van mijn huid bedekte dat eerder open en bloot bleef. Wat maakten twee centimeter meer stof toch een verschil. Vooral op een koude ochtend bij een bushalte, wanneer ik aan de mouwen van mijn favoriete trui stond te trekken om mijn razende polsslag maar te bedekken. Die twee centimeter, voor de meeste mensen niet van belang, voor mij van levensbelang, waren het verschil tussen een goede dag en een slechte, tussen innerlijke rust en uiterlijk balen, ontkenning en het besef van een overweldigend, hoewel tijdelijk, verlangen om net als de rest te zijn. Een paar centimeter korter, een paar centimeter gelukkiger, rijker, tevredener, aardiger.

Af en toe klingelde de bel en net als aan het eind van de pauze op school kwam de opwinding dan tot een abrupt einde. De meeste winkelende mensen die dag kwamen maar met één doel naar de winkel: naar mij kijken, degene van wie ze hadden gehoord, degene die van alles wist. Mensen van alle nationaliteiten vingen mijn blik, hopend dat ze zouden worden herkend, en als ik hen niet herkende, gingen ze weg, gebogen onder de teleurstelling. Elke keer dat de bel rinkelde en zich weer een paar ogen in de mijne boorde, werd ik zenuwachtiger voor de avond die voor me lag, en hoezeer ik ook wilde dat de klokken die aan de muur hingen niet meer zouden tikken, haastten de wijzers zich toch vooruit en was het ineens avond.

Het leek alsof het hele dorp had besloten om de gemeenteraadsvergadering in de gemeenschapszaal bij te wonen. Bobby en ik baanden ons een weg door de menigte mensen die langzaam in een rij naar de enorme eikenhouten deur slingerde. Het nieuws dat er iemand was die alles over hun familie thuis wist, zorgde ervoor dat mensen van allerlei nationaliteiten, rassen en gezindten zich met duizenden tegelijk bij het gebouw verzamelden. De warme oranje zon zakte achter de naaldbomen, net een stroboscooplamp, terwijl we haastig langs iedereen liepen. Boven ons cirkelden haviken laag in de lucht, en scheerden gevaarlijk dicht over de boomtoppen. Ik voelde dat er ogen op me gericht waren, kijkend, wachtend tot ze konden aanvallen.

Het houtsnijwerk op de enorme deur, van mensen die schouder aan schouder stonden, week uiteen en de mensen stroomden naar binnen. Het theater was na de informele inrichting tijdens de repetitie getransformeerd. Ik voelde me misleid toen ik besefte dat het meer inhield dan ik eerst dacht, meer zou kunnen zijn dan mij duidelijk was geworden, en nu drong tot me door dat dit iets heel belangrijks was, in plaats van een in mijn gedachten onbeduidende gebeurtenis. Er stonden honderden rijen stoelen voor het toneel, de rode fluwelen gordijnen werden opzij gehouden door een ruw goudkleurig touw met kwastjes, waarvan de uiteinden de grond raakten. Op het toneel zaten tientallen vertegenwoordigers op rijen oplopende stoelen, sommige droegen de traditionele kleding uit hun land, andere moderne kleding. Er zaten mensen in driedelig pak naast mensen met een geborduurde hoofddoek op, een met lovertjes bezaaide djellaba of zijden kimono aan, een keppeltje of tulband op, een *jilbab* aan, sieraden van kralen, been, goud en zilver om, vrouwen met een Afrikaanse wikkeldoek om, waarop in het Swahili spreekwoorden stonden, die pareltjes van wijsheid bevatten die ik niet begreep, en mannen in Koreaanse *hanbok*. Qua schoenen werd er van alles gedragen, van muiltjes tot Jimmy Choos, van sandalen en teenslippers tot gepoetste leren veterschoenen. Ik zag Joseph op de tweede rij zitten, met een paars gewaad aan, afgezet met goud. De aanblik was prachtig, al die schitterende cultuurgebonden kleren naast elkaar. Ondanks mijn gevoelens over de komende avond hief ik de Polaroidcamera op en maakte een foto.

'Hé!' Bobby rukte de camera uit mijn handen. 'Je moet geen vullingen verspillen!'

'Verspillen?' Ik snakte naar adem. 'Moet je dat zien!' Ik wees naar het podium met vertegenwoordigers van alle nationaliteiten, majestueus uitkijkend over de zee aan dorpelingen, die weer vol verwachting naar hen keken, wanhopig wachtend op nieuws over de oude wereld die ze hadden verlaten. We zaten op stoelen halverwege de zaal, zo zat ik niet op de eerste rij in de vuurlinie. We zagen Helena voor in de ruimte staan, ze bekeek wanhopig de menigte met een verontrustende blik vol bezorgdheid of angst – dat kon ik niet zien. Ervan uitgaand dat ze ons zocht, wuifde Bobby wild naar haar. Ik kon niet bewegen. Mijn lichaam was bevroren door die nieuwe angst die ik ervoer, in een zaal die al snel gevuld raakte met het geluid van duizenden mensen, dat in mijn oren steeds luider werd. Ik wierp een blik over mijn schouder. Tientallen mensen, die geen zitplaats konden vinden, stonden achter in de zaal en blokkeerden de uitgangen. Het harde geluid toen de deuren dichtsloegen en op slot werden gedaan echode door de ruimte en plotseling viel iedereen stil. Het ademen van de man naast me klonk me luid in de oren, het gefluister van het stel voor me leek uit een luidspreker te komen. Mijn hart begon een eigen drumsessie. Ik keek naar Bobby voor geruststelling, maar die kreeg ik niet. Door de felle lichten boven ons kon niemand zichzelf of zijn reacties verbergen. Alles en iedereen werd onthuld.

Toen de deur was dichtgedaan en de stilte gevallen, moest Helena wel gaan zitten. Ik probeerde mijn best te doen om te blijven denken dat dit een grappig plaatsje was, een hersenspinsel. Het was allemaal een droom, onbelangrijk, niet het echte leven. Maar het maakte niet uit hoe vaak ik mezelf kneep en in gedachten probeerde weg te zweven, de sfeer bleef me terug zuigen, en ik kreeg het angstige voorgevoel dat dit even echt was als het kloppen van mijn hart.

Over het buitenste looppad kwam een vrouw aangelopen met een mand koptelefoons. Die werd aangenomen door degene die aan de zijkant zat en als een collecte in de kerk doorgegeven langs de rijen. Ik keek vragend naar Bobby, en hij liet het zien: je kon de plug van de hoofdtelefoon in een gaatje in de stoel voor je stoppen. Hij zette hem op zijn hoofd toen een man op het toneel achter de microfoon ging staan. Hij begon in het Japans te praten, waarvan ik niets kon verstaan, maar ik was zo gebiologeerd door wat zich voor me afspeelde dat ik vergat mijn koptelefoon op te zetten. Bobby gaf me een por met zijn elleboog en ik schrok op en zette hem op. De vertaling werd gedaan door iemand met een zwaar accent. Ik had het begin van de aankondiging gemist.

'... deze zondagavond. Het komt maar zelden voor dat zovelen van ons samenkomen. Dank u wel voor deze geweldige opkomst. Er zijn een paar redenen waarom we hier vanavond zijn...'

Bobby gaf me weer en por en ik zette mijn koptelefoon af. 'Dat is Ichiro Takase,' fluisterde hij. 'Hij is de voorzitter. Elke paar maanden is dat iemand anders.'

Ik knikte en zette de koptelefoon weer op.

'... Hans Liveen wil met u spreken over het plan voor de nieuwe molens, maar voordat we dat gaan doen, handelen we de zaak af waarvoor zovelen van u hiernaartoe zijn gekomen. De Ierse vertegenwoordigster Grace Burns neemt het woord.'

Er stond een vrouw op, die halverwege de vijftig leek te zijn en naar de microfoon liep. Ze had lang, golvend, rood haar, scherpe gelaatstrekken alsof ze uit een rots waren gehouwen en een strakgesneden, zwart pak aan.

Ik deed mijn koptelefoon af.

'Goedenavond, iedereen.' Aan haar accent hoorde ik dat ze uit het noorden van Ierland kwam, uit Donegal. Veel van de niet-Ierse Engelse sprekers zetten hun koptelefoon weer op voor de vertaling. 'Ik zal het kort houden,' zei ze. 'Ik ben afgelopen week door heel veel mensen uit de Ierse gemeenschap benaderd met het nieuws dat een nieuwkomer uit Ierland informatie had over de familie van een aantal dorpelingen. Ondanks de geruchten is dit natuurlijk niet ongewoon, gezien de grootte van Ierland. Ook hoorde ik dat er iets van deze persoon – naar ik begrepen heb een horloge – is kwijtgeraakt,' zei ze terloops.

Mensen die Engels konden verstaan snakten direct naar adem, hoewel de meerderheid natuurlijk al op de hoogte was van dit gerucht. Een paar seconden later werd er weer naar adem gesnakt toen de tolken het hadden vertaald. Er begonnen mensen te mompelen, en de Ierse vertegenwoordigster hief haar armen om hen tot stilte te manen. 'Ik begrijp dat dit nieuws invloed heeft op het hele dorp. Dit soort nieuws verstoort onze pogingen om een normaal leven te leiden en we willen deze geruchten zo snel mogelijk ontkrachten.'

Mijn hart begon een beetje minder dramatisch te kloppen.

'We hebben de vergadering van vanavond bijeengeroepen om u ervan te verzekeren dat wij de zaak in de hand hebben en hem zullen afhandelen. Zodra dat is gebeurd, zullen we de gemeenschap direct op de hoogte brengen van de uitkomst, zoals we altijd doen. Ik geloof dat de nieuwkomer vanavond hier is,' kondigde ze aan, 'dus ik wil me even tot die persoon richten.'

Direct begon mijn hart weer te bonzen. De mensen om me heen keken om zich heen, mompelend, opgewonden kwebbelend in hun vreemde taal, iedereen keek elkaar achterdochtig, beschuldigend aan. Ik keek geschrokken naar Bobby. Hij staarde terug.

'Wat moet ik doen?' fluisterde ik. 'Hoe weten ze van dat horloge?' De negentienjarige in hem deinsde terug, met wijdopen ogen.

'We vinden allemaal dat het het beste is om dit privé en rustig af te handelen, zodat de persoon anoniem kan blijven...'

Er klonk boegeroep, sommige mensen lachten en ik kreeg kippenvel.

'Ik wil er geen drama van maken,' ging Grace verder, op haar officiële, no-nonsensetoon. 'Als de nieuwkomer ons gewoon het vermeende vermiste object laat zien, dan zullen we het laten rusten en het voor eens en altijd vergeten, zodat iedereen zijn waardevolle tijd weer op zijn normaal gesproken zeer productieve manier kan doorbrengen.' Ze glimlachte onbeschaamd, en er klonk gelach uit de zaal. 'Als degene om wie het draait zich morgenochtend naar mijn kantoor kan begeven en het horloge kan meebrengen, dan kan dit snel en discreet worden afgehandeld.'

Nog meer boegeroep vanuit het publiek.

'Ik zal hierover een paar vragen beantwoorden, en dan gaan we verder met een belangrijker zaak: de plannen om het windmolenpark uit te breiden.' Ik merkte dat ze opzettelijk blasé deed over het hele geval. Het hele dorp was gekomen om over mij te horen, dat ik intieme details over mensen hier en hun familie kende. In een paar zinnen had ze het allemaal onder het tapijt geveegd. Mensen keken elkaar ontevreden aan en ik voelde dat er gedonder zou komen.

Er staken mensen hun hand op en de vertegenwoordigster knikte iemand toe. Er stond een man op. 'Mevrouw Burns, volgens mij is het niet eerlijk dat dit in beslotenheid wordt afgehandeld. Volgens mij blijkt uit de opkomst vanavond duidelijk dat deze zaak belangrijker is dan het lijkt door de manier waarop u gekozen hebt hem af te handelen. Dat is een opzettelijke poging om het minder belangrijk te laten lijken dan het is.' Een paar mensen applaudisseerden. 'Ik stel voor dat de persoon in kwestie, van wie ik weet dat het een vrouw is, ons het horloge nú laat zien, vanavond, zodat we het met eigen ogen kunnen zien en de zaak kunnen laten rusten.'

Voor deze suggestie werd volop geapplaudisseerd.

De vertegenwoordigster keek opgelaten, ze draaide zich om en keek naar haar collega's. Sommige knikten, sommige schudden hun hoofd, andere zagen er verveeld uit, weer andere haalden hun schouders op en lieten het aan haar over.

'Ik maak me alleen maar zorgen over het welzijn van de persoon in kwestie, meneer O'Mara,' zei ze tegen hem. 'Ik vind het niet erg eerlijk: ze is hier pas deze week aangekomen en dan zou ze dit meteen moeten ondergaan. Haar anonimiteit is van het grootste belang. Dat begrijpt u waarschijnlijk wel.'

Dit werd niet erg gesteund door het publiek, maar er werd toch door een aantal mensen geklapt, en in stilte bedankte ik hen en vervloekte ik Grace dat ze had bevestigd dat ik een vrouw was.

Een oudere vrouw, die naast de man zat die iets had gezegd, sprong op. 'Mevrouw Burns, ons welzijn is belangrijker, en het welzijn van alle dorpelingen. Is het niet belangrijker dat we nu we weer hebben gehoord dat iemand spullen kwijtraakt het recht hebben te weten of dat waar is?'

Er klonken instemmende geluiden uit het publiek. Grace Burns hield haar hand boven haar ogen tegen de felle lichten zodat ze kon zien wie dat had gezegd. 'Maar Catherine, het wordt morgen meegedeeld nadat deze persoon bij me is geweest. Wat de uitkomst ook is, deze zal worden bekendgemaakt.'

'Dit heeft niet alleen invloed op de Ierse gemeenschap,' riep een Zuid-Amerikaanse man. Iedereen keek rond. De stem kwam van een man die achterin stond. 'Weten jullie nog wat er de laatste keer is gebeurd toen er geruchten waren dat er dingen kwijtraakten?'

Er klonk instemmend gemompeld, en mensen knikten.

'Weet iedereen hier nog van die man, James Ferrett?' riep hij nu tegen de zaal.

Er klonk luid instemmend gemompel, en er werd met hoofden geknikt.

'Een paar jaar geleden zei hij dat hem hetzelfde overkwam. De vertegenwoordigers deden toen hetzelfde als nu,' zei hij tegen de menigte, die het verhaal kende. 'Meneer Ferrett mocht dezelfde procedure volgen als onze anonieme vrouw vanavond, maar in plaats daarvan verdween hij. Of hij nu naar de rest van zijn spullen ging of dat dat het werk van de vertegenwoordigers was, zullen we nooit weten.'

Er klonk tumult, maar hij riep over het lawaai heen. 'Laten we het in elk geval nu afhandelen, voordat de persoon in kwestie een kans heeft om weer te ontsnappen zonder dat wij weten wat er aan de hand is. Er zal haar heus niets overkomen, en wij moeten het weten!'

Hierop klonk een enorm applaus. De hele gemeenschap barstte los. Ze wilden niet weer een kans om de weg terug te vinden voorbij laten gaan. De vertegenwoordigster zweeg even, terwijl de zaal een spreekkoor aanhief. Ze gebaarde om stilte, en de menigte werd weer rustig.

'Oké,' zei ze in de microfoon, en het woord bonsde in mijn hart totdat ik dacht dat ik zou flauwvallen of lachen, welke van de twee wist ik niet.

Ik keek naar Bobby. 'Knijp me eens,' zei ik glimlachend, 'want dit is echt belachelijk. Het lijkt net alsof ik in een vreselijke nachtmerrie zit, waar je de dag erna om lacht.'

'Het is niet grappig, Sandy,' waarschuwde hij. 'Vertel ze niets.'

Ik probeerde een glimach te verbergen, maar mijn hart bonkte.

'Sandy Shortt,' kondigde de vertegenwoordigster aan, 'kun je alsjeblieft opstaan?'

HOOFDSTUK 44

Toen Jack het ouderlijk huis van Sandy Shortt had verlaten, reed hij naar de Leitrim Arms, de plaatselijke pub in het dorp. Ondanks het vroege uur was het donker in de pub, die werd verlicht door te weinig, stoffige lampen aan de muur. Het licht van buiten werd tegengehouden door donkerrode glas-in-loodramen. De stenen vloer was hobbelig, en op de houten banken lagen paisley kussens waar het schuim aan de zijkanten uitpuilde. Er waren drie mannen in de pub: twee zaten er aan beide uiteinden van de bar, met een glas bier in hun hand, hun nek rekkend om de paardenrace te zien op de kleine televisie die aan het plafond hing. Achter de bar hield de barman hof, met zijn armen op de tap, hoofd omhoog, ogen vastgekleefd aan de race. Op de gezichten van de mannen lag een uitdrukking van bange verwachting, het was duidelijk dat ze er geld in hadden zitten. De commentator deed met een vet Corks accent van seconde tot seconde verslag van de race, en hij sprak zo snel dat iedereen de adem inhield, wat bijdroeg tot een sfeer vol spanning.

Jack ving de aandacht van de barman en bestelde een *pint* Guinness, waarna hij in een knus zitje ging zitten, ver weg van de bar en de rest. Hij had iets belangrijks te doen.

De barman wendde zijn blik af van de televisie – beroep gaat boven obsessie – en wijdde zijn volle aandacht aan het schenken van het perfecte biertje. Hij hield het glas in een hoek van 45 graden vlak bij de tuit, zodat er geen grote bellen in het schuim zouden komen. Hij deed de tap helemaal open en vulde het glas voor 75 procent. Hij zette de pint op de bar, en liet hem rusten voordat hij de rest van het glas zou vullen.

Jack pakte Donals politiedossier uit zijn tas en legde het voor zich op tafel, waarbij hij de bladzijden voor de laatste keer voor zich uitspreidde. Dit was het afscheid. Dit was het einde, de laatste blik op alles wat hij het afgelopen jaar elke dag had bestudeerd. Het einde van de zoektocht, het begin van de rest van zijn leven. Hij wilde nog één keer het glas heffen op zijn broer, een laatste keer samen drinken. Hij liet zijn ogen over de politieverslagen gaan, de lange uren toegewijd politiewerk, en elke bladzijde herinnerde hem aan de ups en downs, de hoop en teleurstellingen van het afgelopen jaar. Het was lang en moeilijk geweest. Hij legde de getuigenverslagen op een rijtje, de verslagen van al Donals vrienden die die avond bij hem waren geweest. Wat had het een kwellingen en tranen, verloren slaap en wanhoop gekost om te proberen zich elk laatste vervaagde detail van die avond te herinneren.

Jack legde Donals foto op de stoel tegenover hem. Een laatste glas bier met zijn broer. Hij glimlachte naar hem. *Ik heb mijn best gedaan, Donal; ik beloof je dat ik mijn best heb gedaan.* Dit was de eerste keer dat hij het geloofde. Hij kon niets meer doen. Met die gedachte welde er grote opluchting in hem op. Hij keek weer op de bladzijden die voor hem lagen. Alan O'Connors gezicht staarde naar hem terug vanaf de pasfoto die aan de hoek was gehecht. Nog een gebroken man, nog een bijna vernietigd leven. Alan was nog lang niet bij het punt dat Jack vandaag had bereikt. Jack had zijn broer verloren, een broer die hij niet zo goed kende als had gemoeten, maar Alan was zijn beste vriend kwijtgeraakt. Hij keek naar de verklaring die hij al duizend keer had gelezen, zo niet vaker. Alans gedetailleerde verslag van die gedoemde avond klopte met dat van Andrew, Paul en Gavin en dat van de drie meisjes die ze in het fastfoodrestaurant waren tegengekomen, hoewel ze zich het begin van hun avond amper konden herinneren, laat staan de vroege uurtjes van de ochtend erna. De taal van het verslag was ongemakkelijk, vormelijk en onbekend. Hij was emotieloos, alleen de feiten, tijden en plaatsen, werden vermeld, wie er was en wat er was gezegd. Geen gevoelens waaruit bleek dat een groep vrienden uiteengerukt was door het gebeuren van die ene avond. Die ene avond die een heel leven aan avonden veranderde.

Andrew, Paul, Gavin, Shane, Donal en ik gingen om ongeveer half een vrijdagnacht weg uit Clohessy's aan Howley's Quay. We gingen naar de nachtclub 'The Sin Bin' in hetzelfde gebouw... Jack sloeg de details over wat er in de club was gebeurd over. *Andrew, Paul, Gavin, Donal en ik gingen om ongeveer twee uur weg uit de club en liepen twee straten verder naar SuperMacs op O'Connell Street. Shane had een meisje ontmoet in de nachtclub dat we niet kenden, en is met haar naar huis gegaan...* Hij sloeg een paar regels over. *We gingen rechts in het zitje het dichtst bij de toonbank zitten en aten onze burgers en patat. We raakten aan de praat met drie meisjes die ook in het restaurant zaten. We vroegen of ze erbij wilden komen zitten, en toen zaten we met zijn allen in het zitje. We waren met ons achten: Andrew, Paul, Gavin, Donal, Collette, Samantha, Fiona en ik. Donal zat aan de buitenkant, op het uiteinde van de bank, naast Fiona en tegenover mij. We vatten het plan op om naar een feestje bij Fiona thuis te gaan...* Jack sloeg weer iets over en ging naar het belangrijkste deel. *Ik vroeg Donal of hij meeging naar het feestje en hij zei ja en dat was het laatste wat we die nacht tegen elkaar zeiden. Hij zei niets tegen me toen hij wegging. Ik praatte met Colette en toen ik me omdraaide was Donal weg. Dat was ongeveer om drie uur.*

Ze hadden allemaal hetzelfde verhaal verteld. Het was een normale avond stappen met de jongens. Pub, nachtclub, fastfoodrestaurant, niets raars dat ze zich zouden herinneren, alleen het feit dat hun beste vriend verdween. Ieder van de vrienden had met iemand anders een gesprek gevoerd, niemand herinnerde zich dat hij wegging behalve Fiona, die naast hem zat en pas merkte dat hij niet meer naast haar zat toen ze zich omdraaide en hem zag weglopen. Ze zei dat hij bij het weggaan tegen de deuropening aan was gevallen, en dat een paar meisjes bij de deur hem hadden gezien en erom hadden gelachen. Later kon geen van die meisjes meer informatie geven dan dat. Het restaurant zat vol met mensen die tegelijkertijd uit de nachtclubs waren gegooid, en de camera in het restaurant filmde het zitje waar Donal zat niet. De rijen aan de toonbank en de menigte mensen die buiten stond en geen tafel kon krijgen, blokkeerden het zicht op de zitjes. Maar er was toch niets anders te zien geweest dan Donal die het restaurant uit liep en met zijn schouder tegen de deuropening was gelopen, zoals iedereen had gezien. Hij was wel gefilmd bij de dichtstbijzijnde geldautomaat, waar hij dertig euro pinde, daarna nog een keertje toen hij over Arthur's Quay zwalkte, en toen was het spoor verdwenen.

Jack dacht aan de laatste keer dat hij Alan had gesproken en voelde zich schuldig dat hij hem onder druk had gezet zodat hij zich meer zou herinneren. Alan was duidelijk al tot de laatste details uitgeknepen door de gardaí. Jack had op een of andere manier het gevoel gehad dat het feit dat zijn broer vermist werd zijn schuld was geweest, dat hij als oudere broer iets had moeten doen, dat hij het in orde had moeten maken. Zijn moeder was met hetzelfde gevoel van verantwoordelijkheid gestorven. Was er iemand die zichzelf niet de schuld gaf? Hij dacht terug aan zijn gesprek met Alan, die een paar dagen geleden hetzelfde had opgebiecht.

Ik hoop dat je hem vindt, Jack. Ik blijf maar aan die avond denken, en ik wilde dat ik met hem was meegegaan.

Op de toonbank begon de crèmige schuimkop van de Guiness zich van de zwarte vloeistof te scheiden. Hij was nog troebel, maar werd al helderder.

Ik blijf maar aan die avond denken, en ik wilde dat ik met hem was meegegaan.

Jacks hart bonsde in zijn keel. Hij bladerde door het verslag, op zoek naar Alans verklaring. *We vatten het plan op om naar een feestje bij Fiona thuis te gaan. Ik vroeg Donal of hij meeging naar het feestje en hij zei ja en dat was het laatste wat we die nacht tegen elkaar zeiden. Hij zei niets tegen me toen hij wegging.*

De barman maakte zijn biertje af door de tap iets open te zetten, waardoor de kraag tot net boven de rand van het glas steeg.

Jack zat rechtop, concentreerde zich, bleef nadenken. Er begonnen gedachten in hem op te komen en hij voelde dat hij ergens dichtbij was. Hij las het politieverslag steeds opnieuw, terwijl hij tegelijkertijd in zijn hoofd het gesprek met Alan van een paar dagen geleden afspeelde.

Het bier stroomde niet over en liep niet over de rand van het glas. Jack hield zijn ademhaling onder controle en onderdrukte zijn angst.

De barman bracht de pint naar het zitje en aarzelde bij de ingang, omdat hij niet wist waar hij de Guinness neer moest zetten, met al die papieren op tafel.

'Zet hem maar ergens neer,' zei Jack. De barman draaide de pint rond in de lucht, probeerde te besluiten waar hij hem neer zou zetten en plantte hem uiteindelijk op tafel, waarna hij zich terughaastte naar de mannen, die tegen de televisie aan het schreeuwen waren om hun paarden aan te moedigen. Jacks blik zwierf over het zwarte bier, naar de onderkant van het glas. De barman had hem op Alans verklaring gezet, naast de zin die hij steeds opnieuw had gelezen. *Ik vroeg Donal of hij meeging naar het feestje en hij zei ja en dat was het laatste wat we die nacht tegen elkaar zeiden. Hij zei niets tegen me toen hij wegging.*

Jack trilde, maar hij wist niet waarom. Hij tilde het trillende glas op en glimlachte bleekjes naar zijn broers foto. Hij zette het glas aan zijn lippen en nam een grote slok van de dikke vloeistof. Op het moment dat het warme bier door zijn keel naar beneden stroomde, schoot Alans volgende zin hem te binnen.

Ik dacht echt dat het in orde was dat hij een taxi die kant op nam, weet je?

De Guinnes bleef in zijn keel steken en hij begon te kuchen, en boog zich naast de tafel naar voren om het op te hoesten.

'Gaat het?' riep de barman.

'Yes! Goedzo, paardje!' De twee mannen in de bar vierden de overwinning van hun paard, klapten in hun handen en juichten, waardoor ze Jack lieten opschrikken.

Jack bedacht tientallen excuses, verdedigingen, fouten en vroeg zich af of hij het verkeerd had verstaan. Hij dacht aan de afspraak die Sandy met rode hoofdletters in haar agenda had gezet, hij dacht aan het bezorgde gezicht van mevrouw O'Connor – *Denk je dat hij iets verkeerds heeft gedaan?* Ze wist het. Ze had het de hele tijd geweten. De rillingen liepen hem over de rug. Er stroomde woede door zijn aderen. Met een klap zette hij de pint op tafel, in het glas was een witte ring overgebleven. Zijn benen werden slap toen de angst en woede het overnamen.

Hij herinnerde zich niet dat hij wegging uit de bar, hij herinnerde zich niet dat hij Alan belde en in recordtijd terug naar Limerick reed om hem te ontmoeten. Terugkijkend op die uren wist hij niet veel meer van die avond dan wat anderen hem vertelden. Het enige wat hij zich herinnerde was Alans ongelukkige stem, die nu voortdurend in zijn hoofd klonk: *Ik blijf die avond keer op keer afspelen, wensend dat ik samen met hem was weggegaan. Ik dacht echt dat het in orde was dat hij een taxi die kant op nam, weet je?* De tegensprekende stem uit zijn verklaring riep nog harder: *Ik vroeg Donal of hij meeging naar het feestje en hij zei ja en dat was het laatste wat we die nacht tegen elkaar zeiden.*

Dat was het laatste wat we die nacht tegen elkaar zeiden.

Hij had gelogen. En waarom zou hij dat hebben gedaan?

HOOFDSTUK 45

Ik stond op van mijn stoel en duizenden mensen keken naar me, bestudeerden me, vormden zich een mening, beoordeelden me, hingen me op en verbrandden me ter plekke. Ik zag Helena op de voorste rij, duidelijk van streek door hoe het allemaal liep. Ze had haar handen stevig in elkaar tegen haar borst geklemd alsof ze bad, en in haar ogen glinsterden tranen. Ik glimlachte naar haar, want ik vond het zielig voor haar. Voor *haar*. Ze knikte me bemoedigend toe. Joseph, op het podium, deed hetzelfde. Ik wist niet precies waar ik bang voor moest zijn, en daarom was ik het waarschijnlijk ook niet. Ik begreep niet wat er aan de hand was, waarom het zo enorm belangrijk was dat iets van mij was kwijtgeraakt, waarom iets wat zo positief was, in zoiets negatiefs kon veranderen. Het enige wat ik wel begreep was dat degenen die hier al langer waren dan ik, bang voor me waren, en dat was genoeg. Het leven was de laatste paar dagen al ongemakkelijker voor me geworden, met mensen die me volgden, en me vroegen of ik hun familie kende. Ik wilde niet dat dat nog erger werd.

De vertegenwoordigster richtte haar ogen op me. 'Welkom, Sandy. Ik weet dat het niet eerlijk lijkt om dit zo publiekelijk te doen, maar je hebt gehoord waarom we het zo moeten doen.'

Ik knikte.

'Ik moet je vragen, dat gerucht dat er spullen van jou kwijtraken,' ze zweeg even, het was duidelijk dat ze de vraag niet wilde stellen uit angst voor het antwoord, 'kun je alsjeblieft bevestigen dat het niet waar is?'

'Je legt haar woorden in de mond!' riep een man uit, en anderen maanden hem tot stilte.

'Dit is geen rechtbank,' zei de vertegenwoordigster boos. 'Laat mevrouw Shortt alsjeblieft antwoord geven.'

'Het gerucht,' ik keek rond naar de duizenden mensen, van wie sommige naar de vertaling van mijn woorden in hun koptelefoon luisterden, 'is absoluut niet waar.' Er klonken weer allerlei stemmen, dus ik verhief mijn stem. 'Hoewel ik wel begrijp waar het vandaan is gekomen. Ik zwaaide naar iemand en toen vloog het horloge van mijn pols en is in een nabijgelegen veld beland. Ik heb een paar mensen gevraagd of ze me wilden helpen zoeken. Het stelt echt niets voor.'

'En hebben ze het gevonden?' vroeg Grace Burns, niet in staat de opluchting uit haar stem te houden.

'Ja,' loog ik.

'Laat het ons dan eens zien!' riep een man, en een paar honderd anderen stemden daarmee in.

Grace zuchtte. 'Hebt u het horloge nu om?'

Ik verstijfde en keek naar mijn naakte pols. 'Eh... nee, de sluiting is kapotgegaan toen het op de grond viel en die is nog niet gemaakt.'

'Haal het horloge dan!' schreeuwde een vrouw.

'Nee!' schreeuwde ik terug, en iedereen zweeg. Ik voelde dat Bobby verbaasd naar me keek. 'Met alle respect, ik vind dit een belachelijke heksenjacht. Ik heb jullie mijn woord gegeven dat mijn horloge niet kwijt is, en ik weiger met deze poppenkast door te gaan door het hierheen te halen en ermee door de zaal te paraderen. Ik ben hier nog niet lang genoeg geweest om te begrijpen waarom jullie je zo gedragen, maar als jullie me hier zo willen verwelkomen als zou moeten, laat het dan voldoende zijn dat ik mijn woord heb gegeven.'

Dit ging niet goed.

'Alstublieft, mevrouw Shortt,' zei Grace bezorgd. 'Volgens mij is het beste wat u kunt doen de zaal verlaten en het horloge ophalen. Jason gaat met u mee.' Een man in een zwart pak, met een slank en afgetraind lichaam, zo perfect dat hij wel uit het leger moest komen, kwam naar het eind van mijn rij toe. Hij gebaarde met zijn arm naar de deur.

'Ik ken die man helemaal niet.' Ik klampte me aan de laatste strohalm vast. 'Ik ga niet met hem mee.'

Grace keek eerst verward, en was toen op haar hoede. 'Nou, u moet ons het horloge toch brengen, of u het leuk vindt of niet, dus wie zou u het beste kunnen vergezellen?'

Ik dacht snel na. 'De man naast me.'

Bobby sprong op.

Grace kneep haar ogen iets dicht om hem beter te zien, toen was er een flits van herkenning, en ze knikte. 'Heel goed, dan gaan ze allebei met u mee. Tijdens uw afwezigheid gaan we gewoon verder met de vergadering.'

De Nederlandse vertegenwoordiger nam plaats achter de microfoon om over de plannen voor meer molens te praten, maar niemand lette op hem. Alle ogen waren op ons gericht toen we over het lange looppad van de zaal liepen. De mensen die achterin stonden weken voor ons uiteen en we werden door de gigantische deuren verzwolgen. Toen we eenmaal buiten waren, wierp Bobby me een vragende blik toe, in het gezelschap van onze metgezel wilde hij niets zeggen.

'We moeten mijn horloge uit Bobby's winkel halen,' legde ik Jason kalm uit. 'Hij zou de sluiting voor me repareren.'

Bobby knikte, eindelijk begreep hij het.

We kwamen bij de deur van de winkel met verloren voorwerpen aan, waarvan de etalage werd gedecoreerd door felgekleurde eenlingsokken. Het was donker buiten, het dorp leek net een spookstadje nu iedereen in de gemeenschapszaal op me wachtte, op nieuws of het mogelijk was Hier te verlaten of niet.

'Ik wil hier graag op Bobby wachten.' Ik bleef op de veranda staan en keek uit over het donkere bos. Jason zei niets, maar bleef een paar passen achter me staan, met zijn handen in elkaar geslagen voor zich, en bleef samen met me wachten.

'Waar ben je van, de geheime dienst?' plaagde ik, terwijl ik hem van boven tot onder opnam. Hij glimlachte niet, maar wendde zijn blik af. 'Een slechterik uit *The Matrix*? Eén van de *Men in black*? De grootste fan van Johnny Cash?' Hij antwoordde niet. Ik zuchtte. 'Moet je ervoor zorgen dat ik niet wegloop?' vroeg ik hem.

Hij antwoordde niet.

'Zou je me neerschieten als ik dat deed?' vroeg ik bijdehand. 'Jou vragen me te begeleiden,' zei ik, met mijn tong klakkend. 'Denken ze soms dat ik een crimineel ben?' Ik wendde me tot hem. 'Ik wil wel even zeggen dat ik het erg onprettig vind dat je hier bent.'

Hij bleef recht naar voren kijken.

Bobby verbrak de ongemakkelijke stilte door de deur achter zich dicht te slaan. 'Ik heb het, hoor.'

Ik pakte het uit zijn hand en bekeek het.

'Is dat je horloge?' Dit was het eerste wat Jason zei, en hij keek onderzoekend naar mijn gezicht.

Het was een zilveren horloge, met een paarlemoeren wijzerplaat, maar dat waren dan ook de enige overeenkomsten. In plaats van een bandje met open schakels had het een glad bandje, in plaats van een rechthoekige wijzerplaat een ronde.

'Ja, hoor' zei ik vol overtuiging, 'dit is mijn horloge.'

Jason pakte het en deed het om mijn pols. Het was veel te groot, zelfs voor mijn pols. 'Bobby,' Jason wreef vermoeid in zijn ogen, 'haal een ander horloge. Eentje dat past, deze keer.'

We keken hem allebei verbaasd aan.

'Daarvoor ben ik er,' zei hij bijdehand, en hij ging weer op zijn plek op de veranda staan. 'O, en zorg ervoor dat de sluiting kapot is. Je zei dat je het niet omhad omdat het kapot was, toch?'

Ik knikte, nog steeds zwijgend.

'Daar ben je stil van, hè?' zei hij, met een blik op het bos.

Jason, Bobby en ik liepen snel en in stilte terug naar de gemeenschapszaal, waarbij ik het horloge stevig vasthield. Net voordat Jason de deur opentrok, hield ik hem tegen.

'Wat gaat er nu gebeuren?' vroeg ik, terwijl de angst in me steeds groter werd.

'Nou, het lijkt mij het beste dat je naar binnen gaat,' hij dacht er even over na en haalde toen zijn schouders op, 'en liegt.' Hij trok de deur open en duizenden mensen draaiden zich om en keken naar ons.

De toespraak van de Nederlandse vertegenwoordiger stokte direct en Grace Burns liep naar de microfoon. Er was angst te zien op haar gezicht. Bobby en Jason bleven bij de deur staan, Bobby knikte bemoedigend en ik begon het lange looppad over te gaan, naar het podium aan het einde ervan. Als ik me niet zo ongemakkelijk had gevoeld, had ik om de ironie ervan kunnen lachen. Gregory had er alles voor over gehad om me over een looppad te laten lopen en zijn cadeau, het horloge, was eindelijk succesvol gebleken.

Ik kwam aan het eind en gaf het horloge aan Grace. Ze bekeek het goed, maar ik vroeg me af hoe zij in vredesnaam zou moeten weten of dit mijn horloge was of niet. Het leek allemaal zo belachelijk. Het was allemaal toneelspel om degenen die zich hier niet op hun gemak voelden gerust te stellen, zodat ze niet in opstand zouden komen en eisen dat er een uitweg werd gevonden.

'Hoe weten we of dat wel haar horloge is?' riep iemand, en ik sloeg mijn ogen ten hemel.

'Haar naam staat op de achterkant gegraveerd!' riep iemand anders, en ik werd koud. Er waren maar een paar mensen die dat wisten. Ik keek onmiddellijk naar Joseph, maar aan de blik op zijn gezicht zag ik dat hij het niet was geweest. Hij keek boos naar Helena, die nog bozer naar... Joan keek. Joan zat op de eerste rij, met een rood gezicht, naast de man die dat had geroepen. Ze had het blijkbaar opgevangen. Ze keek verontschuldigend naar Helena en mij. Ik wendde mijn blik af, ik wist niet hoe ik me moest voelen, ik wist niet goed wat hier de uitkomst van zou zijn.

'Klopt dat?' De vertegenwoordigster keek me aan.

'Ik verzeker je dat het klopt,' schreeuwde de man weer.

Mijn gezicht verraadde het, denk ik.

Ze draaide het horloge om om te kijken of mijn naam op de achterkant stond. Ze leek tevreden. 'Er staat "Sandy Shortt" op de achterkant gegraveerd.'

Er klonk een luide zucht, en nog meer gepraat in het publiek.

'Sandy, dank je wel voor de medewerking. Je hoeft hier niet langer te blijven en je kunt je leven hier verder bij ons leiden. Ik hoop dat de mensen van nu af aan wat hartelijker zullen zijn,' zei ze met een warme glimlach.

Stomverbaasd pakte ik het horloge aan, omdat ik niet geloofde dat Bobby mijn naam zo snel had kunnen graveren. Snel liep ik over het looppad, terwijl de mensen applaudisseerden en naar me glimlachten, sommige verontschuldigend, andere nog steeds niet overtuigd, maar die zouden het waarschijnlijk nooit zijn. Ik greep Bobby bij zijn hand en trok hem mee de zaal uit.

'Bobby!' zei ik lachend, toen we op veilige afstand van de gemeenschapszaal waren. 'Hoe is je dat in godsnaam gelukt?'

Bobby zag er ontdaan uit. 'Wat?'

'Om mijn naam zo snel te graveren!'

'Dat heb ik helemaal niet gedaan,' zei hij geschokt.

'Wat?' Ik draaide het horloge om. Een gladde metalen achterkant glom me tegemoet.

'Kom op, we gaan naar binnen,' zei Bobby, en hij deed de deur van de winkel open terwijl hij onzeker om zich heen keek.

In de schaduwen klonk lawaai en Jason stapte naar voren.

Ik sprong op.

'Sorry dat ik je heb laten schrikken,' zei hij, op zijn robotachtige toon. 'Sandy,' er glipte emotie door in zijn stem en zijn lichaam ontspande iets toen hij in het licht van de veranda stapte. 'Ik vroeg me af of je mijn vrouw, Alison, kent?' vroeg hij opgelaten. 'Alison Rice? We komen uit Galway. Uit Spiddal.' Hij slikte moeizaam, zijn agressieve voorkomen verzachtte en hij zag er kwetsbaar uit, zijn gezicht een en al bezorgdheid.

Nog steeds verrast door zijn plotselinge verschijning, liet ik de naam een paar keer door mijn hoofd gaan. Omdat ik hem niet herkende, schudde ik langzaam mijn hoofd. 'Nee, sorry.'

'Oké.' Hij schraapte zijn keel en ging weer rechtop staan, de hardheid kwam terug alsof hij de vraag nooit had gesteld. 'Grace Burns zei me dat ik tegen je moest zeggen dat je morgenochtend vroeg naar haar kantoor moet komen.' En hij verdween weer in de duisternis.

HOOFDSTUK 46

Jack voelde de woede door zijn aderen pompen. De spieren in zijn gezicht trokken samen, zich voorbereidend op het grote gevecht, terwijl hij zijn ademhaling en boosheid onder controle probeerde te houden. Zijn kiezen voelden aan alsof ze op de rit ernaartoe tot aan de wortel waren vermalen. Zijn wangen waren warm en bonsden mee met de rest van zijn lichaam. Hij balde en ontspande zijn vuisten terwijl hij door de drukke pub in Limerick liep.

Hij zag Alan alleen aan een klein tafeltje zitten met een pint voor zich, hij zat met een stoel voor zich op Jack te wachten. Alan keek op en zwaaide, een glimlach brak door op zijn gezicht en in dat gezicht zag Jack de tienjarige die elke dag bij hen thuis kwam. Hij bereidde zich voor om zich op Alan te werpen, maar hield zichzelf tegen. In plaats daarvan ging hij naar de wc, waar hij aan de wastafel water in zijn gezicht gooide, hijgend alsof hij een marathon had gelopen. Dat was het enige wat hij kon doen om zich ervan te weerhouden Alan te vermoorden.

Wat had hij gedaan? Wat had Alan in vredesnaam gedaan?

HOOFDSTUK 47

De week dat Jenny-May Butler verdween, kwamen de gardaí
naar onze school in Leitrim. We waren allemaal heel erg
opgewonden omdat onze directeur zich maar zelden ver-
waardigde ons nederige kinderen met zijn aanwezigheid te verblij-
den, vooral in de klas. Zodra we zijn strenge, beschuldigende gezicht zagen, kregen we kramp in onze buik, en we hoopten meteen
dat we niet in de problemen zaten, ook als we wisten dat we niets
verkeerd hadden gedaan. Onze belangrijkste reden voor die opwinding kwam door het feit dat hij onze godsdienstles verstoorde om
luid in mevrouw Sullivans oor te fluisteren. Als leraren in de klas
luid gingen fluisteren, betekende dat altijd dat er iets belangrijks
aan de hand was. We hoefden die ochtend geen les meer te volgen
en moesten met onze vinger op onze lippen in een lange rij bij de
deur gaan staan. Voor de leraren had dat meestal niet het gewenste
effect, want die vinger was niet echt een geschikt middel om ons het
zwijgen op te leggen – het was per slot van rekening maar een vinger, geen rits, en, nog belangrijker, het was onze eigen vinger, die we
te allen tijde konden weghalen. Maar die dag zei niemand een
woord toen we de gymzaal in gingen, omdat er vooraan twee leden
van de Gardaí Síochána stonden. Een vrouw en een man, allebei
van top tot teen in marineblauw gekleed.

We zaten op de vloer midden in de gymzaal, met de andere vier-
deklassers. Vooraan zaten de kleuters en kinderen uit lagere klassen,

want hoe ouder je was, hoe verder naar achteren je mocht zitten. De zesdeklassers zaten altijd heel cool op de achterste rij. De zaal was al heel snel gevuld. De leraren stonden langs de muren opgesteld als gevangenisbewaarders, en af en toe knipten ze met een boos gezicht in hun vingers, als er iemand fluisterde of als iemand het zich op de koude en enigszins vieze vloer iets gemakkelijker wilde maken, maar daarbij te veel friemelde.

De directeur stelde de twee politiemensen aan ons voor, hij legde uit dat ze van het plaatselijke politiebureau waren en hier over een heel belangrijke zaak kwamen praten. Hij zei tegen ons dat onze leraar ons later in de klas vragen zou stellen over wat ze hadden gezegd. Ik keek naar de leraren toen hij dit aankondigde en zag dat een paar zich ineens concentreerden om te luisteren. Toen begon de mannelijke politieagent te praten, hij stelde zichzelf voor als garda Rogers, en zijn collega als garda Brannigan, en terwijl hij langzaam heen en weer liep met zijn handen op zijn rug, legde hij uit dat we onbekende mensen niet moesten vertrouwen, dat we niet bij hen in de auto moesten stappen, zelfs niet als ze tegen ons zeiden dat ze door onze ouders waren gestuurd om ons op te halen. Daardoor stelde ik me voor dat ik zou weigeren om in de auto van mijn oom Fred te stappen, als hij me op woensdagmiddag kwam ophalen, en ik lachte bijna hardop. Hij zei tegen ons dat we het altijd moesten vertellen als we merkten dat iemand vriendelijker deed dan normaal. Als iemand ons benaderde of we zagen dat iemand anders werd benaderd, dan moesten we het meteen aan onze ouders of leraar vertellen. Ik was tien jaar en ik weet nog dat ik dacht aan die keer toen ik zeven was en zag dat Joey Harrison bij school werd opgepikt door een vreemde man. Ik had het aan de lerares verteld en die had me op mijn kop gegeven omdat het zijn vader was en ze me onbeschoft vond.

Ook was dit praatje over veiligheid voor mij als tien-, bijna elfjarige, niets nieuws. Maar ik denk dat dit specifieke praatje vooral voor de vijf- en zesjarigen was, die vooraan in de zaal zaten, in hun neus peuterden, op hun hoofd krabden en naar het plafond keken. Een eerste rij kleine sprinkhanen. Op dat moment wilde ik nog helemaal niet bij de politie. Het was niet die vrije dag in veiligheid waardoor mijn ambitie werd aangewakkerd, het waren de eenlingsokken. Ook wist ik dat het praatje werd gehouden omdat Jenny-May die week was verdwenen. Iedereen had er de hele tijd raar over gedaan. Onze lerares was zelfs een paar keer in tranen het lokaal uit gegaan toen haar ogen op Jenny-Mays lege stoel vielen. Stiekem was ik opgetogen, hoewel ik wist dat het verkeerd was, maar dit was de eerste week rust op school in jaren. Eindelijk kreeg ik geen propjes papier tegen mijn hoofd, die Jenny-May door een rietje naar me toe blies, en als ik een vraag beantwoordde hoorde ik geen gegniffel achter me. Ik wist best dat er iets vreselijk verdrietigs was gebeurd, maar ik voelde me niet verdrietig.

De eerste paar weken na haar verdwijning baden we elke dag voor Jenny-May, voor haar veiligheid, haar familie en dat ze gevonden zou worden. In de loop der weken werd het gebed steeds korter, en op een maandag, toen we na het weekend weer terugkwamen, liet mevrouw Sullivan plotseling zonder iets te zeggen het gebed weg. De tafels werden anders opgesteld en, boem!, alles werd weer zoals normaal. Ik vond dat nog vreemder dan het feit dat Jenny-May überhaupt verdwenen was. Die dag keek ik de eerste paar minuten hoe iedereen een gedicht opzei, alsof ze gek waren, maar de lerares gaf me een standje omdat ik het gedicht niet had geleerd, hoewel ik de avond ervoor urenlang bezig was geweest, en de rest van de dag bleef ze de pik op me houden.

Nadat garda Rogers het veiligheidspraatje had afgerond, was het de beurt aan garda Brannigan om het meer in het bijzonder over Jenny-May te hebben. Ze zei met zachte stem dat, als iemand iets wist of informatie had over iets wat hij de laatste paar weken of maanden had gezien, hij naar lokaal vier moest komen, naast de lerarenkamer, omdat zij en garda Rogers daar de rest van de dag zouden zijn. Mijn gezicht gloeide, omdat het net was alsof ze het rechtstreeks tegen mij had. Ik keek om me heen, paranoïde, en het leek net alsof dit hele gebeuren speciaal voor mij in scène was gezet, zodat ik alles zou bekennen wat ik wist. Niemand keek vreemd naar me, behalve James Maybury, die een korstje van zijn elleboog peuterde en naar me toe gooide. Onze lerares knipte met haar vingers, wat niet echt effect had omdat hij het kattenkwaad al had uitgehaald en hij niet bang was, noch maakte hij zich erge zorgen over knippende vingers.

Toen het praatje voorbij was, zeiden de leraren nog een keer dat we, als we iets wisten, naar lokaal vier moesten gaan om met de gardaí te praten, en toen kregen we lunchpauze, wat heel stom was, want niemand wilde natuurlijk het speelkwartiertje op het schoolplein missen door naar de politiemensen te gaan. Toen we terug in de klas waren en mevrouw Sullivan tegen ons zei dat we onze rekenboeken moesten pakken, vlogen er ineens allerlei handen de lucht in. Kinderen herinnerden zich plotseling heel belangrijke informatie. Maar wat kon mevrouw Sullivan anders doen? En dus stond er voor de deur van het lokaal waar de politiemensen zaten een lange rij leerlingen van alle leeftijden, van wie sommige Jenny-May Butler nog nooit hadden ontmoet.

Lokaal vier kreeg als bijnaam de verhoorkamer, en het verhaal over wat er daarbinnen gebeurde werd steeds meer overdreven met iedere leerling die naar buiten kwam en zich weer bij zijn vriendjes voegde. Er waren zo veel leerlingen die zeiden dat ze informatie hadden, dat de politiemensen de volgende dag moesten terugkomen, maar in elke klas werd er wel streng aangekondigd dat hoewel ieders hulp erg op prijs werd gesteld, de tijd van de politie heel kostbaar was en de leerlingen alleen maar naar lokaal vier moesten komen als ze echt iets belangrijks te vertellen hadden. Op de tweede dag had de lerares me al twee keer verboden om naar lokaal vier te gaan, een keer tijdens geschiedenis en een keer tijdens Iers.

'Maar ik vind Iers juist leuk, juffrouw,' protesteerde ik.

'Mooi zo, dan ben je waarschijnlijk wel blij dat je moet blijven,' bitste ze, voordat ze me de opdracht gaf een heel hoofdstuk voor te lezen.

Ik moest dus mijn hand wel opsteken tijdens tekenen op vrijdagmiddag. Iedereen was dol op tekenen. Mevrouw Sullivan keek me verbaasd aan.

'Mag ik nu gaan, juffrouw?'

'Naar de wc?'

'Nee, naar lokaal vier.'

Ze keek verbaasd, maar nam me eindelijk serieus en ik mocht van tekenen weg, terwijl iedereen 'ooooooo' zei.

Ik klopte op de deur van lokaal vier en garda Rogers deed de deur open. Hij was wel een meter tachtig. Op mijn tiende was ik al een meter drieënzestig, en ik was blij dat er eindelijk iemand boven me uit torende, zelfs als hij intimiderend was, een politie-uniform aanhad en ik iets aan hem zou moeten bekennen.

'Weer rekenen?' vroeg hij met een grote glimlach.

'Nee,' zei ik zo zachtjes dat ik mezelf bijna niet kon verstaan. 'Tekenen.'

'O.' Hij trok zijn dikke, op rupsen lijkende wenkbrauwen verbaasd op.

'Ik ben verantwoordelijk,' zei ik snel.

'Nou, dat is altijd goed, maar ik denk niet dat je door een keertje rekenen te missen onverantwoordelijk bent, maar dat moet je maar niet tegen je juf zeggen.' Hij tikte tegen zijn neus.

'Nee,' zei ik, en ik haalde diep adem. 'Ik bedoel dat ik verantwoordelijk ben voor de verdwijning van Jenny-May.'

Deze keer glimlachte hij niet. Hij deed de deur verder open. 'Kom binnen.'

Ik keek het lokaal rond. Het leek in niets op de geruchten die de afgelopen twee dagen waren rondgegaan. Jemima Hayes zei dat iemand tegen een vriendinnetje van haar had gezegd dat iemand tegen haar had gezegd dat er iemand het lokaal niet had uitgemogen om naar de wc te gaan en dat hij het toen in zijn broek had gedaan. Het lokaal was helemaal niet bedreigend, er stond een bank tegen een muur, een tafeltje in het midden en een plastic stoeltje ernaast. Er was geen teken van een natte stoel.

'Ga hier maar zitten.' Hij wees naar de bank. 'Ga maar lekker zitten. Hoe heet je?'

'Sandy Shortt.'

'Maar je bent groot voor je leeftijd, nietwaar, juffrouw Shortt?' zei hij lachend, en ik glimlachte beleefd hoewel ik dat al tientallen keren had gehoord. Hij hield op met lachen. 'Nou, vertel eens, waarom denk je dat jij er verantwoordelijk voor bent dat Jenny-May is verdwenen, zoals je dat noemt?'

Ik fronste mijn wenkbrauwen. 'Hoe noemen jullie het dan?'

'Nou, we weten niet zeker of... ik bedoel, er is niets wat erop duidt dat...' Hij zuchtte. 'Vertel me maar gewoon waarom je denkt dat je verantwoordelijk bent.' Hij gebaarde dat hij meer wilde horen.

'Nou, Jenny-May vond me niet aardig,' begon ik langzaam, en ik werd plotseling nerveus.

'Ik weet zeker dat dat niet waar is,' zei hij vriendelijk. 'Waarom denk je dat?'

'Ze noemde me altijd een slungelige slons en gooide stenen naar me.'

'O.' Hij zweeg.

Ik haalde diep adem. 'En vorige week was ze erachter gekomen dat ik tegen mijn vriend Emer had gezegd dat ik vond dat zij niet zo goed was in Koning/Koningin als iedereen dacht, en toen werd ze heel boos en toen stormde ze naar Emer en mij toe en daagde ons uit voor een spelletje – nou ja, niet ons, eigenlijk, ze zei helemaal niets tegen Emer, alleen tegen mij. Ze vindt Emer ook niet aardig, maar ze vindt mij nog minder aardig, en ik was degene die het had gezegd, dus de volgende dag zouden we het spelletje gaan spelen, Jenny-May en ik, en wie er die dag zou winnen, zou de onbetwiste winnaar zijn, en dan kon niemand meer zeggen dat ze niet goed was, omdat ze had bewezen dat ze wel goed was door te winnen. Ze wist ook dat ik Stephen Spencer wel leuk vond en ze schreeuwde altijd dingen tegen me waardoor hij me niet leuk zou vinden, maar ik wist dat zij hem ook leuk vond. Nou ja, dat was ook wel duidelijk omdat ze een paar keer aan het eind van de weg in de bosjes hebben getongzoend voor een weddenschap, maar volgens mij vindt hij haar niet echt aardig en misschien is hij nu ook blij dat ze weg is, zodat hij met rust wordt gelaten, maar ik wil niet zeggen dat hij iets heeft gedaan om haar te laten verdwijnen. Nou goed, de dag dat we Koning/Koningin zouden spelen zag ik Jenny-May Butler langs mijn huis fietsen en ze keek me boos aan en ik wist dat ze me die dag bij Koning/Koningin zou verslaan en dat het allemaal nog erger zou worden dan het al was en...' Ik hield op met praten en drukte mijn lippen op elkaar, omdat ik niet zeker wist of ik wel zou zeggen wat ik voelde.

'Wat is er toen gebeurd, Sandy?'

Ik slikte moeizaam.

'Heb je iets gedaan?'

Ik knikte en hij schoof naar voren in zijn stoel.

'Wat heb je gedaan?'

'Ik... ik...'

'Toe maar, vertel het maar.'

'Ik wenste haar weg,' zei ik snel, net alsof ik een pleister van mijn huid trok, snel en makkelijk.

'Sorry, wat heb je gedaan?'

'Ik wenste haar weg.'

'Wensjte? Is dat een wapen of zo?'

'Nee, wenste. Ik heb haar weggewenst.'

'Aha.' Het besef drong door en hij ging langzaam weer naar achteren zitten. 'Nu snap ik het.'

'Nee, u zegt dat u het begrijpt, maar dat is niet zo. Ik heb echt gewenst dat ze zou verdwijnen, veel meer dan ik ooit iets heb weggewenst in mijn leven, zelfs meer dan toen oom Fred een maand bij ons in huis woonde nadat hij en tante Isabel uit elkaar waren gegaan en hij rookte en dronk en het heel erg stonk in huis en ik echt wilde dat hij weg was, maar niet zo erg als ik wilde dat Jenny-May weg was, en een paar uur nadat ik dat had gewenst, kwam mevrouw Butler naar ons huis toe en zei dat ze weg was.'

Hij leunde weer naar voren. 'Dus een paar uur voordat mevrouw Butler naar jullie huis kwam heb je Jenny-May nog gezien?'

Ik knikte.

'Hoe laat was het toen?'

Ik haalde mijn schouders op.

'Is er iets waardoor je je kunt herinneren hoe laat het toen was? Denk eens terug – wat was je aan het doen? Was er iemand anders bij je?'

'Ik had net de deur opengedaan voor mijn opa en oma. Ze kwamen bij ons lunchen en ik gaf oma net een knuffel toen ik haar voorbij zag fietsen. Toen heb ik het gewenst.' Ik kromp in elkaar.

'Het was dus lunchtijd. Was er iemand bij haar?' Hij zat nu op de rand van zijn stoel, en negeerde mijn bezorgdheid over het feit dat ik haar had weggewenst. Hij stelde vraag na vraag over wat Jenny-May aan het doen was, met wie ze samen was, hoe ze eruitzag, wat ze droeg, waar ik dacht dat ze naartoe was gegaan – heel veel vragen, steeds opnieuw, totdat ik hoofdpijn kreeg en bijna niet meer kon nadenken over de antwoorden. Het bleek dat ik zo nuttig voor hen was, omdat ik de laatste was die haar had gezien, dat ik die dag eerder naar huis mocht. Weer een voordeel van Jenny-Mays verdwijning.

Een paar avonden voordat de gardaí naar school kwamen, was ik me schuldig gaan voelen over Jenny-Mays verdwijning. Ik keek met mijn vader naar een documentaire over 150 mensen in Washington DC die afspraken om tegelijkertijd positieve gedachten te denken, en toen ging het misdaadcijfer naar beneden, wat bewees dat positief en negatief denken echt effect hadden. Maar toen vertelde garda Rogers me dat het niet mijn schuld was dat Jenny-May Butler verdwenen was, dat als je wenste dat iemand verdween, dat er niet voor zorgde dat het ook echt gebeurde, dus daarna werd ik heel wat realistischer.

En daar was ik dan, hier stond ik 24 jaar later voor het kantoor van Grace Burns, op het punt om op de deur te kloppen, en ik voelde me net als toen ik tien was. Ik had hetzelfde gevoel dat ik ergens verantwoordelijk voor was dat niet in mijn macht lag, maar ook geloofde ik op een of andere kinderlijke manier dat ik sinds mijn tiende stilletjes en onbewust had gewenst dat ik een plek als deze zou ontdekken.

HOOFDSTUK 48

'Jack, gaat het?' vroeg Alan, zodra Jack tegenover hem aan het lage tafeltje was gaan zitten. De bezorgdheid stond op zijn gezicht geschreven, en de twijfel besprong Jack weer.

'Het gaat wel,' antwoordde Jack, en hij zette zijn drankje neer, schoof heen en weer op zijn stoel en probeerde verward de woede uit zijn stem te houden.

'Je ziet er vreselijk uit.' Hij keek naar Jacks been, dat heen en weer wipte.

'Het gaat goed, hoor.'

'Weet je dat zeker?' Alans ogen vernauwden zich.

'Ja, hoor.' Hij nam een slok Guinness en dacht terug aan de herinnering die bij hem was opgekomen toen hij dat de laatste keer deed. Alans leugen.

'Wat is er aan de hand?' vroeg Alan. 'Aan de telefoon klonk het alsof er brand was. Heb je me iets belangrijks te vertellen?'

'Nee, hoor, geen brand.' Jack keek rond, vermeed oogcontact en deed alles om Alan geen klap te verkopen. Hij moest dit op de juiste manier aanpakken, en hij probeerde zich te ontspannen. Zijn been hield op met heen en weer wippen, hij leunde naar voren en staarde in zijn glas. 'Alleen, deze week ben ik op zoek geweest naar Donal, en dat heeft alles weer naar boven gebracht, weet je?'

Alan zuchtte en staarde ook in zijn glas. 'Ja, ik weet het. Ik denk er elke dag aan.'

'Waaraan?'

Alan keek snel op. 'Hoe bedoel je?'

'Ik bedoel, waar denk je zo elke dag aan?' Jack probeerde de ondervragende klank uit zijn stem te houden.

'Ik weet niet wat je bedoelt. Ik denk aan het hele gedoe,' zei Alan, met gefronst voorhoofd.

'Nou, ík denk eraan dat ik wilde dat ik er die avond bij was geweest, dat ik Donal beter had gekend, omdat ik dan misschien...' Jack hief zijn handen omhoog. 'Misschien, misschien, misschien. Misschien zou ik dan weten waar ik moest zoeken, misschien kende ik dan plekken of mensen waar hij naartoe zou gaan voor de veiligheid of voor zijn privacy. Dat soort dingen, weet je? Misschien waren er wel mensen voor wie hij op de vlucht was, mensen met wie hij in aanraking was gekomen. We hebben nooit veel over privézaken gepraat, en elke dag denk ik aan het feit dat als ik een betere broer was geweest, ik hem misschien wel had gevonden. Misschien zou hij hier dan samen met ons een biertje zitten drinken.'

Beiden keken ze als vanzelf naar de lege stoel naast hen.

'Dat soort dingen moet je niet denken, Jack. Je was een goede broe...'

'Hou op,' onderbrak Jack hem, en hij verhief zijn stem.

Alan hield verbaasd op. 'Waarmee?'

Jack keek hem recht in zijn ogen. 'Met liegen.'

Angst, onzekerheid kroop over Alans gezicht en Jack wist dat zijn intuïtie klopte. Alan keek bang rond door de zaal, maar Jack trok zijn aandacht. 'Je hoeft me niet te vertellen dat ik een goede broer was, want ik weet dat ik dat niet was. Je moet niet tegen me liegen om ervoor te zorgen dat ik me beter ga voelen.'

Alan leek opgelucht door dit antwoord. 'Oké, je was een heel slechte broer,' zei hij glimlachend, en ze moesten allebei lachen.

'Hoezeer ik het mezelf ook kwalijk neem dat ik er die avond niet was, diep vanbinnen weet ik dat zelfs als ik er wel was geweest dit waarschijnlijk toch zou zijn gebeurd. Want ik weet dat jij op hem paste, jij hebt altijd op hem gepast.'

Alan glimlachte triest naar zijn glas.

'De laatste keer dat we met elkaar praatten, gaf je jezelf de schuld dat je die avond niet met Donal was meegegaan.' Jack pakte een doorweekt bierviltje en begon langzaam het label eraf te pulken. 'Ik weet hoe het voelt om jezelf de schuld te geven; dat voelt heel naar. Ik ben naar iemand toe geweest, voor geestelijke bijstand.' Hij krabde opgelaten op zijn hoofd. 'Hij vertelde me dat het heel normaal was om jezelf de schuld te geven. Ik vond het belangrijk om je dat te vertellen. Bij een biertje.'

'Dank je wel,' zei Alan zacht, 'dat vind ik heel fijn.'

'Ja, nou ja... jij hebt in elk geval nog met hem gepraat voordat hij wegging, toch?'

Aan Alans gezicht was te zien dat hij niet wist waar dit naartoe ging, maar Jacks stem klonk nog steeds niet dreigend, en hij was erin geslaagd zichzelf nu volledig te kalmeren, hij negeerde wat hij vermoedde.

'Je hebt geluk gehad. De rest van de jongens heeft hem niet eens zien weggaan.'

'Ik ook niet.' Alan begon heen en weer te schuiven.

'Jawel, hoor,' zei Jack. 'Dat zei je vorige week nog.' Hij nam nog een slok Guinness en keek rond, terwijl hij probeerde het gesprek luchtig te houden. 'Druk hier, vind je ook niet? Ik dacht niet dat het zo vroeg op de avond zo druk zou zijn.' Hij keek op zijn horloge: zes uur. Het leek wel of het dagen geleden was dat hij Sandy's moeder had ontmoet, geen uren. 'Vorige week zei je dat je wilde dat je met hem was meegegaan en dat je dacht dat het in orde was dat hij een taxi die kant op nam.'

Alan leek niet op zijn gemak. 'Dat heb ik n...'

'Wel waar,' onderbrak Jack hem, en hij lachte. 'Ik ben dan misschien gek aan het worden, maar dat herinner ik me wel. Maar ik was blij om dat te horen.'

'Echt?'

'Ja,' zei Jack, blij knikkend, 'omdat dat betekende dat hij niet zomaar is gaan ronddwalen, weet je. Hij heeft dat tegen iemand gezegd, zo is het ook logisch dat hij die richting uit liep. Daardoor moet je je toch wel beter voelen. De andere jongens zijn gefrustreerd omdat ze helemaal niets hebben gemerkt. Ze geven zichzelf de schuld dat ze niet hebben gezien dat hij wegging. Daar zit jij in elk geval niet mee.'

Alan bewoog zenuwachtig. 'Ja, dat denk ik dan ook.' Hij pakte een pakje shag uit het zakje van zijn overhemd. 'Ik ga buiten even roken. Ik ben zo terug.'

'Wacht nog even,' zei Jack. 'Ik drink dit leeg en dan kom ik met je mee.'

'Je rookt helemaal niet.'

'Ik ben weer begonnen,' loog Jack. Het laatste wat hij wilde was dat Jack zou verdwijnen. Hij kreeg maar één kans. 'Waarom is het vanavond zo druk?' vroeg hij rondkijkend.

Alan ontspande zich. 'Weet ik niet.' Hij pakte een vloeitje en legde er shag op. 'Omdat het zaterdag is, denk ik.'

'Dan kunnen we vanavond wel een taxi aan Arthur's Quay nemen, lijkt me,' zei Jack nonchalant. 'Ik heb de auto thuisgelaten.'

'Hoe bedoel je?'

'Je had toch tegen Donal gezegd dat hij daar een taxi kon krijgen?'

Alan haalde zijn neus op en slikte, maakte zijn neusgaten schoon. Hij maakte geluid, maar gaf geen antwoord. Langzaam rolde hij de sigaret tussen zijn handen heen en weer; Jack zag dat hij nadacht. Het allemaal op een rijtje probeerde te zetten.

'Het is waarschijnlijk niet zo'n goed idee om dat nu nog aan iemand aan te raden,' zei Jack, een beetje te boos.

Alan hield op met zijn sigaret te spelen en keek Jack aan. 'Wat is er aan de hand, Jack?'

'Er gaan een paar dingen door mijn hoofd.' Hij krabde met zijn duim op zijn voorhoofd en zag dat zijn vingers trilden van boosheid. Alan keek op en zag het ook. Zijn ogen vernauwden zich. 'Ik heb het contact verloren met de vrouw die me hielp Donal te vinden,' legde Jack uit, hij hoorde dat zijn stem trilde, maar kon er niets aan doen. 'En daar word ik gek van. Maar wat me het meest dwarszit,' zei hij tussen zijn op elkaar geklemde tanden door, 'is het feit dat je de politie en mijn familie en iedereen die het horen wilde vertelde dat je niet had gezien dat Donal wegging. Vorige week vertelde je me dat je hem wel had zien weggaan. Je had zelfs nog met hem gepraat, je had hem zelfs nog verteld waar hij een taxi kon krijgen.'

Alans ogen werden steeds groter toen hij sprak. Zijn handen begonnen nog meer te friemelen, hij bewoog ongemakkelijk op zijn stoel heen en weer en op zijn bovenlip verscheen een zweetdruppeltje.

'Het is niet logisch, Alan. En misschien is het ook niet belangrijk, maar kun je me vertellen waarom je een heel jaar hebt gelogen over het feit dat je tegen mijn broer, jouw beste vriend, hebt gezegd dat hij naar een bepaalde plek moest voor een taxi, waarvandaan hij is verdwenen?' De woede werd steeds groter, en het volume van zijn stem harder.

Alan begon te trillen. 'Ik had er niets mee te maken.'

'Waarmee?'

'Dat Donal verdwenen is. Ik had er niets mee te maken.' Hij wilde opstaan, maar Jack stak zijn hand uit en duwde hem op zijn schouder naar beneden. De shag uit het pakje viel op het tapijt. Jack hield zijn hand stevig op de plek en hield hem naar beneden.

'Wie dan wel?' vroeg hij boos.

'Dat weet ik niet.'

Jack begroef zijn vingers in Alans schouderblad. Alleen maar huid en botten.

'Jezus, moeten we dit hier doen?' vroeg Alan gepijnigd, terwijl hij tevergeefs uit Jacks greep los probeerde te komen.

Jack leunde naar voren. 'Wat hier doen? Is er een andere plek waar je liever naartoe wilt? Het politiebureau misschien?'

'Ik heb niets gedaan,' siste Alan. 'Ik zweer het.'

'Waarom heb je dan gelogen?'

'Ik heb niet gelogen,' zei hij, met wijdopen ogen, die eruitzagen alsof hij in zijn hele leven nog nooit de waarheid had gesproken. 'Ik heb niet echt een schoon strafblad. Ik dacht dat de politie zou denken dat ik er iets mee te maken had.'

Hun gezichten waren nu slechts centimeters van elkaar verwijderd. 'Vertel me de waarheid.'

'Dat heb ik gedaan.'

'Hij was je beste vriend, Alan, hij was er altijd voor j...'

'Dat weet ik,' onderbrak hij, en hij drukte zijn met nicotine be-
vlekte, trillende vingers tegen zijn hoofd. Er welden tranen op in
zijn ogen en hij keek naar beneden, zijn hele lichaam beefde.

'Je kunt me de waarheid vertellen en zorgen dat ik weet wat er
aan de hand is, of ik ga naar de politie,' dreigde Jack.

Het leek alsof er uren waren verstreken voordat Alan de moed
bijeengeraapt had om weer iets te zeggen. 'Donal is bij iets betrokken geraakt,' zei hij, zo zacht dat Jack zijn hoofd nog dichterbij
moest brengen. Hun hoofden raakten elkaar nu bijna.

'Je liegt.'

'Ik lieg niet.' Alans hoofd schoot omhoog en Jack zag dat hij deze
keer de waarheid sprak. 'Ik werkte voor die kerels...'

'Wat voor kerels?'

'Dat kan ik niet zeggen.'

Jack stak zijn hand uit en greep hem bij zijn kraag. 'Wie zijn het?'

'Ik help je zo veel ik kan, Jack,' zei Alan met schorre stem, zijn gezicht liep al rood aan.

Jack maakte zijn greep iets losser, genoeg zodat Alan weer kon
ademen, en luisterde.

'Ze hebben Donal erbij gehaald om wat dingen op hun computer
te programmeren. Ik had hem aanbevolen omdat hij gestudeerd
had, maar hij zag en hoorde een paar dingen die hij niet had mogen
zien en horen, en toen werden ze boos. Ik zei tegen hen dat hij niets
zou zeggen, maar Donal dreigde dat wel te doen.'

'Waarover?' Jack was razend. Hij kon er niet bij dat na een jaar
zoeken het antwoord hier thuis lag, dat de waarheid bij zijn broers
beste vriend lag.

'Dat kan ik niet vertellen,' zei Alan tussen op elkaar geklemde
tanden heen, spuug droop uit zijn mondhoeken. 'Ik kon het Donal
niet uit zijn hoofd praten om uit de school te klappen. Hij probeerde me op het rechte pad te brengen, maar hij begreep niet hoe serieus ze waren. Hij wilde niet luisteren.' Zijn hele lichaam trilde en de
tranen sprongen Jack in de ogen toen hij wachtte. Alans stem brak

en het was duidelijk dat hij zich schaamde toen hij fluisterde: 'Het was de bedoeling dat ze hem op zijn donder zouden geven, hem zouden waarschuwen, bang zouden maken.'

Het was net alsof er een rood waas voor Jacks ogen verscheen. De woede pompte door zijn aderen. 'En jij hebt hem er recht in laten lopen.' Zijn stem was schor. Jack sprong uit zijn stoel, greep Alan bij de keel en trok hem van de stoel af. Hij viel tegen de muur, de spiegel achter Alans hoofd sprong door de klap kapot. Het was stil geworden in de pub en mensen maakten zich uit de voeten voor de twee mannen. Jack sloeg Alans hoofd nog een keer hard tegen de muur. 'Waar is hij?' siste hij, zijn gezicht vlak voor dat van Alan.

Alan maakte een geluid alsof hij stikte en Jack drukte zijn keel nog harder dicht. Alan probeerde iets te zeggen en Jack kwam tot zichzelf en maakte zijn greep losser. 'Waar is zijn lichaam?'

Toen hij het antwoord kreeg, liet hij Alans keel los, zodat hij naar beneden viel als een vieze lap en deed een stap naar achteren. Hij liet Graham Turner, die in de buurt zat, de zaak overnemen, en Jack verliet de pub om zijn broer te zoeken. Deze keer kon hij goed afscheid nemen. Deze keer zouden de broers eindelijk rust krijgen.

HOOFDSTUK 49

'Hallo, Sandy.' Grace Burns glimlachte tegen me vanachter haar bureau. Ze had een heel klein kantoortje achter in de afdeling ruimtelijke ordening. Overal stonden modellen van gebouwen en tekeningen van toekomstige plannen voor het omringende land.

Ik ging op de stoel voor haar bureau zitten. 'Dank je wel dat je me gisteravond van die woedende menigte hebt gered,' zei ik als grapje.

'Graag gedaan.' Maar haar glimlach vervaagde snel. 'Wat is er nu echt aan de hand, Sandy. Is je horloge weg?'

Nadat ik tot laat in de nacht met Joseph, Helena en Bobby had gepraat over wat ik het beste kon doen, vonden zij dat ik moest liegen. Daar was ik het niet mee eens.

'Ja, het is weg,' antwoordde ik. Ze sperde haar ogen open en ging rechtop in haar stoel zitten. 'Maar ik wil er absoluut niet iets belangrijks van maken,' waarschuwde ik. 'Ik kan niet uitleggen hoe het verdwenen is, net zoals ik niet kan uitleggen hoe ik hier ben aangekomen. Hoeveel vragen je collega's of wetenschappers of mensen die zich als expert beschouwen ook stellen, deze situatie kan niet worden opgelost. Ik wil ook niet dat die G.I. Joe me nog volgt. Ik weet helemaal niets. Je moet me beloven dat je dit niet gaat rondbazuinen, want ik kan je zeggen dat ik niet zal meewerken.'

'Dat begrijp ik,' zei ze. 'In de tijd dat ik hier ben, zijn er een paar mensen geweest van wie ik weet dat ze hetzelfde hebben gemeld,

maar we konden niets ontdekken, net als dat we door onze onderzoeken ook niet konden achterhalen hoe we hier terechtgekomen
zijn. De mensen van wie ik het weet zijn of verhuisd omdat het toch
bekend werd en het leven onder het toeziend oog van het hele dorp
te moeilijk werd, of het was vals alarm en ze hebben gevonden wat
ze dachten kwijt te zijn. De twee mensen met wie we nauw konden
samenwerken, konden ons gewoon niets tastbaars geven om mee te
werken. Ze wisten niet waarom en hoe het was gebeurd en de meesten van ons zijn tot het besef gekomen dat het niet te begrijpen is.'

'Waar zijn ze nu?'

'De ene is overleden, de ander woont in een ander dorp. Weet je
echt zeker dat je horloge verdwenen is?'

'Het is verdwenen,' verzekerde ik haar.

'Is dat het enige wat verdwenen is?'

Toen verkoos ik wel te liegen. Ik knikte. 'En geloof me, er is niemand beter in zoeken dan ik.' Ik keek haar kamer rond terwijl ze me
bestudeerde.

'Wat voor werk doe je thuis, Sandy?' Ze liet haar kin op haar hand
rusten en keek me aandachtig aan, proberend de puzzel op te lossen.

'Ik heb een bureau voor vermiste personen.'

Ze lachte, maar haar glimlach vervaagde toen ze merkte dat zij de
enige was die lachte. 'Zoek je vermiste personen?'

'En ik breng mensen weer bij elkaar, vind verwanten die mensen
uit het oog hebben verloren, de biologische ouders van geadopteerde kinderen, dat soort dingen,' somde ik op.

Bij elk voorbeeld sperde ze haar ogen verder open. 'Dus jouw geval is echt heel anders dan de gevallen van de anderen over wie ik
het net had.'

'Of het is toeval.'

Dat liet ze even bezinken, maar ze gaf geen commentaar. 'Dus
daardoor weet je zo veel over de mensen hier.'

'Over sommige mensen. Alleen de mensen die meedoen aan het
toneelstuk. Trouwens, de generale repetitie is vanavond. Ik moest je
van Helena uitnodigen.' Ik dacht eraan dat Helena me dat die och-

tend toen ik het huis verliet in mijn hoofd had geprent. 'Het is *The Wizard of Oz*, maar het is geen musical, dat benadrukt Helena tegen iedereen. Het is haar en Dennis O'Sheas interpretatie,' zei ik lachend. 'Orla Keane speelt Dorothy. Ik verheug me er eigenlijk heel erg op,' besefte ik voor het eerst. 'Het idee van het toneelstuk was eigenlijk gewoon een manier om met allerlei mensen te praten zonder verdenking te wekken. We dachten dat dat veel beter was dan op deuren te gaan kloppen en verhalen van thuis te vertellen, maar misschien hadden we er iets beter over moeten nadenken. Ik besefte niet hoe snel mensen hier gaan praten.'

'Dingen gaan hier als een lopend vuurtje rond,' antwoordde Grace, nog steeds verbijsterd. Ze leunde nog verder voorover. 'Was je naar een bepaald persoon op zoek toen je hier aankwam?'

'Donal Ruttle,' zei ik, nog steeds met de hoop dat ik hem zou vinden.

'Nee,' ze schudde haar hoofd, 'die naam komt me niet bekend voor.'

'Hij is nu 25, komt uit Limerick, en zou hier vorig jaar moeten zijn aangekomen.'

'Hij woont in elk geval niet in het dorp hier.'

'Ik ben bang dat hij er helemaal niet is,' dacht ik hardop, en ik voelde medelijden met Jack Ruttle.

'Ik kom uit Killybeggs in Donegal – ik weet niet of je het kent...' Grace leunde weer naar voren.

'Natuurlijk,' zei ik glimlachend.

Haar gelaatstrekken werden zachter. 'Ik ben hier getrouwd, maar mijn meisjesnaam is O'Donohue. Mijn ouders waren Toney en Margaret O'Donohue. Ze zijn overleden. Ik zag mijn vaders naam in de overlijdensberichten in een krant die ik zes jaar geleden heb gevonden. Ik heb hem bewaard.' Ze keek naar de kast tegen de muur. 'Carol Dempsey,' begon ze weer, 'ken je Carol? Zij doet ook mee aan het toneelstuk, geloof ik. Zij komt ook uit Donegal, zoals je weet, en ze heeft me verteld dat mijn moeder dood was toen ze hier een paar jaar geleden aankwam.'

'Gecondoleerd.'

'Tja, nou ja...' zei ze vriendelijk. 'Ik ben enig kind,' legde ze uit, 'maar ik heb een oom Donie die een paar jaar voordat ik hier aankwam naar Dublin was verhuisd.'

Ik knikte, wachtend tot het verhaal zou beginnen, maar ze zweeg en keek me aan. Ik bewoog me ongemakkelijk in mijn stoel, omdat ik ineens snapte dat ze me informatie over haar leven gaf om mijn geheugen op te frissen.

'Sorry, Grace,' zei ik zachtjes. 'Dat is waarschijnlijk geweest voordat ik mijn bureau ben begonnen. Hoe lang ben je hier al?'

'Veertien jaar.' Ik moet haar heel medelijdend hebben aangekeken, want ze verduidelijkte snel: 'Ik vind het hier heerlijk, begrijp me niet verkeerd. Ik heb een geweldige echtgenoot en drie prachtige kinderen en ik zou van mijn levensdagen niet teruggaan, maar ik vroeg me gewoon af...' haar stem stierf weg. 'Het spijt me.' Ze ging weer rechtop zitten en beheerste zich.

'Het maakt niet uit, ik had het ook willen weten,' zei ik vriendelijk, 'maar ik ken de mensen die je noemde niet. Sorry.'

Er viel een stilte en ik dacht dat ik haar overstuur had gemaakt, maar toen ze weer iets zei leek er niets met haar aan de hand te zijn.

'Waarom wilde je vermiste personen vinden? Het is zo'n ongebruikelijke baan.'

Ik lachte. 'Dat is nog eens een vraag.' Ik dacht terug aan hoe het allemaal was begonnen. 'Twee woorden,' zei ik glimlachend. 'Jenny-May Butler. Ze woonde aan de overkant van de straat toen ik als kind in Leitrim woonde, maar ze verdween toen ze tien was.'

'Ja,' zei Grace glimlachend, 'Jenny-May is natuurlijk een prima reden. Wat een mens.'

Het duurde even voordat ik begreep wat ze zei. Ik voelde mijn hart in mijn keel kloppen van verrassing. 'Wat? Wat zei je?'

HOOFDSTUK 50

'**K**om op, Bobby!' riep ik, terwijl ik mijn hoofd om de deur van de winkel met verloren spullen stak.

'Wat?' schreeuwde hij van boven.

'Pak je camera, sleutels, sluit af en kom mee. We moeten gaan!' Ik liet de deur dichtslaan en ijsbeerde over de veranda, terwijl Graces woorden nog in mijn oren klonken. Ze kende Jenny-May. Ze had me verteld waar ze woonde. Ik moest nú naar haar toe. Mijn opwinding had het kookpunt bereikt en stroomde over, terwijl ik buiten ongeduldig op Bobby wachtte. Hij moest me de weg wijzen naar Jenny-Mays huis in het bos, maar ik had niet het geduld om uit te leggen wat ik wilde.

Bobby verscheen bij de deur, hij zag er verbijsterd uit. 'Wat ben je in godsnaam aan het doen...' Hij zweeg toen hij de blik op mijn gezicht zag. 'Wat is er gebeurd?'

'Pak je spullen, Bobby, snel.' Ik wrong me langs hem heen de winkel in. 'Ik leg het onderweg wel uit. Pak de camera.' Ik huppelde om hem heen terwijl hij onhandig zijn spullen probeerde te pakken en het tempo trachtte bij te houden waarin ik mijn bevelen blafte. Tegen de tijd dat hij de winkel had afgesloten, liep ik al in flink tempo over de stoffige straat, me ervan bewust dat er nu, na de gemeenteraadsvergadering van gisteravond, nog meer ogen op me gericht waren.

'Wacht even, Sandy!' Ik hoorde hem achter me hijgen. 'Wat is er met jou aan de hand? Het lijkt wel alsof je een raket in je kont hebt!'

'Misschien is dat ook wel zo,' zei ik glimlachend, terwijl ik me verder haastte.

'Waar gaan we naartoe?' Hij jogde naast me.

'Hierheen.' Ik wierp hem de bladzijde met richtingaanwijzingen toe en bleef lopen.

'Wacht even. Ga eens wat langzamer,' zei hij, terwijl hij probeerde de aanwijzingen te lezen en tegelijkertijd naast me te rennen. Hij moest twee passen tegen één van mijn passen zetten, maar ik bleef doorlopen. 'Stop!' riep hij luid toen we op de markt waren, en mensen draaiden zich om om te kijken. Eindelijk stopte ik. 'Als je wilt dat ik dit goed doorlees, moet je me vertellen wat er aan de hand is.'

Ik sprak sneller dan ik in mijn hele leven had gedaan.

'Oké, ik heb het allemaal gelezen,' zei Bobby, nog steeds enigszins verward, 'maar ik ben nog nooit in die richting geweest.' Hij bekeek het blaadje weer. 'We moeten het Helena of Joseph vragen.'

'Nee! Daar hebben we geen tijd voor. We moeten nú gaan,' jammerde ik als een ongeduldig kind. 'Bobby, op dit moment heb ik de afgelopen 24 jaar van mijn leven gewacht. Hou me nou niet tegen nu ik zo dichtbij ben.'

'Ja, Dorothy, maar hiervoor moet je wel iets meer doen dan over de gele weg lopen,' zei hij sarcastisch.

Ondanks mijn frustratie moest ik lachen.

'Ik begrijp dat je haast hebt, maar als ik je daar naartoe probeer te brengen kost het ons nog eens 24 jaar om er te komen. Ik ken dit deel van het bos niet, ik heb nog nooit van die Jenny-May gehoord en ik heb geen vrienden die daar wonen. Als we verdwalen, zitten we in de penarie. We moeten echt eerst Helena om hulp vragen.'

Hoewel hij bijna half zo oud was als ik, had hij gelijk, dus mopperend stampte ik naar het huis van Helena en Joseph.

Die zaten buiten op de bank voor hun huis van de ontspannen sfeer tijdens de zondagse lunch te genieten. Bobby, die wel voelde dat ik haast had, liep direct naar Helena en Joseph, terwijl Wanda opsprong van de grond waarop ze speelde en naar mij rende.

'Hoi, Sandy,' zei ze, en ze pakte mijn hand en huppelde naast me mee terwijl ik naar het huis liep.

'Hoi, Wanda,' zei ik op verveelde toon, maar ik moest een glimlach onderdrukken.

'Wat heb je in je hand?'

'Wanda's hand,' zei ik.

Ze sloeg haar ogen ten hemel. 'Nee, je ándere hand.'

'Dat is een Polaroidcamera.'

'Waarom?'

'Waarom het een camera is?'

'Nee, waarom heb je een camera?'

'Omdat ik een foto van iemand wil nemen.'

'Van wie?'

'Van een meisje dat ik vroeger kende.'

'Wie?'

'Ze heet Jenny-May Butler.'

'Was dat een vriendinnetje van je?'

'Niet echt.'

'Waarom wil je dan een foto van haar maken?'

'Dat weet ik niet.'

'Omdat je haar mist?'

Ik wilde het gaan ontkennen, maar ik hield mezelf tegen. 'Ik miste haar inderdaad heel erg.'

'En ga je haar vandaag weer zien?'

'Ja,' zei ik glimlachend, en ik pakte Wanda onder haar oksels en zwierde haar rond, ze schaterde ervan. 'Vandaag zie ik Jenny-May Butler weer!'

Wanda begon onbeheersbaar te lachen en zong een liedje over een meisje dat Jenny-May heette, dat ze tot mijn plezier duidelijk ter plekke bedacht.

'Ik ga met je mee,' zei Helena, die Wanda's liedje onderbrak door haar een kus op haar hoofd te geven. Ik nam een foto van hen tweeën toen ze niet keken.

'Hou nou eens op met die vullingen te verspillen!' beval Bobby, en ik maakte ook een foto van zijn gezicht.

'Nee, Helena, ik verwacht helemaal niet van je dat je met me meegaat.' Ik wapperde de foto's droog in de lucht voordat ik ze in het zakje van mijn blouse stopte. 'Vanavond is de generale repetitie. Dat is belangrijker. Leg maar gewoon aan Bobby uit waar het is.' Ik begon me weer opgejaagd te voelen.

Ze keek op haar horloge, en ik verlangde ineens hevig naar het mijne. 'Het is net na één uur. De generale is pas om zeven uur, we zijn heus wel op tijd terug. En trouwens, ik wil graag met je mee.' Ze raakte zachtjes mijn wang aan en knipoogde. 'Dit is veel belangrijker, en daarbij komt dat ik precies weet waar we naartoe gaan. Deze open plek is niet veel verder dan de plek waar wij elkaar vorige week hebben ontmoet.'

Joseph liep naar me toe. Hij stak zijn hand uit. 'Wees voorzichtig, kipepeomeisje.'

Vol verbazing pakte ik zijn hand. 'Ik kom weer terug, hoor, Joseph.'

'Dat mag ik hopen,' zei hij glimlachend, en hij legde zijn andere hand op mijn hoofd. 'Wanneer je terugkomt vertel ik je wat een kipepeomeisje is.'

'Leugenaar,' zei ik, terwijl mijn ogen zich vernauwden.

'Nou, kom op,' zei Helena, en ze gooide een felgele pashmina over haar schouder.

We begaven ons op weg naar het bos, met Helena voorop. Aan de rand van het bos verscheen een jonge vrouw, die versuft en verward naar het dorp keek.

'Welkom' zei Helena tegen haar.

'Welkom,' zei Bobby vrolijk.

Ze keek verward van hun gezichten naar het mijne. 'Welkom,' zei ik glimlachend, en ik wees naar de burgerlijke stand.

De weg die Helena koos, bestond uit vrijgemaakte en vaak belopen paden. De sfeer herinnerde me aan de eerste paar dagen die ik alleen in dit bos had doorgebracht, terwijl ik me afvroeg waar ik was. De geur van naaldbomen was overweldigend, vermengd met die van mos, bast en vochtige bladeren. Er hing een nare geur van rottende bladeren vermengd met de zoete geur van wilde bloemen. Muggen vlogen in groepjes bij elkaar en dansten in cirkels om elkaar heen. Rode eekhoorns sprongen van tak naar tak, en zo af en toe bleef Bobby staan om iets interessants op ons pad op te pakken. Wat mij betrof konden we niet snel genoeg gaan. Gisteren dacht ik nog dat ik Jenny-May nooit zou vinden; vandaag ging ik over dezelfde weg terug als waarover ik was aangekomen, om haar te zien. Grace Burns had uitgelegd dat Jenny-May samen met een oudere Fransman, die al jarenlang diep in het woud woonde, in het dorp was aangekomen. Ze had op zijn deur geklopt, al die jaren geleden dat ze was aangekomen, om om hulp te vragen. In de veertig jaar dat hij Hier woonde, was hij maar zelden naar het dorp gekomen, maar 24 jaar geleden kwam hij naar de burgerlijke stand met een meisje van tien, Jenny-May Butler, dat erop stond dat hij, de enige die ze vertrouwde, haar voogd zou worden. Ondanks zijn verlangen naar eenzaamheid stemde hij ermee in voor haar te zorgen. Hij bleef in zijn huis in het bos wonen, maar zorgde ervoor dat Jenny-May elke dag naar school ging en vriendschappen sloot en onderhield. Na een tijdje sprak ze vloeiend Frans, en als ze in het dorp was sprak ze dat, zodat maar weinig Ieren wisten waar ze echt vandaan kwam. Jenny-May zorgde voor haar voogd totdat hij vijftien jaar geleden overleed, en ze besloot in het huis buiten het dorp te blijven wonen dat hij aan haar had nagelaten en kwam maar zelden naar het dorp.

Na twintig minuten kwamen we langs de open plek waar ik Helena had ontmoet en ze stond erop dat we zouden stoppen en pauze zouden houden. Ze dronk water uit de veldfles die ze had meegenomen en gaf hem toen door aan Bobby en mij. Ik voelde de warmte en dorst op deze warme dag echter niet. Mijn gedachten richtten zich op Jenny-May. Ik wilde blijven bewegen, blijven lopen totdat we haar hadden bereikt. Ik had geen idee wat er dan zou gebeuren.

'Jemig, ik heb je nog niet eerder zo gezien,' zei Bobby, terwijl hij me met een vreemde blik aankeek. 'Het is net alsof er vlooienpoeder in je broek zit.'

'Zo is ze altijd.' Helena sloot haar ogen en wuifde haar bezwete gezicht koelte toe.

Ik ijsbeerde heen en weer naast Helena en Bobby, hinkelde wat, schopte tegen bladeren en probeerde wanhopig de adrenaline die door me heen spoot in goede banen te leiden. Elke seconde die ze bij me waren voelden ze zich nerveuzer, dus eindelijk voelden ze zo veel druk dat we weer verder liepen, waar ik blij om was maar me ook schuldig over voelde.

Het volgende deel van de reis duurde langer dan Helena had gedacht. We liepen nog dertig minuten voordat we op een open plek in de verte een klein houten huisje zagen. Er kwam rook uit de schoorsteen, recht omhoog langs de naaldbomen tot hij eroverheen ging, naar waar zij niet konden komen, tot in de wolkeloze lucht.

Toen we het huisje in de verte zagen, bleven we direct staan. Helena had een rood gezicht en was moe, en ik voelde me nog schuldiger dat ik haar op zo'n warme dag op deze tocht had meegenomen. Bobby keek nogal teleurgesteld naar het huisje, waarschijnlijk had hij op iets veel luxueuzers dan dit gehoopt. Ik was echter nog opgewondener dan eerder. De aanblik van het nederige huisje voor me benam me de adem. Het was het huis van het meisje dat er altijd over had opgeschept dat ze veel meer wilde, maar voor mij was het net een droom, een perfect plaatje. Net als Jenny-May.

Lange naaldbomen stonden beschermend aan twee zijden van het huis. Voor het huis lag een klein tuintje, midden in de open plek, met struikjes, mooie bloemen en wat uit de verte een groenten- of kruidentuin leek. Als de zon op de muggen en vliegen scheen, leken het net symbiotische wezens die in de lucht rondcirkelden, in groepjes verspreid. Stralen zonlicht kwamen tussen de bomen door en verlichtten het plekje als een podium.

'O, kijk,' zei Helena, en ze gaf het water aan Bobby toen de voordeur van het huisje openging en er een meisje met witblond haar naar buiten kwam. Haar lach echode over de open plek en zweefde op de warme lucht naar ons toe. Ik sloeg mijn hand voor mijn mond. Ik moet geluid hebben gemaakt, hoewel ik dat niet hoorde, omdat Bobby en Helena onmiddellijk naar me keken. Er welden tranen op in mijn ogen toen ik het meisje zag, dat niet ouder dan vijf was, net als het meisje bij wie ik de eerste schooldag in de klas zat. Toen klonk de stem van een vrouw uit het huisje en mijn hart bonsde.

'Daisy!'

Toen een mannenstem: 'Daisy!'

Daisy rende door de voortuin, giechelend en ronddraaiend, haar citroengele jurk danste om haar heen op de wind. Toen kwam er door de voordeur een man naar buiten, die haar achterna begon te zitten. Haar gegiechel werd gegil van plezier. Hij maakte angstaanjagende geluiden achter haar, zei plagend dat hij haar ging pakken, waardoor ze nog harder moest gillen en lachen. Eindelijk had hij haar te pakken en hij draaide haar rond in de lucht, terwijl ze om 'Meer, meer, meer!' riep. Toen ze allebei buiten adem waren, hield hij op en hij droeg haar terug naar het huis. Voor de deur bleef hij staan, draaide zich om, en keek ons aan.

Hij riep iets het huis in. We hoorden de vrouwenstem weer, maar konden de woorden niet verstaan. Hij bleef daar naar ons staan kijken.

'Kan ik jullie ergens mee helpen?' riep hij, terwijl hij zijn hand boven zijn ogen hield, tegen de zon.

Helena en Bobby keken me aan. Ik staarde sprakeloos naar de man en het kind in zijn armen.

'Ja, dat kunt u. We zijn op zoek naar Jenny-May Butler,' riep Helena beleefd. 'Ik weet niet zeker of we hier goed zijn.'

Ik twijfelde er niet aan dat we op de goede plek waren.

'Wie is er naar haar op zoek?' vroeg hij beleefd. 'Sorry, ik kan jullie van hieraf niet goed zien.' Hij deed een paar stappen naar voren.

'Sandy Shortt is er voor haar,' riep Helena.

Er verscheen direct iemand bij de deur.

Ik hoorde dat ik naar adem snakte.

Lang blond haar, slank en mooi. Hetzelfde maar ouder. Mijn leeftijd. Het kind in haar was verdwenen. Ze droeg een losvallende witte katoenen jurk en was blootsvoets. Ze hield een tafellaken in haar hand, dat op de grond viel toen ze haar hand boven haar ogen hield en me zag.

'Sandy?' Haar stem was ouder, maar nog hetzelfde. Hij beefde en was onzeker, er sprak zowel angst als blijdschap uit.

'Jenny-May,' riep ik terug, en ik hoorde precies dezelfde klank in mijn stem.

Toen hoorde ik haar huilen terwijl ze langzaam naar me toeliep, en ik hoorde mezelf huilen terwijl ik een paar stappen naar haar toeging. Ik zag dat ze haar armen uitstak, en voelde mezelf hetzelfde doen. De afstand tussen ons werd kleiner, het idee dat ze hier voor me stond werd steeds echter. Ze huilde hard, en ik ook, denk ik. We huilden als kinderen terwijl we naar elkaar toeliepen, elkaars gezicht, haar, lichaam bekeken, en we ons dingen herinnerden, goede en slechte. En toen waren we dicht bij elkaar en omhelsden we elkaar. We huilden en knuffelden, keken naar elkaars gezicht, veegden tranen van elkaars wangen en hielden elkaar toen weer vast. We wilden elkaar nooit meer loslaten.

HOOFDSTUK 51

'Jack,' zei Graham Turner verbaasd, 'wat doe je hier, zo snel al weer? Het duurt nog wel een paar dagen voordat we de resultaten van de forensische afdeling hebben en ik beloof je dat we contact met je opnemen zodra we iets weten.'

De tijd had al vat gekregen op Donals lichaam en had het niet gespaard. Hij moest nog officieel worden geïdentificeerd, hoewel Jack en zijn familie in hun hart al wisten dat het Donal was. Er waren verse en verwelkte bloemen gevonden op de plek die Alan het afgelopen jaar elke week had bezocht. Hij had het ware verhaal de vorige avond aan de politie verteld, maar geweigerd de namen van de bende te geven. De komende paar maanden zou hij terechtstaan, en Jack was blij dat zijn moeder er niet meer was om te zien dat de man die zij deels had opgevoed zijn aandeel in de schuld voor de moord op haar zoon zou bekennen.

Nadat hij de gebeurtenissen van de vorige avond met zijn familie had besproken, was het al vroeg in de ochtend voordat Jack in Foynes terugkeerde. Het stadje was nog steeds aan het feesten, ver na de normale openingstijden. Hij negeerde het geluid van de muziek en het gezang en ging naar de slaapkamer waar Gloria in bed lag te slapen. Hij ging naast haar op het bed zitten en keek naar haar. Haar lange zwarte wimpers rustten op haar roze wangen. Haar mond was ietsje geopend, op het zachte geluid van haar ademhaling bewoog haar borst lichtjes op en neer. Dat hypnotische geluid en die aanblik zorgden ervoor dat hij nu deed wat hij een jaar niet had gedaan. Hij legde een hand op haar schouder en maakte haar voorzichtig wakker, om haar eindelijk in zijn wereld uit te nodigen. Toen ze de rest van de nacht over het afgelopen jaar hadden gepraat, en over wat hij de afgelopen week allemaal had ontdekt, was hij eindelijk moe en viel samen met haar in slaap.

'Ik ben hier niet vanwege Donal,' legde Jack uit, terwijl hij ging zitten. 'We moeten Sandy Shortt vinden.'

'Jack.' Graham wreef vermoeid in zijn ogen. Zijn bureau en de omliggende bureaus waren bedekt met papieren en overal om hem heen gingen telefoons. 'Dit hebben we al besproken.'

'Niet gedetailleerd genoeg. Luister nu eens naar me. Misschien heeft Sandy wel contact opgenomen met Alan en is hij in paniek geraakt. Je weet het nooit. Misschien hadden ze een afspraak en werd hij bang dat ze te dicht bij de waarheid zou komen en heeft hij iets gedaan. Ik weet niet wat. Ik bedoel niet eens moord. Ik weet dat Alan daar niet toe in staat is, maar,' hij zweeg even, 'eigenlijk,' zijn pupillen verwijdden zich van woede, 'misschien heeft hij dat wel gedaan, misschien is hij wanhopig geworden en...'

'Hij heeft haar niet vermoord,' onderbrak Graham hem. 'Dat heb ik telkens weer met hem besproken. Hij weet niets over haar, had nog nooit van haar gehoord. Hij had geen idee waar ik het over had. Hij wist alleen wat jij hem had verteld: dat een of andere vrouw je meehielp met zoeken naar Donal. Dat is alles.' Hij keek Jack in de ogen en de klank van zijn stem verzachtte iets. 'Alsjeblieft, Jack, geef het op.'

'Het opgeven? Dat zei iedereen ook tegen me toen ik Donal zocht.'

Graham schoof ongemakkelijk heen en weer in zijn stoel.

'Alan was Donals beste vriend en hij heeft een jaar gelogen over wat er met hem is gebeurd. Hij zit al genoeg in de problemen – denk je echt dat hij ons gaat vertellen over wat hij misschien wel met een vrouw heeft gedaan om wie hij niets geeft? Had ik niet gelijk met Alan?' Jack verhief zijn stem.

Graham was een heel lange tijd stil, en hij beet op een al ver afgebeten nagel terwijl hij een beslissing nam. 'Oké, oké.' Hij sloot zijn vermoeide ogen en concentreerde zich. 'We zullen de plek onderzoeken waar haar auto is achtergelaten.'

HOOFDSTUK 52

O ver dat moment met Jenny-May heb ik heel lang en intensief nagedacht, uren, dagen en nachten, maar ik kan geen woorden vinden voor de tijd die we die middag samen hebben doorgebracht. Het was veel te groot voor woorden. Het was belangrijker dan woorden; het had meer betekenis dan woorden.

We slopen weg van het houten huisje en lieten Bobby, Helena, Daisy en Jenny-Mays man, Luc, achter om met elkaar te kletsen. We hadden elkaar heel veel te zeggen. Het zou het moment geen recht doen als ik onze gesprekken zou navertellen, want we praatten over niets. Het zou mijn enorme blijdschap tekort doen als ik zou uitleggen hoe het voelde om een oudere versie van de schattige foto uit mijn geheugen tot leven te zien komen. Blijdschap, dat woord is ook niet goed genoeg. Opluchting, vreugde, pure extase – het komt niet in de buurt.

Ik vertelde haar over de mensen die ze vroeger had gekend, die van alles deden waar niemand in geïnteresseerd was behalve zij. Ze vertelde me over haar gezin, haar leven, alles wat ze had gedaan sinds ik haar voor het laatst had gezien. Ik vertelde haar over alles wat ik had gedaan. We praatten niet één keer over hoe ze mij had behandeld. Lijkt dat vreemd? Dat leek het toen niet. Het was niet belangrijk. We hadden het niet één keer over waar we nu allebei waren. Lijkt dat ook vreemd? Misschien, maar dat was ook niet belangrijk. Het ging niet om toen, of daar, maar over nu. Dit moment, vandaag. We merkten niet dat er uren voorbijgingen, we merkten amper op dat de zon onderging. We voelden niet dat de warmte uit onze huid trok en de avondbries hem afkoelde. We voelden niets, hoorden niets, zagen niets, behalve de verhalen, geluiden en voorstellingen van onze eigen geest, waarmee we elkaar vulden. Voor een ander betekent het niets, maar voor mij heel veel.

Maar het is misschien genoeg om te zeggen dat een deel van me die avond werd verlost, en ik voelde dat dat ook voor Jenny-May gold. We zeiden het natuurlijk nooit tegen elkaar. Maar we wisten het allebei.

HOOFDSTUK 53

Helena riep tegen ons dat ze terug naar het dorp moest voor de generale repetitie en terwijl de rest afscheid nam, brachten Jenny-May en ik onze hoofden bij elkaar, keken naar de camera in mijn hand en glimlachten. Ik pakte de foto en stopte hem in de zak van mijn blouse. Jenny-May sloeg de uitnodiging om het toneelstuk te komen zien af, omdat ze liever thuis bij haar gezin bleef. We zeiden dat we elkaar weer zouden treffen, maar spraken niets af. Niet vanwege animositeit tussen ons, maar omdat ik het gevoel had dat alles was gezegd, of niet gezegd, maar begrepen, en dat vond zij waarschijnlijk ook. Het was voldoende dat ik wist dat ze daar was, en dat gold waarschijnlijk omgekeerd voor haar ook. Soms is dat alles waar mensen behoefte aan hebben. Om het te weten.

We leenden een zaklamp van Jenny-May omdat de zon al onder was. Helena wees ons de weg naar het dorp. Eindelijk zag ik de lichtjes in de verte. Ik voelde me duizelig van blijdschap en pakte de foto's uit mijn zak om ze tijdens het lopen nog een keer te bekijken. Ik haalde er twee uit en voelde waar de derde was. Die was weg.

'O, nee,' kreunde ik, en ik bleef staan en keek onmiddellijk naar de grond.

'Wat is er?' Bobby stopte en riep tegen Helena dat ze moest blijven staan.

'De foto van Jenny-May en mij is weg.' Ik begon terug te lopen naar waar ik vandaan kwam.

'Wacht even, Sandy.' Bobby liep achter me aan, naar de grond kijkend. 'We lopen nu al bijna een uur. Die foto kan overal zijn. We moeten echt terug naar de gemeenschapszaal voor het toneelstuk, we zijn al erg laat. Morgen, als het licht is, kun je nog een foto met haar samen nemen.'

'Nee, dat kan niet,' klaagde ik, en ik spande me in om in het avondlicht de grond te zien.

Helena, die tot nu toe nog niets had gezegd, deed een stap naar voren. 'Heb je hem laten vallen?'

Daardoor hield ik op met wat ik deed en keek ik op. Haar gezicht stond ernstig, haar toon was serieus.

'Ik denk het. Het lijkt me niet dat hij uit mijn zak is gesprongen en weggerend.'

'Je weet wat ik bedoel.'

'Nee, ik heb hem gewoon laten vallen. Mijn zak staat open, zie je?' Ik liet hun het ondiepe borstzakje zien. 'Waarom lopen jullie niet gewoon verder, dan kijk ik hier nog een tijdje rond.'

Ze twijfelden.

'We zijn minder dan vijf minuten van het dorp verwijderd. We zijn zo dichtbij, ik kan het pad ernaartoe zien,' zei ik glimlachend. 'Echt waar, het is goed zo. Ik moet die foto zien te vinden en dan kom ik rechtstreeks naar de gemeenschapszaal om het toneelstuk te zien. Dat beloof ik.'

Helena keek me vreemd aan, ze kon duidelijk niet kiezen tussen mij helpen en de spelers helpen met de voorbereiding voor de generale repetitie.

'Ik laat je hier niet in je eentje achter,' zei Bobby.

'Hier, Sandy, pak jij de zaklamp maar. Bobby en ik kunnen vanaf hier de weg wel vinden. Ik weet dat het heel belangrijk voor je is om de foto te vinden.' Ze gaf me de zaklamp en ik dacht dat ik tranen in haar ogen zag.

'Helena, maak je nou geen zorgen!' zei ik lachend. 'Het komt allemaal goed.'

'Dat weet ik, lieverd.' Ze boog zich voorover en ze verraste me door me een snelle kus op mijn wang en een stevige knuffel te geven. 'Doe voorzichtig.'

Bobby glimlachte tegen me over Helena's schouder. 'Ze gaat heus niet dood, hoor, Helena.'

Helena gaf hem speels een tikje tegen zijn hoofd. 'Kom maar met mij mee. Je moet nog alle kostuums uit de winkel naar de zaal brengen, Bobby! Je had beloofd dat ik ze gisteren al zou hebben!'

'Ja, maar dat was voordat David Copperfield hier in de gemeenschapszaal werd ontboden!' voerde hij aan ter verdediging.

Helena wierp hem een blik toe.

'Oké, oké!' Hij deed een stapje terug. 'Ik hoop dat je hem vindt, Sandy.' Hij knipoogde tegen me voordat hij achter Helena aan verder het pad afliep. Ik hoorde nog een tijdje dat ze elkaar plaagden, totdat het geluid van hun stemmen verdween en ze het dorp binnenliepen.

Ik draaide me om en zocht de grond af. Ik herinnerde me vrij goed hoe we waren gekomen. Het leek één hoofdpad te zijn, we waren maar weinig kruisingen tegengekomen, en dus, met mijn ogen strak op de grond gericht, liep ik dieper het bos in.

Helena en Bobby haastten zich achter het toneel, ze repareerden kostuums, ritsen die op het laatste moment kapot gingen en gescheurde naden, repeteerden zinnen met zenuwachtige spelers en gaven peptalks tegen een paniekerige crew. Helena haastte zich naar haar stoel in de zaal, naast Joseph, voordat de voorstelling begon, en voor het eerst in een uur kon ze zich ontspannen.

'Is Sandy er niet?' vroeg Joseph, in het rond kijkend.

'Nee,' zei Helena, die recht naar voren bleef staren en weigerde haar echtgenoot aan te kijken. 'Ze is in het bos achtergebleven.'

Joseph pakte de hand van zijn vrouw en fluisterde: 'Aan de Keniaanse kust, waar ik vandaan kom, ligt een bos dat het Arabuko-Sokokebos heet.'

'Ja, daar heb je weleens over verteld,' zei Helena.

'Daar zijn de kipepeomeisjes, vlinderkweeksters die helpen het bos te behouden.'

Helena keek naar hem, eindelijk wist ze wat die bijnaam betekende.

Hij glimlachte. 'Ze staan bekend als de hoedsters van het woud.'
'Ze is in het bos gebleven om een foto van haar en Jenny-May te
vinden. Ze denkt dat ze hem heeft laten vallen.' Er welden tranen op
in Helena's ogen en Joseph gaf een kneepje in haar hand.
De gordijnen voor het toneel schoven opzij.

Af en toe dacht ik dat ik het wit van de foto in het maanlicht zag
glanzen en dan verliet ik het pad om tussen de struikjes te zoeken,
waarbij ik vogeltjes en kleine wezentjes met mijn zaklamp verjoeg.
Na een halfuur had ik de eerste open plek toch bereikt moeten hebben. Ik scheen met de zaklamp om me heen, op zoek naar iets bekends, maar ik zag alleen maar bomen, bomen, en nog eens bomen.
Maar ja, ik had wel veel langzamer gelopen en dus zou het langer
duren voordat ik er kwam. Ik besloot in dezelfde richting verder te
lopen. Het was nu aardedonker, en om me heen schreeuwden uilen
en bewogen wezens in hun natuurlijke habitat, verbaasd dat ik daar
was waar ik niet hoorde. Ik was niet van plan er nog veel langer te
blijven. Ik bibberde, de koele avond werd nu koud. Ik scheen recht
vooruit met de zaklamp, en ging er vanuit dat ik de foto dichter bij
Jenny-Mays huis had laten vallen dan ik dacht.

'Waar ben ik?' Orla Keane stapte het toneel op als Dorothy Gale, en
keek de gemeenschapszaal rond die voor die avond een groots theater was geworden. Duizenden mensen keken terug. 'Wat is dit voor
een vreemd land?'

Dertig minuten later, zwetend, hijgend en duizelig van het in allerlei richtingen joggen, herkende ik de eerste open plek voor me. Ik
hield op met rennen en leunde tegen een boom aan, om me te ondersteunen en weer op adem te komen. Ik haalde opgelucht adem,
en was van mijn stuk gebracht toen tot me doordrong dat ik banger
was geweest om te verdwalen dan ik dacht.

'Ik heb een hart nodig,' zong Derek. 'Ik heb hersens nodig,' zei Bernard dramatisch. 'En ik heb moed nodig,' zei Marcus zachtjes, op

verveelde toon. Het publiek lachte terwijl ze allemaal samen met Dorothy rechts van het toneel af huppelden, arm in arm.

Op de open plek was het lichter, want de maan kon ongehinderd door de bomen naar beneden schijnen. De grond was er blauw en in het midden zag ik een klein wit vierkantje glinsteren. Ondanks de vermoeidheid en de pijn op mijn borst rende ik naar de foto toe. Ik wist dat ik al langer weg was dan mijn bedoeling was geweest en ik had Helena beloofd dat ik er voor haar zou zijn. Er ging een mengeling aan emoties door me heen toen ik de druk voelde om de foto te vinden en om Helena en mijn nieuwe vrienden te steunen. Ik concentreerde me niet toen ik stom genoeg op volle snelheid rende, in het donker, op de hoge hakken van Barbara Langleys schoenen. Ik struikelde en voelde dat mijn enkel verzwikte. De pijn schoot door mijn been omhoog en bracht me uit balans. De grond kwam snel omhoog, voordat ik er iets tegen kon doen.

'Bedoel je dat ik de hele tijd al de macht in me had om naar huis te gaan?' vroeg Orla Keane onschuldig. Het publiek moest lachen.

'Ja, Dorothy,' zei Carol Dempsey, gekleed als de goede heks Glinda, op haar normale, vriendelijke toon. 'Je hoeft alleen maar met je hakken tegen elkaar te klikken en de woorden uit te spreken.'

Helena hield Josephs hand steviger vast en hij gaf een kneepje terug.

Orla Keane sloot haar ogen en klikte met haar hakken tegen elkaar. 'Het is nergens zo goed als thuis,' zei ze, en ze trok iedereen mee in die mantra. 'Het is nergens zo goed als thuis.'

Joseph keek naar zijn vrouw en zag een traan over haar gezicht rollen. Met zijn duim ving hij hem op voordat hij van haar kin viel. 'Ons kipepeomeisje is gevlogen.'

Helena knikte, en nu viel er wel een traan.

Ik voelde dat alles onder me vandaan gleed, mijn hoofd klapte tegen iets hards aan. Ik voelde de pijn door mijn ruggengraat schieten en alles werd zwart.

Op het toneel klikte Orla Keane nog één keer haar rode schoentjes tegen elkaar voordat ze in een rookwolk verdween, met dank aan Bobby's voetzoekers. 'Het is nergens zo goed als thuis.'

HOOFDSTUK 54

'Volgens mij is ze hier niet.' Graham liep naar Jack in het beboste gebied van Glin. In de verte ging er boven Foynes vuurwerk af, om de laatste paar ogenblikken van het Irish Coffee Zomerfestival te vieren. Ze bleven allebei staan en keken omhoog.

'Ik denk dat je gelijk hebt,' gaf Jack uiteindelijk toe. Ze hadden de afgelopen paar uur het gebied waar Sandy haar auto had achtergelaten doorzocht en ondanks het feit dat het halverwege hun zoektocht donker was geworden, had Jack erop gestaan dat ze verder zouden gaan. De omstandigheden voor de zoektocht waren niet meer ideaal en hij zag dat de anderen op hun horloge keken. 'Bedankt dat jullie het me hebben laten proberen,' zei Jack, toen ze over het pad terug naar de auto liepen.

Plotseling klonk er luid geraas; het geluid alsof er een boom was omgevallen. Een bons en de gil van een vrouw. De beide mannen bleven stilstaan en ze keken naar elkaar.

'Waar kwam dat vandaan?' vroeg Graham, in de rondte draaiend, en hij scheen met zijn zaklamp alle kanten op. Verderop, aan de linkerkant, hoorden ze gekreun, en ze renden er allemaal naartoe om haar te zoeken. Het licht van Jacks zaklamp viel op Sandy, die op haar rug lag. Haar been lag er vreemd bij, ze had bloed op haar hand en vlekken op haar kleren.

'O, nee.' Jack haastte zich naar haar toe en knielde naast haar neer. 'Ze is hier!' riep hij naar de anderen, en ze haastten zich naar hen toen en verdrongen zich om haar heen.

'Oké, even achteruit, geef haar de ruimte.' Graham riep een ambulance op.

'Ik wil haar niet verplaatsen. Haar hoofd bloedt hevig en het lijkt erop dat haar been gebroken is. O god, Sandy, zeg iets tegen me.'

Haar ogen gingen knipperend open. 'Wie ben jij?'

'Ik ben Jack Ruttle,' zei hij, opgelucht dat ze haar ogen had opengedaan.

'Hou haar aan de praat, Jack,' zei Graham.

'Jack?' Haar ogen gingen wijdopen van verrassing. 'Word jij ook vermist?'

'Wat? Nee.' Hij fronste zijn wenkbrauwen. 'Nee, ik word niet vermist.' Bezorgd keek hij naar Graham. Graham gebaarde dat hij haar moest laten praten.

'Waar ben ik?' vroeg ze verward, terwijl ze om zich heen keek. Ze probeerde haar hoofd te bewegen en gilde van de pijn.

'Niet bewegen. De ambulance is onderweg. Je bent in Glin, in Limerick.'

'Glin?' herhaalde ze.

'Ja, we hadden hier vorige week een afspraak, weet je nog?'

'Ben ik thuis?' In haar ogen welden tranen op, die al snel over haar met modder bestreepte gezicht rolden. 'Donal,' zei ze plotseling, haar tranen inslikkend. 'Donal was er niet.'

'Waar was Donal niet?'

'Ik was op een rare plek, Jack. O god, het was een plek waar alle vermiste personen waren. Helena, Bobby, Joseph, Jenny-May, o nee, Helena's toneelstuk – ik mis haar toneelstuk.' De tranen stroomden nu over haar wangen. 'Ik moet opstaan,' ze spande zich in om zich te bewegen. 'Ik moet naar de generale repetitie.'

'Je moet wachten tot de ambulance er is, Sandy. Niet bewegen.' Hij keek weer naar Graham. 'Ze heeft waanvoorstellingen. Waar blijft die ambulance?'

Graham sprak weer door zijn portofoon. 'Die is onderweg.'

'Wie heeft je dit aangedaan, Sandy? Vertel me wie het is en dan zullen we hem krijgen, dat beloof ik.'

'Niemand.' Ze leek in de war. 'Ik ben gevallen. Ik zei je toch dat ik op een plek was... waar is mijn foto, ik heb een foto verloren. O, Jack, ik moet je iets vertellen,' zei ze, nu zachtjes. 'Het gaat om Donal.'

'Ga door,' drong hij aan.

'Hij was er niet. Hij was niet op... die plek met de rest. Hij wordt niet vermist.'

'Dat weet ik,' zei Jack verdrietig. 'We hebben hem vanochtend gevonden.'

'Wat erg voor je.'

'Hoe wist je dat?'

'Hij was niet bij alle andere vermiste personen,' mompelde ze, en haar ogen vielen dicht.

'Blijf wakker, Sandy,' zei Jack, met een dringende klank in zijn stem.

Toen ik mijn ogen opende, was het helder wit om me heen en voelden mijn oogleden zwaar. Ik keek rond, maar zelfs dat deed al pijn. Mijn hoofd bonsde. Ik kreunde.

'Lieverd...' Mijn moeders gezicht verscheen boven me.

'Mama.' Ik begon onmiddellijk te huilen en ze strekte haar armen uit om me vast te houden.

'Het is in orde, lieverd, nu is het in orde,' zei ze kalmerend, terwijl ze over mijn haar aaide.

'Wat heb ik je gemist,' zei ik huilend tegen haar schouder, terwijl ik de kloppende pijn in de rest van mijn lichaam negeerde.

Toen ik dat zei, hield ze op met aaien, door de schok van mijn woorden verstijfde ze helemaal, en toen begon ze weer. Ik voelde dat mijn vader me een kus op mijn hoofd gaf.

'Ik heb jou ook gemist, papa.' Ik bleef maar huilen.

'We hebben jou ook gemist, schat.' Zijn stem trilde toen hij dat zei.

'Ik heb de plek gevonden,' zei ik opgewonden, ik hoorde en zag alles nog steeds vaag en van een afstand. Mijn eigen stem klonk gedempt. 'Ik heb de plek gevonden waar alles wat vermist wordt naartoe gaat.'

344

'Ja, lieverd, dat zei Jack al,' zei mijn moeder, met een bezorgde klank in haar stem.

'Nee, ik ben niet gek, ik heb het niet verzonnen. Ik ben er echt geweest.'

'Ja,' suste ze me, 'je moet rusten, lieverd.'

'De foto's zitten in het zakje van mijn blouse,' legde ik uit, terwijl ik probeerde alle details duidelijk uit te leggen, maar het voelde warrig in mijn hoofd. 'Het is niet de zak van mijn blouse, het is de blouse van Barbara Langley, uit Ohio. Dat had ik gevonden. Ik heb ze in het zakje gestopt.'

'De politie heeft niets gevonden, schat,' zei mijn vader zachtjes, want hij wilde niet dat iemand anders het zou horen. 'Er zijn helemaal geen foto's.'

'Dan zijn ze er vast uit gevallen,' mompelde ik. Ik werd moe van al dat uitleggen. 'Is Gregory er?' vroeg ik.

'Nee, moeten we hem bellen?' vroeg mijn moeder opgewonden.

'Ik wilde hem bellen, maar dat mocht niet van Harold.'

'Bel hem,' was het laatste wat ik me herinner.

Ik werd wakker in de slaapkamer waar ik als kind sliep en keek naar hetzelfde bloemetjesbehang waar ik mijn hele tienertijd naar moest kijken. Ik had er toen al een hekel aan gehad, ik kon niet wachten tot ik het de rug kon toekeren, maar nu voelde ik me er vreemd genoeg door getroost. Ik glimlachte, opgetogen dat ik voor het eerst in mijn leven thuis was. Er lag geen tas bij de deur, ik had geen claustrofobisch gevoel en was niet bang dat ik dingen zou kwijtraken. Ik was nu al drie dagen thuis, ik haalde slaap in en liet mijn gewonde en vermoeide lichaam uitrusten. Ik had mijn been gebroken, mijn enkel verstuikt en mijn hoofd was gehecht, maar ik was thuis en ik was blij. Ik dacht vaak aan Helena, Bobby, Joseph en Wanda, en wilde graag bij hen zijn, maar ik wist dat ze zouden begrijpen wat er was gebeurd, en ik vroeg me af of ze het niet de hele tijd al hadden geweten.

Er werd op de deur geklopt.

'Binnen,' riep ik.

Gregory stak zijn hoofd om de deur en kwam toen binnen met een dienblad vol voedsel.

Ik kreunde. 'Niet nog meer eten. Volgens mij proberen jullie me vet te mesten.'

'We proberen je beter te maken,' zei hij somber, terwijl hij het dienblad op bed zette. 'Die bloemen zijn van mevrouw Butler.'

'Wat lief van haar,' zei ik vriendelijk. 'Denk je nog steeds dat ik gek ben?' vroeg ik.

Zodra ik me goed genoeg had gevoeld om het duidelijk uit te leggen, had ik hem verteld waar ik was geweest. Mijn ouders hadden hem blijkbaar ook gevraagd om er met me over te praten, want het was nummer één op de agenda, hoewel hij niet de rol van therapeut op zich nam. Niet meer. Dat was toen, dit is nu.

Hij vermeed de vraag. 'Ik heb vandaag met Jack Ruttle gesproken.'

'Fijn. Ik hoop dat je je excuses hebt gemaakt.'

'Dat heb ik zeker gedaan.'

'Fijn,' herhaalde ik, 'want als hij er niet was geweest, zou ik nu ergens in een greppel liggen. Mijn eigen partner vond het niet belangrijk genoeg om mee te zoeken,' snoof ik.

'Echt waar, Sandy, als ik je elke keer dat je verdwijnt moet gaan zoeken...' zijn stem stierf weg. Hij had het als grapje bedoeld, maar het veranderde de sfeer.

'Nou, het zal niet weer gebeuren.'

Hij keek onzeker.

'Ik beloof het, Gregory. Ik heb gevonden waar ik naar zocht.' Ik raakte zijn wang aan.

Hij glimlachte, maar ik wist dat het tijd zou kosten voordat hij me echt zou geloven. De afgelopen paar dagen had ik me ook afgevraagd of ik mezelf wel geloofde.

'Wat zei Jack aan de telefoon?'

'Dat hij is teruggegaan naar de plek waar hij je had gevonden om naar de foto's te zoeken waar je het over had en niets heeft gevonden.'

'Denkt hij ook dat ik gek ben?'

'Waarschijnlijk, maar hij is nog steeds dol op je omdat hij ervan overtuigd is dat jij en je moeder hem hebben geholpen zijn broer te vinden.'

'Het is een aardige man. Als hij er niet was geweest...' herhaalde ik, en ik liet mijn stem wegsterven, alleen maar om Gregory te pesten.

'Als je been niet al gebroken was, dan zou ik het voor je doen,' dreigde hij, maar toen werd hij weer ernstig. 'Je weet toch dát je moeder een telefoontje van de Sheens heeft gekregen? De mensen die jaren geleden het huis van je grootouders hebben gekocht?'

'Ja.' Ik trok de korst van een stuk toast af en stopte hem in mijn mond. 'Dat vond ik al zo raar. Ik kan me niet voorstellen dat ze haar belden om te vertellen dat ze gingen verhuizen.'

Gregory schraapte zijn keel. 'Daar belden ze ook niet voor; dat heeft je vader verzonnen.'

'Wat? Waarom?' Ik legde het toastje neer, want ik had geen honger meer.

'Hij wilde je niet bezorgd maken.'

'Vertel het me, Gregory.'

'Nou, je ouders zijn het misschien niet met me eens, maar volgens mij moet je weten dat ze eigenlijk belden om te zeggen dat ze je teddybeer hebben gevonden, meneer Pobbs. Hij lag onder een bed in de logeerkamer, en jouw naam stond in zijn gestreepte pyjama.'

Ik snakte naar adem. 'Alle spullen komen weer terug.'

'Dat vonden ze heel erg raar, omdat ze die kamer al een aantal jaar als opslagruimte gebruikten en er pas vorige maand weer een slaapkamer van hadden gemaakt. Ze hadden de teddybeer nog nooit gezien.'

'Waarom heeft niemand me dat verteld?'

'Je ouders wilden je niet weer van slag maken, nu je de hele tijd over die vermiste plek praat en...'

'Het is geen vermiste plek, het is een plek waar vermiste personen en dingen naartoe gaan,' zei ik boos, wederom beseffend hoe stom dat klonk.

'Oké, oké, rustig maar.' Hij haalde zijn vingers door zijn haar en leunde met zijn ellebogen op zijn knieën.

'Wat is er?'

'Niets.'

'Gregory, ik weet toch wanneer er iets is. Zeg het maar.'

'Nou,' hij wrong zijn handen, 'na hun telefoontje heb ik verder over je... theorie nagedacht.'

Ik sloeg gefrustreerd mijn ogen ten hemel. 'Welke stoornis heb ik nu, volgens jou?'

'Laat me eens uitpraten,' hij verhief zijn stem en er viel een boze stilte tussen ons. Na een tijdje ging hij verder. 'Toen ik de tas die je uit het ziekenhuis had meegekregen leeghaalde, vond ik dit in de zak van je blouse.'

Ik hield mijn adem in terwijl hij iets uit het zakje van zijn overhemd haalde.

De foto van Jenny-May en mij.

Ik pakte hem uit zijn handen alsof het het meest breekbare ding ter wereld was. Langs de rand van de foto stonden bomen.

'Geloof je me nu wel?' fluisterde ik, terwijl ik met mijn vinger over haar gezicht ging.

Hij haalde zijn schouders op. 'Je weet hoe mijn geest werkt, Sandy. Voor mij is dit soort dingen nonsens.' Ik keek hem boos aan. 'Máár,' zei hij vastberaden voordat ik de kans had om een pinnige opmerking te maken, 'dit is heel moeilijk te verklaren.'

'Dat is voorlopig voldoende,' accepteerde ik, en ik hield de foto dicht tegen me aan.

'Ik weet zeker dat mevrouw Butler die wel wil zien,' zei hij.

'Denk je?' Ik wist het niet zeker.

Hij dacht er over na. 'Volgens mij is zij de enige aan wie je hem kunt laten zien. Volgens mij is zij de enige aan wie je hem zou moeten laten zien.'

'Maar hoe kan ik dat uitleggen?'

Hij keek me aan, hief zijn handen en haalde zijn schouders op. 'Deze keer ben jij degene die het antwoord heeft.'

HOOFDSTUK 55

Soms verdwijnen mensen onder onze neus. Soms ontdekken mensen je, hoewel ze de hele tijd al naar je keken. Soms verliezen we het zicht op onszelf als we er niet goed genoeg op letten.

Dagen later, toen ik me fit genoeg voelde om op mijn krukken naar buiten te gaan, onder het toeziend oog van Gregory en mijn ouders, hobbelde ik naar de overkant, naar het huis van mevrouw Butler, met de foto van haar dochter in mijn zak. Het verandalicht in de vorm van een lantaarn wierp een oranjekleurige gloed over de deur en trok me naar binnen, als een mot naar een kaarsvlam. Ik haalde diep adem en klopte op de deur, ik voelde me weer verantwoordelijk en wist dat ik dit ogenblik mijn hele leven had gewenst.

Zo af en toe raken we allemaal vermist, soms uit eigen keus, soms door machten die buiten onze macht liggen. Als we leren wat onze ziel moet leren, toont het pad zichzelf. Soms zien we de weg, maar dwalen we steeds verder en dieper af, ondanks onszelf, en verhinderen de angst, kwaadheid of het verdriet ons weer terug te keren. Soms geven we er de voorkeur aan te verdwijnen en te blijven dwalen, soms is het makkelijker. Soms vinden we zelf de weg terug. Maar ondanks alles worden we altijd weer gevonden.

DANKWOORD

Heel erg bedankt (en tot ziens) Maxine Hitchcock voor alles wat je voor mijn eerste vier boeken hebt gedaan – ik zal je de rest van de reis missen, maar hoop dat onze paden elkaar op een dag weer zullen kruisen.

Dank je wel Lynne Drew, Amanda Ridout en het team van HarperCollins voor de geweldige steun.

Dank je wel Marianne Gunn O'Connor dat je me bent blijven inspireren en motiveren.

Ook bedankt de ongelooflijk ondersteunende Pat Lynch en Vicki Satlow, en dank je wel Dermot Hobbs en John-Paul Moriarty.

Speciaal bedankt David, Mimmie, pap, Georgina, Nicky en de rest van mijn familie; de Kelly's, Aherns, Keoghans en natuurlijk de 'Witches of Eastwick' – Paula Pea, Susana en SJ.

Dank je wel iedereen die mijn boeken leest – jullie zijn mijn grootste motivatie.